______________ 드림

|스스로|공부하는|아이|로 키우는|자녀교육서|

EBS 〈60분 부모〉는
월요일부터 금요일까지 요일별로 정해진 주제를 가지고 전문가와 함께

육아, 교육, 가족 등에서 나타나는 문제점의 해결책을 모색하여
좀 더 행복한 가정을 꾸리기 위해 기획된 프로그램이다.
이 책에 소개된 내용은
2003년부터 2006년 여름까지 방송된 내용 중에서 영유아의 바람직한 두뇌 발달과 관련된 정보들,
2006년 9월부터 2007년 9월 말까지 방송된 초등학생 공부습관 들이기 관련정보를 주요내용으로 삼고 있으며,
두뇌기반 학습이론과 학습기술을 추가로 보충한 것이다.

| 스스로 | 공부하는 | 아이 | 로 키우는 | 자녀교육서 |

EBS 60분 부모

김미라 • 정재은 • 최정금 지음
EBS 〈60분 부모〉 '스스로 공부하는 아이' 팀

경향미디어

EBS 〈60분 부모〉 프로그램은

한 생명을 낳아 그 아이를 의젓한 사회인으로 키워내기 위한 이 땅의 부모들의 고민은 너무나 다양하고 그 깊이 또한 헤아릴 수 없다. 그래서 〈60분 부모〉에서는 월요일부터 금요일까지 요일별 정해진 주제로 전문가와 함께 육아, 교육, 가족 등에서 나타나는 문제점의 해결책을 모색한다. 좀 더 행복한 가정을 꾸리기 위해 기획된 이 프로그램은 전화, 인터넷, 방청객 참여 등 다양한 방법으로 이루어졌다. 전국 수백만의 부모가 이 프로를 시청하기 위해 월요일부터 금요일까지 오전 10시면 어김없이 텔레비전 앞에 앉는다. 아이 키우기는 마치 생방송과도 같아서 언제 어떤 일이 벌어질지 아무도 모르는 데다, 행복한 똑똑이로 키우고 싶은 부모들의 욕구는 나날이 높아져가고 있다. 이 프로그램은 그런 부모들에게 육아에 관한 전문성을 가지고 접근, 부모들의 무릎을 치게 하고 가슴속 깊이 공감하게 하는 해결책을 제시해왔고 그 덕분에 신뢰성 높은 방송이란 평가를 받고 있다. 인터넷과 웬만한 양육서적에서도 찾아내기 힘든 육아의 틈새들을 실감 있게 그려낸 프로그램이라 할 수 있다.

EBS 〈60분 부모〉에 도움을 주신 패널 분들은

이 프로그램에는 양육과 가족상담 분야에서 내로라하는 대한민국 최고 전문가들이 많이 참석해서 주옥같은 조언들을 들려 주었다.

〈60분 부모〉를 거쳐간 화려한 전문가 출연진들의 섬세하고도 진정성 있는 상담, 그 가운데 학습관련 핵심정보를 간추려냈다!

인지학습심리학 교수 **김미라** 박사
〈평생 성적 초등 4학년에 결정된다〉의 저자 **김강일**
소아정신과 전문의 **오은영** 박사

인지학습전략 전문가 **최정금**
소아정신과 전문의 **신의진** 박사
정신과 전문의 **김병후** 박사

아기 발달 전문가 **김수연**
교육컨설턴트 **민성원**

〈60분 부모〉를 보고 나서 시청자 댓글

정말 육아에 도움이 많이 되어서 다른 TV는 안 보고 이 시간만 기다리며 하루를 보냅니다. 정말 제겐 너무나 소중한 프로입니다. pianius

육아에 대한 상식과 부모의 역할에 대해 거의 백지 상태였던 저에게 〈60분 부모〉는 인터넷 정보나 책보다 더 많은 도움을 주었습니다. crying1005

아침마다 어디에서도 가르쳐주지 않는 교육을 오직 여기서 받는다는 생각으로 열심히 TV 앞을 지켜왔습니다. 이 땅의 부모로 살면서 겪는 어려움과 난감함, 도무지 갈피를 잡을 수 없는 불안함 등을 함께 공감하면서 차근차근 엉킨 실타래를 풀어나갈 수 있게 도와주는 프로가 바로 〈60분 부모〉였습니다. moonyo75

전업주부가 된 후로 하루하루 정체되어 가던 저에게 매일매일 지적 욕구를 충족시켜준 방송, 남편과의 즐거운 대화소재입니다. 정말 훌륭하신 전문가분들, 모두 사전에 열심히 모니터링 분석하고 나와 심도 깊은 조언을 해주셔서 다 듣기에는 60분이 늘 모자랐습니다. koisa3

〈60분 부모〉 방송은 실질적인 육아에 도움이 많이 되었습니다. 특히 학습놀이 같은 경우에는 방송으로 보고 다시보기까지 할 정도입니다. sr6469

방송에 나온 ○○보다는 어리지만 3학년 사내아이를 둔 엄마입니다. 저도 ○○엄마와 비슷하게 늘 잔소리하고 혼자 소리 지르고… 방송을 보고 우리 집 이야기 같아 많이 공감했고, 이제 저도 많이 달라지려 노력하고 있습니다. orkide71

전문가들의 사례제시를 통해 무척 자세히 보여주는 것이 좋아요. 놀이로 진단하는 것도 재미있네요. 소개받은 후부터 애청하고 있습니다. 정말 동네 아주머니가 권해 줄만 하네요. 너무너무 유익한 방송이에요.. jurist21

아내가 가장 좋아하고 즐겨보는 프로라 저도 시간 있으면 같이 보면서 많은 도움을 받고 있답니다. 오늘은 보면서 저도 느낀 것이 많았지만, 아내가 많은 것을 반성하는 것 같았어요. 엄마들이 이 프로를 아빠들과 같이 보거나, 보고 난 후 이야기를 해주면 좋을 꺼라는 생각을 합니다. 자식 키우는 모든 부모들 파이팅!! jhcho

지혜로운 부모가 스스로 학습하는 아이를 만든다

아이들이 왜 이럴까?

초등학교 4학년 상훈이네 집은 매일같이 전쟁이다. 아침부터 일어나라는 엄마의 잔소리에 마지못해 눈을 뜨는 상훈이, 씻고 옷 입고 밥 먹고 현관을 나설 때까지 급한 건 엄마뿐이다. 학교 다녀와서도 마찬가지다. 영어학원, 태권도, 학습지 공부 등 해야 할 일투성이인데도 아이에게는 이 모든 일이 남의 일이다.

"오늘은 ○○시까지 영어학원 가야하는 거 알지?"

"서둘러라. 이러다 오늘도 또 늦겠다."

상훈이는 매번 똑같은 내용의 잔소리를 거듭 듣고서야 마지못해 움직이곤 한다. 매사에 수동적이고 심드렁한 상훈이, 하지만 컴퓨터 게임만 할라치면 반색을 하고 달려든다. 공부는 멀리하고 게임이라면 눈에 불을 켜고 달려드는 아이.

초등학교 5학년 상희는 좀 다르다. 피아노, 영어, 학습지 공부를 할 때 엄마 잔소리가 없어도 저 혼자 곧잘 한다. 부모가 보기엔 꾸준히 노력하는 상희, 그런데 성적은 늘 제자리다. 초등학교 때는 원래 우열이 두드러지게 나타나지 않는다고 엄마는 생각한다. 하지만 속으로는 은근히 초조하다. '애가 혹시 머리가 나쁜 것은 아닐까?' '책상 앞에 앉아 딴 생각만 하고 있는 것은 아닐까?' 걱정스럽다. 상희는 엄마가 시키는 것은 일단 따라오는 아이다. 그러나 그뿐이다.

부모가 시키기 전에 책상 앞에 먼저 앉는 법이 없는 상훈이나, 도무지 성적이 안 오르고 제자리를 맴도는 상희. 아예 안하는 아이와 하기는 하는데 성과가 없는 아이다.

〈60분 부모〉에 신청해오는 사연의 약 80%는 대체로 이러한 사연들이었다.

나를 가장 화나게 하는 말 '공부해라'

특히 2006년 9월부터 2007년 9월까지 약 1년 동안 EBS-TV 〈60분 부모〉(목요일 편) '심리학습클리닉' 프로그램 사례를 보면 초등학생 자녀들은 '공부'에 대해 거의 한 목소리를 내고 있었다.

나를 가장 화나게 하는 것은? 공부

나는 공부가? 싫다

나를 가장 슬프게 하는 것은? 엄마가 '공부해라!'
내 소원이 마음대로 이루어진다면? 공부가 없어졌으면 좋겠다

사례 어린이들의 문장완성검사 답변 중에서

열에 여덟아홉 명은 어김없이 위와 같이 대답을 했다.
아이들에게 공부란 바로 이런 대상이다. 공부해라, 공부해서 남 주나, 공부해야 행복하게 살 수 있다는 어른들의 말은 순전히 어른들의 생각, 아이들은 결코 이 말에 100% 설득되지 않고 있었던 것이다. 우리가 만난 대다수 아이들은 한마디로 공부에 대한 동기와 의욕이 없었다. 그들은 공부 때문에 슬프고 공부 때문에 속상하고 공부 때문에 화가 난다고 했다.

가면 쓴 우울증

왜 아이들은 공부라면 고개부터 젓게 된 것일까? 게다가 왜 이렇게 산만하고 게임만 좋아라 하는 걸까? 우울증이 그 한 원인이다. 정도의 차이가 있었지만 학습문제를 가지고 상담을 청해온 대다수 아이들은 우울감을 보이고 있었다. 아이들의 우울 행동은 사람들이 흔히 알고 있는 어른들의 우울 행동과는 양상이 다르다. 성인들이 우울증에 걸리면 세상에 재미있는 것이 하나도 없어 어떤 것에도 감동하지 않는 심드렁한 태도를 보이는데 비해 아이들은 우울할수록 재미를 좇아 인터넷이나 컴퓨터 게임에 몰두한다. 우울해지면 아이들은 오히려 과잉 행동을 보이기도 하고 집중력도 낮아져 성적이 급격히 떨어지는 등 부모 속을 긁는 행동을 하기 쉽다. 우울한 아이들이 주변을 향해서는 오히려 공격적인 행동을 많이 한다니 얼핏 이해가 가지 않지만 아이들의 우울증은 그렇다. 어린이나 청소년기 우울증을 흔히 '가면 쓴 우울증'이라고 부르는 이유가 바로 여기에 있다.

아이들은 지금 무기력하다

그렇다면 아이들은 왜 우울해지는 걸까?
아이들의 우울증은 아무리 열심히 노력해도 노력한 만큼 대가를 얻을 수 없다는 느낌에서 시작되는 경우가 많다. 특정 상황에서 열심히 해봐야 어쩔 수 없었던 나쁜 경험이 계속 쌓이고, 이런 경험이 어느덧 모든 상황에서 결과가 다 안 좋을 거라는 식으로 일반화한다. 심리학에서는 이런 무기력함을 '학습된 무기력'이라고 한다. 학습된 무기력이 만성적으로 지속되면 우울증이 된다.
부모에게 "공부해라." "공부 왜 안하니?" 식의 잔소리만 들은 아이들은 무력감에 빠지기 쉽다. 이런 아이는 시간이 갈수록 우울해져 점점 산만한 행동을 하거나 공격적인 행동을 보이며 마냥 게임 속으로 도망갈 수밖에 없는 것이다.

'자기주도 학습'이 라는 이름의 자전거

부모들은 대부분 자녀가 스스로 공부하는 아이가 되기를 바란다. 하지만 구체적으로 어떻게 해야 그 일이 가능한지 잘 모른다. 그러다보니 불안한 마음에 자꾸 잔소리를 하게 되고, 잔소리를 해도 듣지 않으니까 아이를 혼내게 되는 것이다.

그러나, 스스로 공부하는 아이는 저절로 되는 일이 아니다. 우리 아이가 스스로 공부하는 아이가 되려면 부모는 잔소리를 가능한 줄이고 대신 아이 뒤에서 자존감과 자신감을 가질 수 있도록 도와주면서 가랑비에 옷 젖듯이 공부습관을 들여가도록 도와주어야 한다. 물론 구체적으로 공부하는 방법도 가르쳐주어야 한다.

21세기는 지식정보 시대, 누구든 평생에 걸쳐 공부해야 하는 평생학습시대이다. 평생에 걸쳐 꾸준하게 스스로 공부하는 성실한 예비교양인이 되게 하기 위해서 초등학교를 졸업할 때까지 부모가 할 일, 그것은 '자기주도 학습'이라는 이름을 가진 자전거에 아이를 태우는 것!이다.

유아의 공부는 세 발 자전거 타기와 같다

아이들은 두 발 자전거에 앞서 세 발 자전거를 먼저 탄다. 마찬가지로, 본격적으로 공부하기에 앞서 아이는 세 발 자전거 놀이처럼 안전하고 힘들지 않고 재미있는 공부를 해야 한다. 유아에게 세 발 자전거와 같은 역할을 해주는 공부방법이 바로 '놀이' 혹은 '놀이학습'이다. 공부란 '먼저 일찍' 시작하는 게 중요한 게 아니라 학년이 올라갈수록 점점 더 잘하고 열심히 할 수 있어야 한다.

초등 저학년은 핸들 잡고 조정하기를 배울 때이다

초등학교 저학년 때, 아이는 기본적으로 부모나 교사에게 인정과 사랑받고 싶어 한다. 그래서 부모가 하라는 대로 착실하게 따르려고 노력하고, 교사의 말을 아주 중요하게 생각해서 교사의 지침을 잘 따른다. 또 친구들을 의식하기 시작하기 때문에 친구들 사이의 인기나 평판에도 신경을 쓴다. 이 시기에 부모는 서서히 '스스로 공부하는 아이'가 되기 위한 기초 작업을 해야 한다. 학습정보를 많이 집어 넣으려고 하기보다는 학습의 저력이 될 수 있는 이해력, 사고력, 표현력, 그리고 집중력과 과제인내력(끈기) 등 학습태도를 바르게 갖추는 준비 시기로 삼는다.

명심하자.

핸들은 아이가 쥐고 있다. 불안정한 두 발 자전거 위에서 아이는 지금 제 몸의 균형을 잡기 위해 핸들을 꼭 잡고 이리저리 조정을 하는 중이다. 부모는 아이가 넘어지지 않도록 뒤에서 받쳐주고만 있다는 것을 잊지 말자.

아이가 길이 아닌 길로, 너무 아닌 방향으로 갈 때만 꼭 잡아 멈추게 하고 대부분은 아이에게 맡겨 두자. 아이는 뒤에서 받쳐주는 부모의 단단한 힘을 의식하지만 그것이 불편하기 보다는 아직은 그 힘에 기대고 싶어 한다. 그 힘을 남용하지 말자.

초등 고학년은 페달을 밟는 시기다

초등 고학년은 페달을 밟는 시기다!

체중을 실은 자전거 위에서 핸들 조정이 어느 정도 자유로워진 아이가 제 몸의 느낌에 맞게 페달을 잘 밟아나갈 수 있다면 자전거 타기 기초는 완성되는 셈이다. 이때, 아이가 가고 싶은 방향으로 힘차게 내달릴 수 있도록 몇 가지 요령과 기술을 가르쳐 줄 필요가 있다. 이 시기 아이에겐 자존심을 살려주는 대화를 하면서 여러 가지 공부 방법과 기술을 배우도록 도와주는 것이 필요하다. 시간 관리, 목적과 목표 세우기, 노트필기, 암기하는 법 등 공부하는 방법을 하나하나 가르쳐줄 때이다. 장차 아이가 자라서 부모에게 기대지 않고 스스로 문제를 해결해나가는 독립적인 인간이 되기를 원한다면 이 시기부터 그것을 염두에 두고 양육해야 한다.

지혜로운 부모는 아이의 심지에 불을 밝힌다

아이는 자신의 인생을 조망할 능력이 없다. 그러나 부모는 다르다. 부모는 인생이라는 나무 전체를 어느 정도 내다볼 능력이 있다. 수많은 시행착오와 경험을 통해 어떤 일이 벌어지면 이 일이 어떤 과정을 거쳐 어떤 결말에 이르게 될 것인지 '미루어 짐작' 하는 능력도 있다. 이런 부모에게는 아직 전체의 일부밖에 보지 못하는 자녀가 답답하고 안타깝다. 아이는 아직 공부가 무엇인지 공부가 내 인생에 어떤 연관이 있다는 건지 제대로 파악하기 어렵다. 공부가 뭔지도 모르겠는데 무조건 공부만 하라니 아이들도 나름대로 답답하다. 쉽고 재미있는 게임을 놔두고 어렵고 힘든 공부 쪽으로 아이를 이끌려면 어떻게 해야 할까? 제일 중요한 것은 아이가 스스로 왜 공부를 해야 하는지 깊이 깨달아야 한다. 알아야 각성이 일어나고 각성이 있어야 행동도 바뀔 수 있다.

그런데 이것은 단번에 알기 어렵다. 서서히 깨달아 가는 것이다. 그 깨달음에 이를 때까지 부모는 참고 기다려야 한다. 처음엔 아이가 공부를 하는지도 모르게 공부를 하고, 그것이 자양분이 되어 학습능력이 좋아져 차츰 성적이 오르고, 잘 나온 성적이 다시 '나는 할 수 있다.'는 자긍심으로 이어지는 선순환 궤도에 올라서면 자기주도 학습은 어렵지 않게 진행될 수 있다. 양육도, 학습도, 자전거 뒤를 잡아주고 받쳐주는 역할처럼 부모는 오직 섬세한 힘의 균형으로 도와주어야 한다.

언제까지? 제 힘으로 페달을 밟고 앞으로 나아갈 수 있는 지점까지.

그 다음엔? 관심을 가지고 지켜보자.

프롤로그

도대체 어떻게 해야 스스로 공부하는 아이가 될 수 있을까요?

아이가 어느 날 갑자기 책상 앞에 앉더니 스스로 공부계획을 짜고 계획에 맞추어 공부하기 시작합니다. "힘드니까 쉬었다 해라." 해도 "이것까진 마쳐야 해요." 하면서 좀처럼 책상에서 내려오질 않습니다. 어느 집 풍경이냐고요? 너무 부럽다고요? 우리 아이도 그랬으면 싶다고요? 그러나 이런 환상적인 자녀를 둔 가정은 거의 없을 것입니다. 실제로 대다수 가정에서는 오늘도 부모와 자식 간에 끝없는 실랑이가 벌어집니다. 학습지는 산처럼 쌓아놓고, 숙제는 잠들기 전 밤이 되어서야 간신히 생각해내는 우리 집 아이! 엄마의 성화에 못 이겨 마지못해 학원으로 향하는 아이 뒷모습을 보고 있자면 가방과 책만 들고 가지 마음은 컴퓨터 게임에 두고 휘적휘적 허깨비가 걸어가는 것 같습니다. 도대체 어떻게 해야 아이가 스스로 공부를 잘할 수 있을까요?

〈60분 부모〉 '스스로 공부하는 아이' 코너는 바로 전국의 이런 부모님들의 고민을 풀어보고자 만들어졌습니다

많은 부모님이 그 방법을 알아내고 싶어 공부 잘한다고 소문난 학생이나 명문대학에 합격한 학생들, 그리고 그 부모님들의 교육 성공 경험을 다룬 책들을 읽어봅니다. 그러나 '나는 이렇게 공부해서 1등 했다.' 혹은 '나는 우리 아이를 이렇게 키워서 명문대학에 보냈다.'라고 하는 책의 내용을 일일이 따라 해봤음에도 결과는 역시나

'우리 아이에게는 별 효과가 없는' 방법이었습니다. 또 유명하다는 학원강사나 공부 이론 등에서 하라는 대로 해봤지만 마찬가지로 신통한 효과를 보지 못했습니다.

다른 아이에게는 효과적인 방법이 왜 우리 아이에게는 그렇지 않을까요?

그 까닭은 첫째 우리 집 아이와 그 아이가 다르기 때문이고, 둘째 부모의 교육환경과 양육태도가 차이가 나기 때문이고, 셋째는 세상이 너무나 빨리 변화하고 있기 때문입니다. 자! 다음 빈칸에 물고기를 각자 그려보시기 바랍니다.

각자가 그린 물고기를 비교해 보십시오. 분명히 물고기를 그린 것은 확실한데, 똑같은 물고기는 한 마리도 없습니다. 크기가 다르고, 지느러미 모양이 다르고, 비늘이 있고 없고, 어떤 경우는 입과 꼬리의 방향이 다르기도 합니다. 각자 그린 물고기가 다른 것처럼 이 세상 사람들은 다 개별적이고 독특합니다. 특히 아이들은 더욱더 그러합니다. 한 아이에게 효과적인 공부 방법이 다른 아이에게까지 효과적인 방법일 수는 없습니다. 아이의 재능, 적성, 흥미, 동기, 자라온 과정에 따라 그 방법은 달라져야 합니다. 예를 들어 시각적 적성을 지닌 아이에게는 같은 책이라도 그림이나 도표, 그래프 등이 있는 책이 글만 있는 책보다 효과적입니다. 언어적 적성이 있는 아이는 그 반대입니다. 아이의 적성에 따라 단지 책의 형식만 달라졌을 뿐인데, 학업 성취도에서는 차이가 납니다. 그렇지만 대다수의 아이에게 효과적인 평균방법도 있습니다. 물론 평균적인 방법은 몇몇 아이만 효능을 볼 수 있는 특별한 것이 아니라 과학적 검증을 통해 대다수에게 효과적인 방법이라고 알려진 것이어야 합니다. 아이들은 백지와 같습니다. 잘못 그림을 그렸으면 지우고 다시 그려야 하며, 그 과정에 시간과 노력을 들여야 합니다. 그러므로 처음부터 제대로 된 방법으로 독특한 개성을 지닌 아이들의 눈높이에 맞춘 교육이 되어야 합니다.

자, 다시 앞의 물고기 그림으로 돌아가 보겠습니다. '물고기를 그려 보세요.'라고 되어 있지 '물고기 옆모습을 그려보세요.'라고 되어 있지는 않습니다. 그러나 대부분 사람들은 물고기를 그리라고 하면 옆모습을 그립니다. 그 이유는 모든 사람들은 인지적 경제성 원리를 지니고 있기 때문입니다. 이는 사람들이 처리해야 할 정보가 많을 때 정보가 가장 높은 면만 보는 경향성을 말합니다. 물고기를 한 번도 본 적이 없는 사람에게 물고기를 설명할 때, 말로 하는 설명보다는 그림이 효과적이고, 그림도 앞 · 뒷면이나 밑면보다는 옆면이 효과적입니다.

인지적 경제성은 적은 시간 내에 다양한 정보를 처리할 수 있게 해주지만 그 대가로 다른 면을 보지 못하게 합니다. 즉, 고정관념이나 편견에 빠지게 합니다. 어른이 된다는 것은 어찌보면 고정관념이나 편견이 많아지는 과정입니다. 자신이 옳다고 생각하는 측면만 보려고 합니다. 인지적 경제성 원리가 아이들 교육에도 적용됩니다. 아이의 독특성을 고려하지 않고 부모가 옳다고 여기는 방법을 강요합니다. 특히 공부 측면에서 가장 크게 나타나는 것이 우리의 현실입니다. 조기 영어 교육, 과다한 학습지, 학원순례 등이 대표적인 예입니다. 그 과정 중에 아이는 좌절과 실패, 무기력을 경험하면서 공부와는 거리가 먼 아이가 됩니다. 물고기 옆면을 그리신 부모님은 이제부터 물고기의 다른 측면도 보려고 노력하셔야 합니다. 똑똑한 아이의 뒤에는 현명한 부모가 있습니다.

대한민국의 국보 1호는? 왜 남대문이 대한민국의 국보 1호인가?

어떤 질문이 답하기 쉬운가요? 앞의 문제가 뒤의 문제보다 쉬울 겁니다. 앞의 문제는 단답형 문제이고 뒤의 문제는 논술형 문제이기 때문입니다. 인터넷이 널리 사용되기 전에는 단답형 문항이 주로 출제되었고, 정답을 빠르고 정확하게 답하는 학생이 우수한 학생이었습니다. 그러나 인터넷으로 정보 검색이 가능해진 현대에는 단답형 문제가 더이상 유효한 평가도구가 될 수 없습니다.

대부분 부모님들은 단답형 시대에 교육을 받은 분들이고 요새 아이들은 논술형 시대에 살고 있습니다. 단답형 시대에 통용되던 공부법은 이제는 유효하지 않습니다. 그러나 아직도 많은 부모님은 '공부는 엉덩이로 한다.', '사당오락(四堂五落)' 등의 과거 방법을 현대의 아이들에게 적용하고 있습니다. 새 술은 새 부대에 담듯이 새로운 세대에는 그 세대에 맞는 방법을 적용해야 합니다.

몸으로 하는 공부로 시작해서 머리로 하는 공부로 변화해야 합니다

공부는 세상에 태어난 그 순간부터 시작됩니다. 누워서 모빌을 쳐다보는 갓난아기도, 온 종일 발밑의 개미를 들여다보는 세 살배기도 노는 게 아니라 세상을 공부하는 중입니다. 유아 시절에는 책이나 교육 비디오 앞에 앉아있기보다는 이렇게 몸으로 하는 놀이를 통해 세상을 배워나가고, 호기심과 재미로 놀이학습을 시작해야 합니다. 초등학교 들어가면서부터는 본격적인 학교 공부로 발전합니다. 1학년부터 3학년까지는 학습지 위주가 아닌 읽기, 쓰기, 셈하기 중심으로 기초학력을 채워 나가고, 초등학교 4학년에서 6학년까지는 학원을 전전하기 보다 시행착오를 겪어가며 혼자 공부하는 방법을 배우는 것이 더 중요합니다. 다시 말해서 초등학교 시절, 아이는 기초지식을 습득하면서 동시에 스스로 공부하는 습관의 기초를 몸에 익혀야 합니다. 이렇게 해야 평생을 가는 '자기주도 학습' 능력을 얻을 수 있게 됩니다. 그런데 이렇게 중요한 일을 잘 모르거나 간과하는 부모들이 적지 않습니다.

스스로 공부하는 아이가 되려면 처음엔 부모의 도움이 절대적으로 필요합니다

'스스로 공부하는 아이'는 마치 두 발 자전거를 배우는 것과 이치가 같습니다. 처음부터 아이 혼자서 하기는 어려운 일입니다. 자기 주도적인 아이로 성숙, 성장할 때까지는 부모가 뒤에서 일정 부분 밀어주고 잡아주고 균형 잡기를 도와주면서 부모와 자녀가 함께해야 할 일입니다. 부모 도움이 적절하면 초등학교를 마칠 무렵, 아이는 자기주도 학습이란 자전거를 혼자 탈 수 있게 됩니다. 중학교 시기부터는 그 자전거를 혼자 타고 달려야 합니다. 평생학습의 길로!

공부습관 들이기는 부모가 자녀를 양육하는 과정에서 차근차근 길러집니다

아이를 낳아서 키우는 동안 부모는 자존심과 자립심, 그리고 어려운 걸 참고 견디는 끈기와 인내심을 길러주어야 합니다. 아이에 대한 부모의 양육태도와 공부습관 들이기는 별도의 길이 아니라 하나의 길입니다. 그러므로 이 책에서는 단지 공부 방법만을 소개하는 것 이외에도, 공부습관을 들일 수 있는 여러 가지 양육지침을 함께 제공하려고 노력했습니다. 부모가 바라는 자녀는 행복한 똑똑이이지, 행복한 바보나 과똑똑이는 아닐 것입니다. 행복한 똑똑이는 이 책에 실린 대로 부모의 정성과 지혜와 지식, 그리고 아이 스스로의 결단과 노력, 의지가 함께 어우러진 것입니다. 그러므로 이 책은 행복한 똑똑이로 키우는 법을 알려주는 '양육서'이면서 동시에 공부방법을 알려주는 '학습지침서'이기도 합니다.

이 책은 세 사람의 저자-인지 심리학을 전공한 두 명의 전문가와 방송을 담당했던 작가가 함께 집필했습니다. 그러나 이 안엔 세 명의 저자 외에도 많은 사람들의 체험과 고민 그리고 진솔한 해결책이 담겨 있습니다. 〈생방송 60분 부모〉라는 이름으로 (지금은 〈60분 부모〉) 처음 출발한 2003년 9월부터 4년 동안 이 프로그램에 출연했던 많은 전문가의 고견과 부모님들의 사연, 그리고 무엇보다 함께 울고 웃어주었던 시청자 여러분의 소중한 의견까지 반영하였습니다. 그러므로 세상 어디에서도 쉽게 볼 수 없는, 특별하고도 진솔한 이야기가 실려 있다고 자부합니다. 방송에 출연했던 여러 전문가 중에서도 특히 아기 발달 전문가 김수연 박사, 그리고 '평생 성적 초등 4학년에 결정된다'의 저자 김강일 선생님께 감사드립니다. 유아 학습과 초등 저학년 공부법, 그리고 사례 분석에서 두 분의 조언이 큰 힘이 되었습니다. 그밖에 도움 주신 분들의 이름은 책갈피마다 밝혀놓았습니다. 또한, 매주 목요일 〈심리학습클리닉〉을 담당했던 손복희 PD에게 고마움을 전합니다.

〈60분 부모〉는 제작진과 전문가와 시청자가 함께 만들어 가는 프로그램으로, 우리는 그 안에서 모두 하나였습니다. 이러한 진정성을 이 한 권의 책에 꾹꾹 담았습니다. 대한민국의 부모님께 이 마음이 전달되기를 바랍니다.

2007년 10월 **김미라, 정재은, 최정금**(EBS 〈60분 부모〉 '스스로 공부하는 아이' 팀)

차 례

2장 초등학교 1~3학년을 위한 학습법 (핸들 잡기 단계)

3장 초등학교 4~6학년을 위한 학습법 (페달 밟기 단계)

4장 심리학습 클리닉 (비틀거리기 단계)

부록: 공부 저력 만들기 (60분 부모 학습 특강)

1장

유아(태어나서~7세)를 위한 학습법

_세 발 자전거 단계

EBS 60분 부모 01

가르치면 가르칠수록 똑똑해질까?

세영 엄마는 주변에서 '홈스쿨링 엄마'라고 불린다.

세영이가 생후 10개월 될 무렵부터 음악, 미술, 한글, 영어교육을 위주로 한 일명 〈아기 학습시간표〉를 짜서 열심히 실천했기 때문이다. 집안에 있을 땐 항상 동화 시디나 영어 노래를 틀어주고, 틈만 나면 책을 들고 동화구연을 해 주었다. 좋다는 영재학습교구도 많이 사 주었다. 일찍부터 문화센터 오감발달과 신체발달 강좌에도 참여했다. 그래서일까? 25개월이 된 지금 세영이는 또래에 비해 말도 빠른 편이고 표현력도 풍부하다. 똘망똘망한 아이를 볼 때마다 엄마는 뿌듯하고 자랑스럽다. 이제 남은 일은 영어조기교육, 무엇이든 빨리 배우는 세영이를 원어민 유아 영어학원에 보내면 아이가 훨훨 날 것 같다. 그러나 빠듯한 남편 월급으론 엄두가 안 난다. 전직 학습지 교사였던 세영 엄마는 그래서 요즘 다시 일을 하러 나갈까 고민 중이다.

호기심을 살려주는 일이 제일 중요하다

가르치면 가르칠수록 똑똑해진다고 믿는 엄마들에게 세영 엄마는 성공적인 모델처럼 보인다. 그러나 세영이는 이제 고작 두 돌을 넘겼을 뿐이다. 아이의 지금 모습만 갖고서 앞으로도 아이가 계속해서 뛰어난 발달을 보일 것이라고는 누구도 확신할 수 없다. 게다가 세영 엄마의 지금 기세대로라면 아이는 늘 엄마의 높은 기대때문에 부담감을 느끼기 쉽다.

또 있다. 엄마는 아기를 계획적으로 다양하게 교육을 한 것으로 보이지만 사실 소홀히 한 점이 있다. 그것은 바로 엄마가 자극 주는 일에만 골몰하느라 아이가 자발적으로 탐색하는 일을 그만큼 덜 따라주었다는 점이다.

영유아 시기에 부모가 꼭 명심해야 할 사실은 아이의 호기심을 존중해주고 아이 호기심을 따라가 주어야 한다는 점이다. 하지만, 세영 엄마는 이 점을 소홀히 했다.

세영이가 18개월 되었을 무렵 엄마는 아기를 데리고 동물원에 간 적이 있었다.

남편과 시간 맞춰 오기가 쉽지 않았기 때문에 한 번 오기도 어려운 곳. 이왕 온 김에 다양한 동물을 보여주려고 이곳저곳 열심히 아기를 데리고 다녔어요. 그런데 세영이가 보라는 기린이나 코끼리는 흘깃 한 번 보고, 발밑에 개미만 열심히 들여다보는 것이 아니겠어요? 집 앞에서도 볼 수 있는 개미를 보려고 여기까지 왔나 싶어 자꾸만 아기에게 "저기 봐, 코끼리가 있네, 와~ 기린이다!" 온갖 호들갑을 떨며 바람을 잡았지만 세영이는 그날따라 짜증까지 내며 고개를 돌리더라고요. 어쩌나 김이 새던지. 평소의 세영이 같지 않은 날이었어요.

이럴 땐 그날의 동물원 관람을 포기하고 발밑의 개미를 살피며 산책을 할 줄도 알아야 한다. 본전 생각에 억지로 아이 시선을 고정하려고 하지 말자. 아이의 시선이 향하는 개미를 실컷 보게 하는 게 차라리 낫다.

사실 세영 엄마만 이러는 것은 아니다. 이렇게 생각하고 행동하는 엄마들이 적지 않다. 기린이나 코끼리를 강요하듯 학습비디오나 오디오 테이프를 강요하지 않았는지 생각해보자. 아기를 수동적인 존재로 보고 무조건 외부 자극만 주면 좋다고 생각하지 않았는지 돌아보자. 얼핏 보면 아기의 두뇌 발달을 좋게 하는 여러 가지 자극을 주고 있는 것 같이 생각되지만 바꾸어 생각하면 그만큼 엄마가 아이의 관심을 따라가지 못하는 것이기도 하다.

'아기 학습시간표'라는 꽉 짜인 틀을 만들어 놓으면 엄마 자신도 의식하지 못하는 사이에 자꾸 아기를 그 안에 맞추어 집어넣게 된다. 아기의 호기심이 어디를 향하는지 세심하게 살필 겨를이 부족해질 수밖에 없다.

두뇌 발달은 유아기에 멈추지 않는다!

뇌 발달은 영유아 시기에만 국한되는 작업이 아니다. 인간의 뇌는 평생을 통해 꾸준히 변화하고 있다(우리 뇌 속의 어느 부분은 성인이 되어서까지도 지속해서 발달하기도 한다는 연구결과가 속속 발표되고 있다.). 그러니 '영유아기에 좋다는 것은 다 시켜가면서 수많은 자극을 열심히 쏟아 부어 주어야 해. 가르치면 가르칠수록 아기가 똑똑해져.'라고 결론짓지는 말자.

최근에는 '결정적 시기'라는 말 대신에 '민감한 시기'라는 말을 많이 쓴다.

오리는 알에서 깬지 몇 시간 만에 처음으로 본 움직이는 것을 제 엄마로 각인하고, 그 시간이 지나서는 제 엄마를 보아도 알아보지 못한다. 무엇을 배우는 데 있어 '결정적 시기'를 놓치면 안 되는 오리. 그러나 사람은 오리와 달라서 설령 그 시기를 놓치더라도, 영영 불가능하진 않다. 인간에게는 배울 기회와 환경이 끊임없이 만들어지기 때문이다.

천재로 태어난 아이를 내가 바보로 만들고 있다는 조바심은 영유아기 엄마들을 자꾸 불안하게 만들고 있다. 불안한 나머지 자꾸 아기 머릿속에 뭔가를 집어넣으려고만 하고 정작 아기의 관심이 어디를 향하는지 못 본다.

서서히, 천천히, 아기 호기심과 발달을 봐 가면서 아기 두뇌 발달을 돕도록 하자. 지금 당장 해주지 않으면 엄청나게 손해를 보고 있다는 생각은 도대체 누가 만들어낸 '생각'일까?

TIP

엄마가 자극을 많이 주어야 하는 특별한 경우

다음의 경우라면 아기에게 가능한 많은 자극을 주기 위해 엄마가 '의도적으로' 노력해야 한다.

· 엄마가 우울증을 앓거나 너무 침울해서 거의 아무것도 해줄 수 없는 경우
(누군가 엄마를 대신해 아기에게 자극을 줄 양육자를 찾는 것도 한 방법이다.)
· 가족, 친척, 친구도 없는 미혼모일 때
· 외딴 곳에서 엄마와 아기만 사는 경우

이런 극단적인 환경에 처한 엄마라면, 가르치면 가르칠수록 똑똑해진다는 생각을 할 필요가 있다.

EBS 60분 부모 02

두 돌 미만 아기에겐 온몸이 학습도구다!

아기를 키우다 보면 엄마 눈에는 보이지 않는 자질구레한 물건들이 아기들 눈에는 왜 그리 잘 띄는지 놀랄 때가 있다. 방바닥에 떨어져 있는 머리카락이나 조그마한 단추 등을 집어삼키는 경우는 다반사이다. 어른들 눈에는 일상적이고 중요하지 않은 물건이기 때문에 호기심이 생기지 않지만 아기들 눈에는 무엇이든 신기하고 탐색해보아야 할 대상이다.

발달이론에 따르면 아기들은 주변 환경(가족과 주변의 사물 포함)에 민감하게 반응하기 때문에 이때 주는 다양한 자극들이 두뇌 발달을 촉진한다고 한다. 그러나 돌 전후한 아기들에게는 집 안과 가족을 충분히 탐색할 수 있는 기회가 최고의 경험이 될 수 있다.

심리학자 피아제는 이 시기를 감각 운동기(감각 운동기 내용 참고)라 불렀다.

스스로 기어다니고 걷게 되면 행동반경은 집안 구석구석으로 확장된다. 대가족 시대에는 가족과 집안만으로도 충분했다. 그러나 핵가족 시대인 지금에는 이웃 아주머니들과의 주기적인 교류, 놀이터, 엄마가 자주 다니는 마트, 공원을 누비고 탐색하면서 아기는 타고난 학습욕구를 마음껏 발휘하면서 신나게 자극받을 수 있다. 돌 전후한 아기를 데리고 복잡한 교육 장소에 가는 것이 꼭 필요한 일일까?

사람들이 북적거리는 문화센터에 가서 아기를 앉혀 놓고 비싼 돈 내가면서 콩알 집는 놀이를 하는 것보다는 집에서 아기와 맛나게 단잠을 자고, 부드러운 노래를 같이 듣고, 나지막한 목소리로 이야기를 들려주고, 싱크대 그릇들을 꺼내서 실컷 만져보게 한다. 그리고 콩 집어내기 놀이도 하고 빨래 개는 흉내도 내보게 하는 것이 초기 아기 발달엔 훨씬 더 유용하다.

수줍음이 많고 사람 많은 곳에 가는 걸 싫어하는 내성적인 아기를 둔 엄마라면 더더욱 생각해볼 문제이다.

세상을 배우는 데 지친 아기에게 단잠이 필요하다

이 시기엔 자극을 주는 것 못지않게 단잠을 재우는 것도 중요하다.

아기에게 들려주는 영어동요를 아기의 단잠을 방해할 정도로 트는 것은 아닌지 살펴보자. 가뜩이나 배워야 할 것투성이인 이 세상에서 아기는 온종일 자의 반 타의 반 학습을 하느라 피곤하다. 잠을 통해 아기들은 두뇌 기능을 재정비하고 있는 것이다. 단잠을 방해하지 말자.

행복한 똑똑이로 키우고 싶다면 아기가 마음대로 탐색하고 만져보고 느끼는 경험을 갖도록 해주고, 이렇게 호기심을 따라가 준 뒤에는, 충분한 단잠을 자게 하고 그다음, 남는 시간에 '엄마를 통한' 자극을 주자. 아기에게 주는 모든 자극은 될 수 있으면 엄마를 통해서 주는 것이 좋다. 단, 엄마가 감당도 못할 만큼 하는 것은 좋지 않다. 책 읽어주고 노래 불러주느라 매일 밤 엄마 목이 쉬거나 아픈 것은 아닌지 생각해보자. 지나치면 힘들어지고, 힘들면 우울해진다. 우울한 엄마가 주는 자극, 과연 얼마나 영양가가 있을까.

기꺼이 즐겁게 할 수 있을 만큼만 하자.

우리 아이는 감각 운동기의 어디쯤 있을까?

태어나서 일이 년 동안은 감각과 운동을 연결하는 것을 배우는 기간이다. 시각, 청각, 촉각, 미각, 후각, 평형감각 등의 다양한 감각과 그와 관련된 자신의 행동을 연합시키고, 이 연합과 그 행동의 결과 간에 관련이 있다는 것을 배워야 하는 시기가 바로 이때다. 이 시기를 심리학자인 피아제는 감각 운동기라고 불렀다. 이 시기의 적절한 발달은 이후의 생각과정에 가장 기초적인 토대를 제공한다는 측면에서 매우 중요하다. 그러므로 아이의 발달 상태를 잘 관찰하여 각 시기에 알맞은 환경을 제공하는 일이 부모의 역할이다.

1단계: '빨기' 배우기(출생~1개월)

출생 직후부터 아이들은 생존에 필수적인 반사를 반복적으로 연습하여 자신의 환경에 적합한 개인적인 반사를 학습한다. 입에 닿는 것은 무엇이든 빨고, 손에 닿는 것은 무엇이든 잡으며 소리가 나는 쪽으로 고개를 돌리는 등의 반사를 반복적으로 하다 보면 젖꼭지의 크기에 따라 입술모양을 변화시키거나 물체의 크기에 따라 손의 모양을 변화시키는 등의 초보적 학습도 하게 된다. 다양한 빨 것과 잡을 것 등을 제공해주는 것이 공부환경을 마련해주는 것이다.

2단계: '빨기-잡기' 배우기(1~4개월)

이 시기에는 개개의 반사는 더욱 정교화되고 반사끼리는 모여서 복잡한 반사 행동을 보인다. 일테면 1단계에서의 빨기 행동은 더욱 강해지고 빨기 행동은 잡기 행동과 합쳐져서 잡기-빨기 행동으로 나타난다. 이때 부모가 빨 수 있는 물건을 아이의 손이 닿는 곳에 놓아두면 이 시기에 적절한 공부환경을 조성해주는 것이다. 부모가 만들어준 공부환경을 통해 아이는 미숙하나마 빨 수 있는 물건에 대한 생각과 잡을 수 있는 물건에 대한 생각, 그리고 잡고 빨 수 있는 물건에 대한 생각을 머릿속에 가지게 된다.

3단계: '모빌 놀이' 배우기(4~8개월)

아이가 최초로 환경 내에 있는 물건들에 관심이 있고 그 물건이 무엇인지 알아보려는 탐색행동을 보이는 때이다. 침대에 누워 손으로 모빌 등의 장난감을 가지고 노는 것이 이 시기의 대표적인 행동이다. 손을 움직이면 모빌이 움직이고 발을 움직이면 소리가 나는 등의 행동을 경험하게 되면서 원인-결과나 수단-목적 관계를 배우게 된다. 아이의 간단한 운동만으로 움직이거나 소리가 나거나 모양이 변하는 등의 장난감을 제공하는 것이 이 시기에 부모가 할 일이다.

4단계: '원하는 것'과 '해야 하는 것' 배우기 (8~12개월)

좋아하는 장난감을 잡으려는데 장난감과 아이의 손 사이에 상자가 놓여있다면, 장난감을 잡으려는 목표행동과 상자를 먼저 치우는 수단행동이 별개로 있어야 함을, 그리고 치우는 행동이 있어야 장난감을 가질 수 있다는 수단과 목표를 연결하는 생각을 배우는 시기이다. 이때 부모는 원하는 것과 원하는 것을 얻는 데 필요한 행동을 연결하는 적극적 놀이를 마련해 주는 것이 필요하다.

5단계: '이것저것 해보며' 배우기 (12~18개월)

세상에 대한 흥미가 생기면 그것을 더 깊이 알아보고자 본격적으로 탐색과 시행착오를 해보는 시기이다. 예를 들어, 비누를 가지고 놀다가 우연히 비누를 떨어뜨리게 되어 그 떨어지는 사건에 흥미를 갖게 되면, 이전 단계의 아이처럼 단순히 되풀이해서 비누를 떨어뜨리는 대신에 서로 다른 높이와 각도에서 비누를 떨어뜨려 보거나 다른 물건들을 떨어뜨려서 그 떨어지는 모양의 차이를 살펴보는 행동을 한다. 부모로서는 말썽을 부리는 것처럼 보이기 시작하는 때이다. 아이로서는 구체적 실험을 통해서만이 이해가 가능한 때이므로 시행착오 실험을 수용해주는 부모의 태도가 중요하다.

6단계: '시간이 지나서도 하기' 배우기 (18개월~2세)

실제로 물건이 없어도 그 물건이 있는 것처럼 생각할 수 있을 정도로 지적 능력이 발달하는 시기이다. 따라서 지연모방이 가능해진다. 지연모방이란 실제 어떤 사건이 발생한 상황을 머릿속에 넣어 두었다가 어느 정도 시간이 지난 다음에 자발적으로 재현하는 것을 말한다. 예를 들어 친구 집에 놀러 갔다가 친구가 떼를 부리는 모습을 무심히 보는 것 같았는데 며칠 후에 집에서 그 행동을 똑같이 반복하는 것 같은 행동이다. 부모와 함께 관찰하고 참여한 일들을 시간 간격을 두고 재연해 보면서 빠진 부분들을 채워주는 것이 아이의 발달에 도움 되는 시기이다.

EBS 60분 부모 03

적당한 TV 비디오 시청, 머리 좋아지는데 도움될까?

세 살 진환이, 첫돌이 되기 전부터 학습을 시작했다. 진환이의 주된 학습도구는 교육용 비디오였다. 엄마는 진환이가 형이 보는 영어, 한글 교육비디오에 관심을 보이자 속으로 쾌재를 불렀다. 날마다 시키면 효과가 있지 않을까 싶은 생각에 매일같이 진환이에게 틈만 나면 학습비디오를 보게 했다.

돌이 지날 무렵, 진환이는 비디오에 집착하는 모습을 보였다. 혹시? 싶은 마음이 들었지만 알파벳 한두 개를 중얼거리는 진환이를 보면서 엄마는 교육의 효과가 나타나나 싶어 계속 화면 앞에 아이를 앉혀두었다. 아기가 보채는 바람에 하루 열 시간 가까이 본 적도 있었다. 진환이는 어떻게 됐을까? 영어, 한글을 뗀 세 살배기가 되었을까?

아이는 현재 '유아비디오 증후군'이란 병명 아래 치료를 받는 중이다.(기사 참고)

두뇌 발달이 왕성하게 일어나는 만큼 유아 시기엔 부작용에도 그만큼 취약할 수밖에 없다. 영유아기에 강렬한 시각적 자극과 문자정보 위주의 메시지를 지속적으로 세게 주면, 시각정보를 받아들이는 뇌 신경세포영역이 과도하게 발달하고 다른 감각 신경세포영역은 위축된다. 더 나아가서는 감각과 감각을 연결하는 공감각 세포영역이 발달하지 않아 위험할 수 있다.

진환 엄마도 〈유아비디오 증후군〉이나 〈어린이 비디오 중독〉에 대한 이야기를 전혀 모르고 있지 않았다고 한다. 다만, 아이를 똑똑하게 기르고 싶다는 마음에 순간적으로 욕심을 부렸던 것이다. 다시 한 번 강조하지만 영유아 시기에 문자정보, 기호정보 위주의 인지자극은 적절하지 않다. 몸으로 느끼는 경험을 통해 감각을 발달시킬 수 있는 다양한 자극을 주는 것이 결과적으로 두뇌 발달에 좋다.

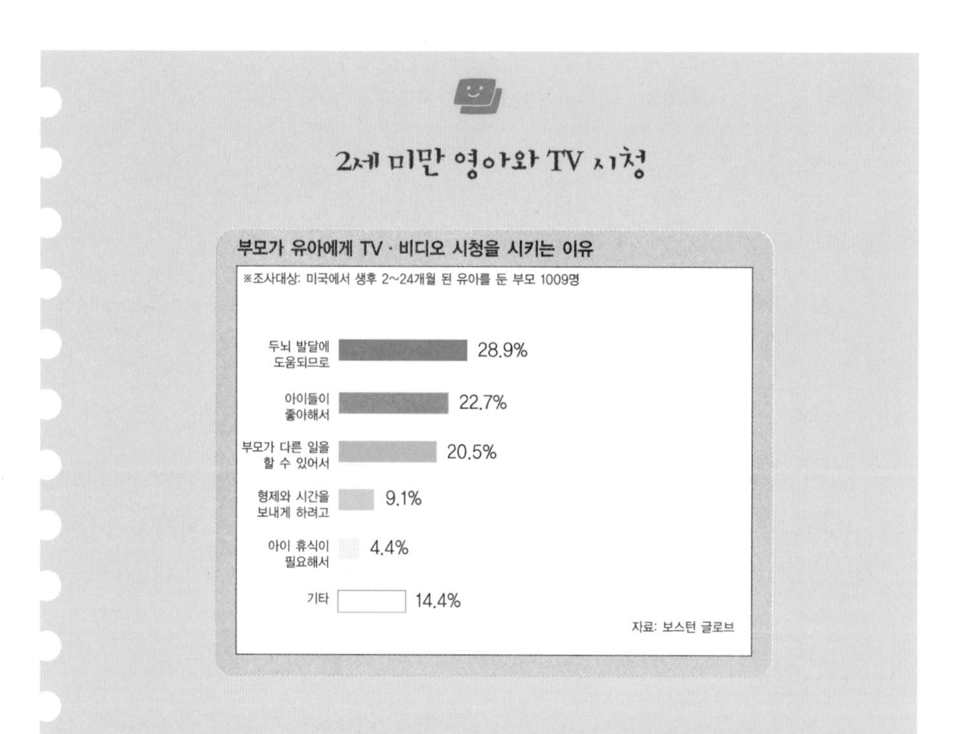

미국 밀퍼드시에 사는 크리스티 메르힙은 겨우 4개월 된 아들 제이크를 TV 앞에 앉혀두는 시간이 많다. 메르힙은 "아이가 TV를 보면서 색채와 숫자 개념을 익히는 것 같다."고 말했다.

그러나 메르힙의 이런 '추측'은 잘못된 판단일 수 있다는 연구 결과가 나왔다.

27일 보스턴글로브에 따르면 미국 워싱턴대학 소아과 연구팀의 조사에서 유아가 TV를 과다하게 보면 집중력 결핍과 비만 등 상당한 부작용을 낳을 가능성이 큰 것으로 분석됐다.

미국 소아과 학회는 이와 관련해 2세 미만 유아의 TV 시청을 금지하라고 권고하고 있다.

워싱턴대학 소아과 연구팀이 미국에서 유아 자녀를 둔 1,009명을 상대로 한 전화설문 조사에서 생후 3개월밖에 안 된 신생아의 40%가 매일 평균 45분씩, 일주일에 5시간 이상 TV나 비디오를 시청하는 것으로 나타났다. 또 2세 미만 유아의 90%는 하루 90분 이상 TV를 시청했다.

연구팀은 "유아들의 과도한 TV 시청은 두뇌 발달에 부정적인 영향을 미칠 수 있고 주의력 결핍, 이해력 감퇴, 비만 등의 가능성이 커진다."고 경고했다.

연구팀은 특히 부모들이 TV 시청을 일종의 '교육도구'로 활용하고 있다는 점에 우려를 나타냈다. 최근 10년간 소아과 전문의들이 경고하는데도 조사대상 부모들은 유아용 TV나 비디오 프로그램이 아이들의 두뇌 발달에 도움된다고 확신하는 것으로 나타났다.

연구팀의 소아과 전문의 디미트리 크리스타카스는 "아이들이 TV 화면을 뚫어져라 보긴 하지만 실제로 좋아서 그러는 거로 생각하면 오해"라며 "빠르게 움직이는 화면과 화려한 컬러, TV에서 들리는 큰 목소리에 관심을 보이는 '본능적 반응'에 지나지 않는다."라고 강조했다.

_〈세계일보〉 2007년 5월 28일 기사 중에서

손끝이 따듯해지는 놀이

공동육아조합이나 생태 유아교육 어린이집에서는 정형화된 플라스틱 장난감을 사지 않는다. 그보다는 나무토막, 털실, 바늘과 실, 종이 등을 활용해서 손끝을 많이 사용하는 놀이를 하게 한다. 나들이에서 가져온 나뭇가지나 잎, 돌 등을 갖고 멋진 미술작품을 만들어 보는 활동이 많은 것도 이들 어린이집의 특징이다.

손놀림은 단순한 육체적 과정이 아니라 정신적인 과정이기도 하므로 머리, 마음, 손이 조화롭게 발달하는 전인적인 존재가 되게 하자는 뜻이다.

손끝을 사용해서 무언가를 만들어내는 과정 동안 실용적이고도 예술적인 감각, 그리고 정교함과 치밀성을 몸에 익히게 하기 위해서이다.

04 EBS 60분 부모

정서 뇌가 먼저, 인지 뇌는 그 다음

18개월 민수 엄마. '유아비디오 증후군'이 걱정스러워 아기에게 따로 책이나 비디오 테이프를 틀어놓고 학습을 시키지는 않았다. 단잠도 잘 재웠고 엄마와 함께하는 시간이 대부분이다. '그런데 이것만으로 과연 충분할까?' 싶은 생각이 자꾸 든다. 그래서 생각해낸 것이, 공을 갖고 놀 때에도 "이건 파란 공이야." "저건 빨간 공이지?" 하면서 열심히 색을 가르쳐주는 일이었다. 아기가 장난감 피아노를 치면 '도-' '미-' '솔-' 하는 식으로 음이름도 가르쳐주었다. 지금은 못 알아들어도 언젠가는 도움이 되겠지 싶은 마음에서였다.

그런데 자꾸 그렇게 하다 보니 아이와 노는 모든 놀이가 일처럼 여겨졌다. 더불어 조각놀이를 수차례 반복해주었는데도 아기가 빨리 쉽게 조각을 맞추지 못하면 '애가 머리가 나쁜 거 아닐까?' 싶어 은근히 불안해졌다. 사실 아기가 모양을 잘 끼워 맞추면 '딱' 소리가 났네! 하고 격려해주는 것이 좋다고 들었다. 그러나 그보다는 "이건 별모양이야." "이건, 네모" 하는 식으로 설명해주고 싶은 마음이 자꾸만 앞서는 바람에, 아기를 격려하고 호응하는 말은 자꾸 잊게 되었다.

지금 민수 엄마 마음은 양 갈래 길에 서 있다. '너무 일찍부터 이러지는 말자.' 싶은 마음 반, '이왕 노는 것 미리부터 인지놀이를 해두면 나중에 도움되지 않을까' 싶은 마음 반. 그래서 오늘도 18개월 민수를 데리고 이런저런 간접공부를 시키고 있다. 그런데 정말 어릴 때부터 인지교육을 해 주면 지금 말해주는 색채와 계명을 아이가 나중에 죄다 기억하게 될까?

인지교육에도 다 '때'가 있다

사람의 뇌에는 인지와 감정을 담당하는 두 영역이 커다랗게 자리 잡고 있다.

공부와 관련된 뇌 연구가 활발하게 이루어지기 전에는 공부란 인지 뇌를 얼마나 잘 쓰냐에 달렸다고 생각했기 때문에 인지 뇌만을 집중적으로 사용하고 훈련하는 공부법이 학생들에게 적용됐다. 그러나 뇌 기반 학습 연구에 따르면 인지를 개발하고 활용하는 작업에 감정이 깊게 관여하고 있다는 결과가 속속들이 발표되고 있다. 즉, 인지와 정서는 떼려야 뗄 수 없는 불가분의 관계를 맺고 있다.

학창 시절, 선생님이 재미있게 들려준 이야기와 그 분위기는 오래 기억나지만 별다른 흥미 없이 들었던 내용 대부분은 쉽게 잊어버리게 된다. 반대로 슬프거나 화날 때 공부한 내용은 애초부터 머릿속에 거의 들어오지 않는 것 같다. 그 이유는 사람의 뇌 구조상 주로 정서 뇌를 통해서 외부 자극을 받아들이고 그것이 인지 뇌로 옮겨가도록 구성되어 있기 때문이다.

이해를 돕고자 잠깐 뇌 구조를 살펴보자. (뒷페이지 그림 참고)

뇌 구조는 복잡하기 그지없지만 단순화시켜 보면 크게 3층으로 구성되어 있다.

사람 뇌의 맨 아래에 있는 뇌간은 기본적인 구조가 파충류의 두뇌와 닮았기 때문에 '파충류의 뇌'라고도 불린다. 호흡, 심장박동, 혈압 조절 등 생존에 꼭 필요한 생명현상을 주로 담당하는 부위이다. 악어나 뱀은 생존유지에 필요한 먹는 행동, 자는 행동, 교미 행동 등만 만족하면 그 이상의 행동은 필요로 하지 않는다. 파충류 뇌 대부분은 뇌간으로 이루어져 있기 때문에 그러하다.

변연계는 뇌간과 대뇌피질 사이에 있으며 감정을 주로 담당한다. 흔히 '포

〈 뇌의 3층 구조 〉

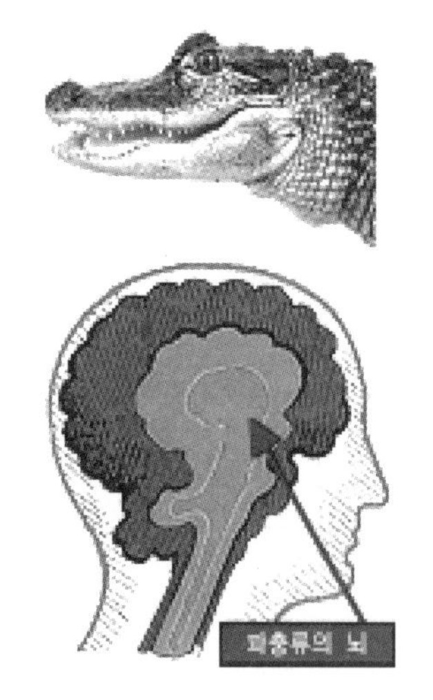

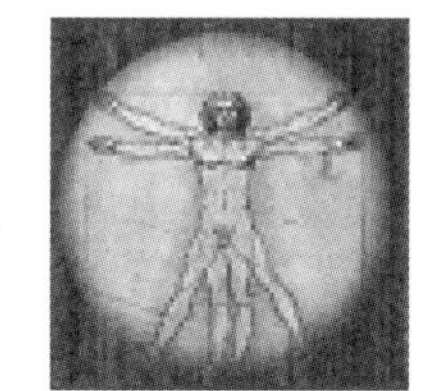

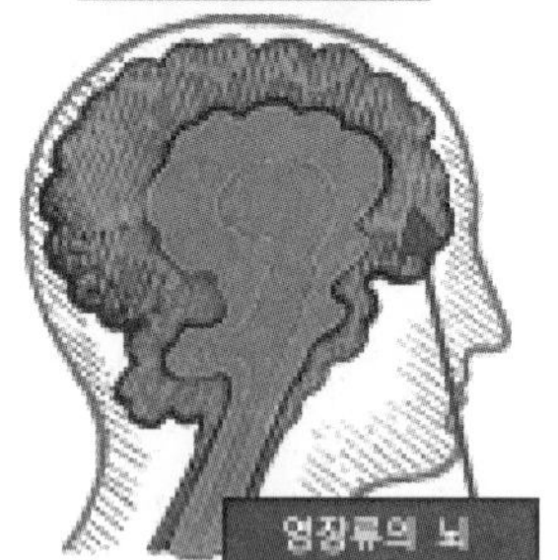

유류의 뇌' 라고 불린다. 포유류인 개는 파충류인 악어와는 달리 정서 뇌를 가지고 있기 때문에 먹고 자고만 해결되어서는 잘 살지 못한다. 개들끼리의 교류나 사람과의 교류를 통해 정서적 유대감을 느끼지 못하면 건강을 유지하지 못한다. 감정 뇌가 있기 때문에 개는 충성심이나 우울증을 보일 수 있다.

대뇌피질은 우리가 흔히 아는 기억, 언어, 사고, 추론 등에 관여하는 부위이며 '영장류의 뇌' 라고 불린다. 다른 동물들과 인간을 구분하게 해주는 인지 뇌이다. 생명유지는 당연히 이루어지고 그 후에 희로애락 등의 정서를 경험하고, 말을 하고, 기억하고, 사고해야만 제대로 된 삶을 살고 있다고 볼 수 있다. 즉 뇌간, 정서 뇌, 대뇌피질을 다 함께 사용할 때 가장 인간답다.

그러면 이와 같은 뇌의 세 가지 부위는 아기의 학습과 어떻게 연관이 될까?

지나친 유아학습은 뇌 위축 유발

두 돌에서 네 돌 사이에는 뇌 가운데 정서 뇌 발달이 활발하게 이루어지는 시기이다.

그런데 이 시기에 밥을 제때 먹지 못한다거나 잠을 제대로 자지 못하거나 하는 지나친 스트레스를 경험하게 되면 아기의 뇌는 기본적인 생명활동에 관여하는 뇌간만이 지나치게 발달하고 정서 뇌와 인지 뇌는 충분히 발달하지 못하게 된다.

개에게 물린 기억도 없는데 왜 이렇게 개를 무서워할까?: 유아기 기억상실증

'4세 때 오늘, 무엇을 하고 있었나?' 기억이 나지 않는다.
'10세 때 오늘, 무엇을 하고 있었나?' 역시 기억이 나지 않는다.
그러나 10세라면 초등학교에 다닐 시절이고 초등학교 때의 오늘(지금이 가을이라면)은 대략 이러 이러한 일이 있는 시기이고…
이렇게 기억 단서를 찾아 내려가다 보면 10세 때의 일들은 기억나는 경우가 종종 있지만 4세 때의 일은 아무리 생각해도 전혀 기억이 나질 않는다.

4~5세 이전의 기억이 전혀 나질 않는 현상을 유아기 기억상실증이라 부른다.

왜 이런 일이 생기는 걸까?
뇌 심리학자들은 뇌 속의 정서를 담당하는 편도체와 기억을 담당하는 해마의 성숙시기가 다르기 때문이라고 설명한다.

편도체는 생후 몇 개월 만에 성숙하지만 해마는 만 4세를 전후하여 성숙한다.
감정을 담당하는 편도체, 인지를 담당하는 해마가 각기 다른 시기에 성숙하면서 감정과 인지의 차이가 나타나는 것이다.
4세 이전에 강아지에게 물린 적이 있다면 강아지가 무섭다는 것은 기억나지만 강아지에게 물렸다는 사실은 기억나지 않는 것이 이런 연유에서다.

〈 스트레스와 두뇌 〉

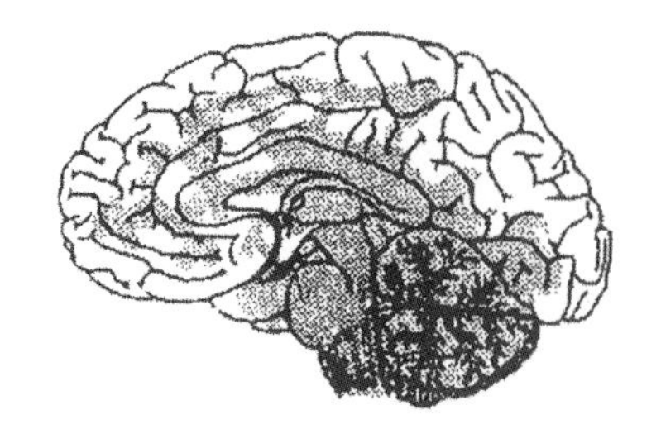

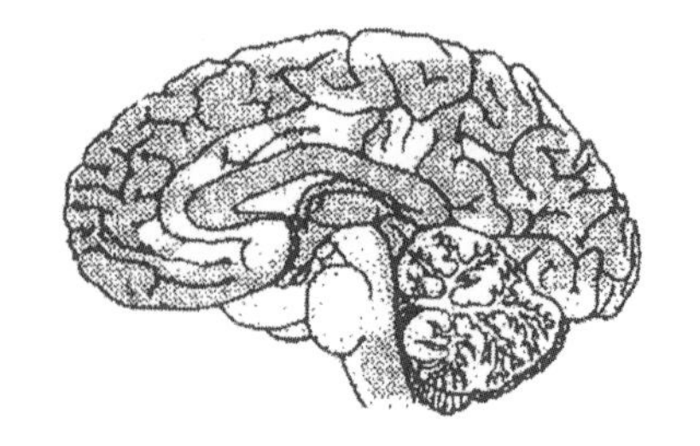

그림 1 불안, 위협, 무력감, 스트레스를 받은 뇌
그림 2 높은 도전감, 낮은 스트레스 뇌 ; 출처 Jensen 1996

그림1에서처럼 스트레스 상황에는 생존을 담당하는 파충류의 뇌만 집중적으로 쓰이고 정서 뇌 사용이 적고 특히 인지 뇌는 거의 사용되지 않는다. 이와는 달리 그림 2에서처럼 스트레스가 없는 상황에는 인지 뇌인 대뇌피질이 전체적으로 활성화된다. 한마디로 스트레스를 많이 받은 아기는 학습능력도 손상되는 것이다.

여기서 스트레스란 유기나 학대처럼 아이에게 극도로 공포감을 유발하는 행동도 물론 포함되지만, 아기를 꼼짝 못하게 하고 특정 자극만 주는 무리한 학습 자극도 포함될 수 있다. 문자와 같은 추상적 학습은 적어도 인간 뇌가 적절히 발달하는 만 4~5세 무렵 이후여야 한다. 뇌 발달상 이 시기쯤 되어야 '학습'이라는 것을 무리 없이 조금씩 받아들일 수 있게 되는 것이다.

4~5세 이전에 학습을 시키는 것은 시기에 맞지도 않을 뿐더러 자칫하면 정서 뇌 발달을 더디게 할 수 있다. 정서 뇌가 충분히 발달하지 않으면 인지 뇌도 원활하게 작용할 수 없다. 정서 뇌를 안정되게 해주고 행복하게 해주어야 할 만 4~5세 이전에 숫자와 문자 색깔 등을 주입하느라 아이들의 뇌를 다치게 하지 말자. 이 시기의 지나친 학습은 결국 뇌 발달의 기초공사를 부실하게 하는 것과 다르지 않다.

EBS 60분 부모 05

많이 안아 줄수록 머리도 좋아진다

엄마가 아기에게 해 줄 수 있는 가장 중요한 것 한 가지를 꼽으라면…? 두말할 것도 없다. 다정한 스킨십이 최고다.

심리학에서 피부는 겉으로 드러난 '뇌'라고 말한다. 쓰다듬어주고 어루만져주고 따듯하게 보듬어주는 일은 피부를 통해 이루어지지만 사실은 두뇌 발달에도 도움을 준다.

심리학자 해리 할로우 박사(Harry Harlow)는 원숭이 실험을 통해 스킨십의 중요함을 일깨워줬다, '헝겊 엄마 철사 엄마' 실험이 바로 그것이다.

그는 사람과 비슷한 점이 많은 어린 원숭이를 데리고 실험을 했다. 어린 원숭이를 우리 안에 넣고 인위적으로 두 종류의 엄마모형을 만들어 넣어주었다. 가슴에 우유병을 달고 먹을 것을 주는 철사(인형) 엄마와, 먹을 것을 주지는 않지만 부드러운 감촉을 주는 헝겊(인형) 엄마와 함께 한 우리 속에서 살게 했다.

어린 원숭이는 과연 어느 쪽을 더 많이 찾아갔을까? 놀랍게도 어린 원숭이는 배가 고플 때에만 우유병을 단 철사 엄마를 찾아갔다. 그리고 그 나머지 대부분 시간을 부드러운 헝겊 엄마 품에 안겨 보냈다.(사진 1 참고)

사진 1

사진 2

시간이 흘러 어린 원숭이가 좀 더 자라 몸이 커지자 다리는 헝겊 엄마에게 걸치고 입만 철사 엄마의 우유병에 댄 상태로 먹었다.(사진 2 참고)

아이들은 왜 엄마를 좋아할까? 이런저런 이유가 있겠지만 궁극적으론 먹을 것을 주기 때문이라는 해석이 지배적이었다. 엄마가 아이의 생리적인 욕구를 채워주는 존재이기 때문이라는 것이다. 그러나 할로우 실험은 다른 결론을 보여 주었다.

먹을 것 때문에 엄마를 좋아한다면 새끼 원숭이는 늘 철사 엄마 옆에 있어야 했을 것이다. 철사 엄마 가슴에는 언제든 먹고 싶은 대로 먹을 수 있는 우유병이 달렸기 때문이다. 그러나 새끼 원숭이는 배고플 때 외에는 대부분 시간을 헝겊 엄마와 함께 보냈고, 갑작스러운 공포상황에서도 헝겊 엄마에게로 도망가 진정이 될 때까지 꼭 붙어 있었다.

또 다른 실험에선 어린 원숭이를 우유병 달린 철사 엄마와만 살게 했다. 이 원숭이는 갑작스럽게 공포상황을 주자, 엄마에게 도망가지 않았다. 어린 원숭이는 안절부절 우왕좌왕하다가 끝내는 이상 행동까지 보였다.

접촉이 많으면 많을수록 지적 호기심 높아

이번에는 새끼 원숭이의 우리에 신기한 물건을 넣어주었다. 자연 상태에서 친어미와 자란 새끼 원숭이들은 신기한 물건에 바로 달려들어 탐색한다. 그러나 앞 실험에서처럼 헝겊 엄마든 철사 엄마든 부자연스러운 환경에서 자란 새끼들은 새롭고 신기한 장난감을 주어도 바로 반응하지 않았다. 그나마 헝겊 엄마와 함께 산 새끼들은 불안해하며 한참 뜸을 들이다가 장난감에 조심스럽게 다가갔다.(사진 3 참고)

그러나 철사인형 엄마만 있는 데서 자란 새끼들은 아무리 재미있는 장난감

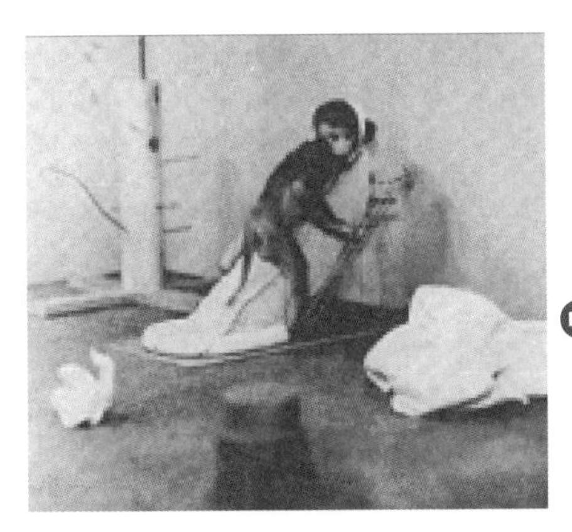

사진 3 헝겊인형 엄마에게서 자란 새끼 원숭이의 모습. 처음엔 겁을 내다가 차츰 호기심을 보인다.

사진 4 철사인형 엄마에게서 자란 새끼 원숭이의 모습. 처음부터 끝까지 장난감에 반응하지 않았다.

을 주어도 전혀 반응을 보이지 않았다.(사진 4 참고) 사람으로 치면 지적 호기심을 보이지 않았던 것이다. 사람을 포함해서 대부분 동물들은 피부 접촉을 극대화할 수 있는 행동을 좋아한다. 아이들 입에서 자주 나오는 소리도 가만 들어보면 안아달라는 말이 많다. 안아주면 편안해 한다. 또 많은 어린 아이들이 수건이나 보자기 등을 사용해 자신의 몸을 감싸는 놀이를 좋아하는 걸 볼 수 있다. 어린 시절 사용했던 이불이나 천 인형을 나이가 들어서도 버리지 못하는 아이들이 꽤 많다. 어린 시절 덮었던 담요나 솜이불을 여행지까지 끼고 다니는 아이들이 얼마나 많은가!

우유보다 엄마 품이 좋아

헝겊인형 엄마, 철사인형 엄마 실험은 아이들이 엄마를 좋아하는 이유가 배고픔이나 갈증과 같은 생물학적 욕구가 아니라 접촉 위안(contact comfort) 때문임을 보여주었다. 아이가 건강하게 성장하는 데 접촉 위안이 얼마나 중요한지도 보여주었다.

학교 교사들은 부모-자녀 관계가 좋지 않은 아이가 학업 성취도가 높은 경우는 낙타가 바늘구멍을 들어가기만큼이나 어렵다는 이야기를 한다. 심리학 연구를 통해 밝혀진 바에 따르면 부모-자녀 관계가 좋아지고자 부모들이 가장 손쉽게 할 수 있으며 효과도 큰 방법이 바로 접촉 위안을 활용하는 것. 즉 많이 안아주는 것이라고 한다.

많이 보듬어 준 아이는 정서적으로 안정되어 있고 더불어 부모를 좋아하게 된다. 안정감 있는 아이는 새로운 것에 대한 호기심도 많다. 안정감이 부족한 아이들은 낯선 것이 주어질 때마다 불안함을 달래려면 정신적 육체적으로 많은 에너지를 써야 한다. 그러므로 새로운 것에 대한 호기심을 미처 누릴 틈이 없다. 부모와 평소 접촉이 많았던 아이는 정서적으로 안정되어 있을 뿐 아니라 부모 칭찬을 받고 싶어서라도 지적 호기심에 날개를 단다.

유아 시기에 정서적 안정감은 절대적으로 중요하다. 안정감은 아기가 이후 세상을 살아가는 데 필요한 모든 것들을 갖출 수 있도록 든든하게 받쳐주는 반석과도 같다. 부드럽게, 따듯하게 안아줄 수 있는 엄마에게서 자란 아기는 매 순간 자신의 욕구나 긴장과 맞서 싸우지 않아도 된다. 나는 안전하고 무사하다는 기분은 세상을 살아가는데 꼭 필요한 마음가짐이다! 유아 시절 부모와의 따듯한 접촉이 많으면 많을수록 안정감도 잘 형성된다.

많이 안아주자.

특별히 더 많이 안아주어야 할 '때'가 있다

어디서든 어느 때이든 자주 안아주면 좋겠지만 특히 더 많이 안아주어야 할 때가 있다. 심리학에서 반항기이자 위기라고 불리는 시기가 더 그렇다.

인생에는 크게 4차례의 반항기이자 위기가 있다.

- 제1기(세 살 무렵)
- 제2기(일곱 살 무렵)
- 제3기(사춘기 무렵)
- 제4기(중년기 무렵)

일생에서 이 네 번의 반항기이자 위기를 겪을 때마다 따듯한 포옹이 절대적으로 필요하다. 1, 2, 3기에는 부모의 따듯한 포옹이, 4기엔 배우자의 포옹이 필요할 것이다. 세 살과 일곱 살 무렵은 정서적 안정감과 관련해서 부모가 특별히 더 많이 안아주어야 할 때이기도 하다. 세 살 무렵에 아이는 "내가! 나는!"이라는 말을 많이 한다. 엄마와 내가 다르다는 구분이 생길 때다. 자기를 확립하려 할 때이며 뇌 세포와 뇌 세포 간에 연결 형성이 활발한 시기이기도 하다. 이때에는 가능한 야단치지 말고 많이 안아주는 것이 필요하다.

언어적인 포옹도 필요하다. "하지마, 안 돼."라는 부정적인 어휘를 가급적 쓰지 말고 아이의 행동을 보듬어주는 긍정적인 표현이 필요하다. 이 시기에 따듯한 포옹과 언어적 포옹은 밝고 명랑한 아이가 되는 것과 관계가 깊다.

일곱 살, 초등학교 갈 나이가 되면 흔히 '미운 일곱 살'이라고 할 정도로 부모의 통제가 유난히 안 되는 시기가 온다. 아이는 지금 커다란 변화 앞에서 내심 불안하다. 유치원 다닐 때까지는 가족 중심의 사회, 나를 중심으로 돌아가는 사회였지만 이제부터는 본격적인 사회화가 시작되는 나이다. 어린이집에선 모든 걸 봐주는 편이었는데 학교에 가면 갑자기 규칙이 많아진다. 아이는 막연하게 '우리'를 알게 되고 우리 속에서 '나의 위치'는 어디인가를 끊임없이 생각하게 된다. 이토록 불안한 시기에 아이를 많이 안아주고 보듬어주는 것은 너무도 당연하다.

자주 안아주자. 부모의 포옹은 자녀의 온 시기에 걸쳐 필요하지만 특별히 세 살, 일곱 살, 사춘기 무렵엔 더 많이 안아주자.

TIP

"하지마, 안 돼."

창의성의 대명사 스티븐 스필버그 감독과 그의 어머니.
어린 스티븐을 키우면서 "하지마, 안 돼."라는 표현을 한 적이 없다는 그의 어머니. "쓰레기 버리지마!"가 아니라 "쓰레기는 이렇게 쓰리기통에 버리는 거란다."라고 표현하며 어떤 행동이든지 언젠가는 제대로 잘할 것을 믿어주었다고 한다. 성공한 사람의 이면에는 그의 성공을 한 치의 의심도 없이 믿어준 사람, 바로 어머니가 있어야만 한다.

포옹, 이렇게 하자!

하루 중 포옹 효과가 가장 큰 때는?
· 잠들기 전, 잠에서 막 깨어날 무렵 · 어린이집 갈 때, 다녀왔을 때
효과적인 포옹 자세는?
· 그냥 안아주는 것보다, 위, 아래, 옆으로 움직임이 있으면 더 좋다.
· 예쁘다, 착하다, 멋지다고 말하면서 안아주면 더 좋다.

EBS 60분 부모 06

아가야, 세상 모든 것에 이름이 있단다!

두 돌에서 네 돌까지 언어교육

아이들은 두 돌에서 네 돌 사이가 되면 자신을 둘러싼 물건과 사람에게 각각 이름이 있다는 것을 알게 된다. 냉장고와 벽에 붙어 있는 낱말 포스터에 적극적으로 반응을 보여 부모를 행복하게 해주는 것도 이 무렵이다. 그러나 이 시기에는 글자로 되어 있는 이름보다는 일상적인 대화를 통해 사물의 명칭을 배워나가는 것이 자연스러운 언어습득 방법이다. 대화라는 상호작용을 통해 의사소통의 맛을 본 아이들의 어휘는 폭발적으로 증가한다.

두 돌 경우에 약 300여 개의 어휘를 사용할 수 있다면 세 돌일 경우에는 그 세 배인 약 1,000개 정도의 어휘를 사용할 수 있게 된다. 이 시기에 엄마는 다음과 같은 방법을 사용해서 아이들의 어휘 습득을 도와줄 수 있다.

첫째, 아기가 스스로 말을 하게 기다려주자.

아기가 실컷 집안을 돌아다니다가 목이 마를 무렵, 엄마가 알아서 물을 먹이기보다 아기가 먼저 "물"이라고 말할 수 있기를 기다려본다. 엄마와 같은 대상을 같은 말로 표현했을 때 아이가 원하는 것을 더 쉽게 얻을 수 있다는 것을 알게 하

자. 목이 말라 "물"이라고 표현했을 때가 표정이나 몸짓으로 물을 표현할 때보다 더 빨리 물을 얻을 수 있고, 그 결과 갈증이라고 하는 불편한 상태에서 쉽게 벗어날 수 있다. 원하는 것을 미리 알아서 챙겨주기보다는 소망이 생길 때까지 기다려주자! 원하는 것을 말하기도 전에 모든 욕구가 채워진다면 굳이 말이라는 도구가 왜 필요하겠는가!

둘째, 될 수 있으면 밖에 많이 데리고 나가 다양한 것을 보고 듣게 하면서 아기가 말하고 싶은 재료가 많아지게 해주자. 사물마다 이름이 있다는 것을 알게 되는 것은 자연스런 발달 과정 중의 하나이다. 뇌와 발성기관이 성장하고 성숙하여 세상을 배울 준비가 된 것이다. 그렇다면, 다양한 사물과 사람을 보여주는 것이 당연한 순서이다. 시각적인 그림만으로 청각적인 소리만으로 이루어진 사물보다는 다양한 상황 속에서 시각과 청각, 촉각 등 다양한 감각을 동원하여 공감각적으로 사물의 이름을 익히도록 해주는 것이 이 시기에 폭발적인 어휘발달을 위한 필요조건이다.

셋째, 아이가 단답식으로 말을 하면 엄마는 이것을 완성된 문장의 형태로 만들어서 다시 들려주는 것도 좋다. 아이가 "우유"라고 말하면, "엄마 우유 주세요. 아, 우리 ○○이가 우유가 먹고 싶었구나. 우유 줄게. 맛있게 마셔요."라고 말을 해주자. 엄마나 아이가 기분이 좋을 때면 조금 더 살을 붙여도 괜찮을 것이다. 예를 들어 "우유를 먹으면 키도 많이 클 수 있어요."까지 진도가 나갈 수도 있다.

그러나 한꺼번에 많은 정보를 주려고 욕심을 내기보다는 이 시기엔 정확하게 기본 완성 문장을 말할 수 있도록 도와주는 일에 더 주력하는 것이 좋다.

말하기와 버릇 들이기

불행한 것은 부모 자녀 사이가 언제나 이렇게 신성한 배움의 시간으로만 채워지는 것은 아니라는 점이다. 세 돌까지 아이는 상당히 자기중심적이다. 마음대로 안 되면 떼를 쓰고 막무가내로 굴기 쉽다. 그러다 보니 영유아 시기엔 언어교육과 버릇 들이기가 함께 이루어져야 할 때가 잦다. 엄마는 상냥하지만 단호한 태도를 보이도록 노력할 필요가 있다.

다음의 경우를 예로 들어보자.

26개월 아기 엄마 A와 또래를 키우는 아기 엄마 B는 평소 서로 잘 어울리는 친구 사이다. 그런데 A 엄마의 아기 a는 늘 B 엄마의 아기 b의 장난감을 탐내고 그것 때문에 종종 애를 먹는 일이 발생한다. 떼를 쓰고 화를 내는 아기 a에게는 "아, 우리 a가 친구 장난감이 갖고 싶구나. 그런데 안 주니까 화가 났구나." 하고 일단 아기가 왜 화가 났는지를 말로 일목요연하게 정리해준다. 그래야 아기는 '내가 화가 난 이유를 분별하는 능력'을 배울 수 있다.(아직 이성적으로 논리정연하게 이해하진 못한다. 막연히 직감할 뿐이다.) 엄마 때문이 아니라 친구 장난감을 갖고 싶은데 그게 안 되기 때문에 화가 났다는 걸 아기가 스스로 자신에게 이해시킬 수 있어야 한다.

이론적으로 아기의 감정을 다치지 않게 하려면 아기는 원하는 장난감을 손에 넣어야 할 것이다. 그러나 갖고 싶은 모든 것을 다 갖게 하면서 아기를 키울 수는 없다. 그러므로 아기의 감정이 다소 손상되더라도 엄마는 부드럽게 말할 수 있어야 한다. "그런데 어떡하지? 이건 친구 거라 친구가 가져야 한대. a는 a 것을 갖고 놀자." 그러나 이 정도의 말로 아기가 엄마 말을 순순히 받아들인다면 육아란 누워서 떡 먹기일 것이다. 절대로 안 되는 아이가 더 많다.

2단계, "그럼 친구한테 한 번 물어볼까? a 장난감하고 친구 b 장난감하고 바꿔서 놀아보자고 한 번 부탁해볼까?" 이렇게 친구와 잘 상의해서 바꿔 노는 타협안을 가르쳐줄 수 있다. 상대방 아기가 싫어한다면? 이때는 상대방 B 엄마도 자신의 아기를 설득시켜야 한다. 자, 비록 아기들이 원하는 상황은 아니었지만 두 엄마의 중재로 아기들의 장난감이 서로 교환된다.

그때 이 말을 꼭 잊지 말자. "친구가 고맙게도 a한테 빌려준대요. '고마워, 잘 갖고 놀다가 돌려 줄게.' 하자."

얼떨결에 자신의 장난감을 교환 당한 B 엄마 아기 b.

이때 B 엄마는 가만히 손 놓고 놀고 있을 게 아니라 친구 a 장난감을 가지고 b와 열심히 재미있게 놀아주자. 엄마가 주는 새로운 자극에 아기도 섭섭한 마음을 충분히 달랠 수 있을 것이다.

자, 그런데 이런 일이 한두 번이면 모르겠는데 열 번에 일곱 여덟 번은 늘 a의 욕심대로 이루어질 때, B 엄마는 은근히 기분이 나빠질 수 있다. 왜 우리 아기는 매번 양보해야 하는 걸까?

이 문제는 참 미묘한 문제다. 논리적으로는 '그 까짓것 양보하면 좀 어때서?' 할 수 있다. 그러나 많은 엄마가 또래 아기나 엄마들과 어울릴 때 힘든 점이 바로 유난히 이기적인 아기와 엄마를 만나는 경우이다.

이럴 때 잘 생각해보자.

내 마음속의 미움의 대상이 엄마 A인가, 아기 a인가? 엄마 A라면 차라리 자주 어울리지 않는 것도 현실적인 방법이다. 아기 a라면 그런 힘든 아기를 키워야 하는 엄마 A를 한 번 더 이해하도록 마음을 넓게 갖도록 하자.

세 돌 미만 아기를 키우는 엄마들은 사실 모두가 동지다. 모두가 아프고 힘든 과정을 겪고 있다는 걸 다시 한 번 이해하고, 나보다 몇 배나 더 어려운 A 엄마를 도와준다고 생각하자. 당신의 아기도 당신의 그 아량을 지켜보고 있을 것이다.

엄마들이 한결같이 이런 자세를 지키면 비록 처음엔 잘 안 되더라도 아기들은 차차 엄마의 방식을 따라올 수밖에 없다.

b 아기의 감정이 혹시 다치는 건 아니냐고? 바보처럼 마냥 양보하는 모습만 보고 자라는 건 아니냐고? 양보를 배우는 건 좋은 일이다. 엄마들이 힘들어 하는 것은 양보가 아니라 '뺏기는 것'이라고 생각하기 때문이다.

다시 한번 잘 생각해보자.

당신은 A 엄마와 a에게 양보하고 있는가, 아니면 뺏기고 있는가? 양보를 하고 있다면 백번을 해도 내 아기 감정은 다치지 않는다. 뺏기고 있다고 생각되면 A 엄마하고의 관계를 그만 멈추는 것이 낫다.

세 돌 미만 아기가 무언가를 원할 때 물론 부모는 매순간 성의껏 응해주어야 하지만 그렇다고 해서 모든 것을 다 받아들여 줄 수는 없다. 세상에 저 혼자 사는 아이처럼 독불장군같이 구는 떼를 일일이 다 받아줄 순 없다. 서서히 '안 된다.'라는 걸 아기도 받아들일 줄 알아야 한다.

생애 초기에도 좌절의 경험은 불가피하다. 그러나 같은 값이면 이 좌절이 냉정하게 주어지기보다 부드럽게 그러나 단호하게 주어질 필요가 있다.

비록 지금은 옆집 아이보다 말을 못해도

두 돌에서 세, 네 돌 사이에 아이들의 말 실력은 그야말로 천차만별이다.

어른에게 제법 또렷하게 간단한 자기 생각을 말하는 26개월짜리가 있는가 하면 아직 제 이름의 발음도 엉성해서 무슨 소리인지 잘 모르겠는 36개월짜리도 있을 수 있다. 이 시기에 또래 아기와 내 아기를 너무 지나치게 비교하면 괜히 엄마만 스트레스받을 수 있다. 두 살에서 세 살 사이에는 특히 아기의 언어발달 문제와 관련해서 느긋하게 기다려줄 필요가 있다. 초반에 차이가 났던 아이들도 5세 이후에는 엇비슷해지는 경우가 많기 때문이다.

네 돌 미만일 때 부모는 아기와 의사소통이 정확하게 안 되기 때문에 더욱 답답할 수밖에 없다. "우리 애가 왜 이러지요?"라고 묻는 수많은 질문을 보면 이 무렵의 아기 발달, 특히 언어능력을 이해하지 못해서 부모들이 애로사항을 겪고 있다는 것을 알 수 있다.

부모들이 꼭 명심해야 할 사실은 아기가 이제 고작 세 살, 네 살일 뿐이라는 점이다.

아기들의 뇌는 지금 만들어져 가고 있다. 언어도 서툴다. 아직은 엄마가 하는 말의 의미를 정확하게 파악하고 따라하기 어려운 나이라는 걸 이해하고 조금 여유 있게 바라보자. 아이의 두뇌 발달이 무르익어 가도록 애정을 갖고 기다려주면 아이에게 발달장애 문제가 있지 않은 한, 오늘 아이가 보이는 '이해할 수 없는 행동'들이 서서히 나아지기도 한다. 유아에게 말을 가르칠 때 엄마는 상냥한 언어교사이면서 적당히 수다스러운 연인이 되어야 한다.

그러나 솔직히 아무리 사랑스러운 연인이라 해도 내 말을 못 알아듣는데 계속 친절하게 굴기란 쉽지 않다. 그래도 아이에게 나는 부드러운 연인과도 같은 존재가 되도록 노력하자. 아이는 마음이 편할 때, 자신이 존중받는다는 것을 느낄 때 말을 잘하게 된다. 마음 편하지 않고 존중받지 못한다고 느끼는 아이는 말보다 떼를 더 많이 부리게 된다.

아기들이 좋아하는 억양

아이들에게 말을 하는 부모나 어른들을 보면 어른들에게 말할 때와는 다른 억양과 높이를 사용한다. 또박또박 발음은 물론이고 과장된 억양과 높고 가느다란 목소리로 말한다. 왜냐하면, 아이들이 그런 소리에 잘 반응하기 때문이다. 말로는 대답하지 못하지만 그런 말소리에 미소, 움직임 등의 비언어적 반응을 더 많이 보여준다. 즉 의사소통이 되고 있다는 표식이다. 그러므로 이제부터 아이들에게 말할 때는 나레이터 모델처럼 말해보자!

소리 변별능력이 생기는 중요한 시기

생애 첫 한 달 동안에 모국어와 외국어의 억양을 구분할 수 있고 생애 첫 한 해 동안에 모국어에서 사용되는 기본 소리 단위(음소)를 소리로 변별하는 것을 학습한다. 듣기가 먼저 이루어지고 말하기는 그 후로 몇 년에 걸쳐서 이루어진다. 듣기가 잘못된다면 듣기를 바탕으로 한 말하기도 어려워진다. 청각장애가 있는 아이들은 돌쯤에 이미 다른 아이들과는 달리 발음이 부정확한 것이 드러난다. 이 시기에 적합한 개입을 하게 되면 청각 장애가 있어도 의사소통이 가능한 말하기를 학습할 수 있지만 그렇지 않으면 말하기가 많이 어눌해진다.

언어 발달 검사 받아야 할까요?

Q 22개월 아이의 말이 또래보다 너무 늦은 것 같아요. 발음도 엉망이고 평소 사용하는 단어개수도 또래보다 훨씬 부족합니다. 언어 상담을 받아야 할까요?

A 세 돌 전후까지 또래보다 말이 늦거나 서툰 아이라면 우선 아이의 듣는 능력을 살펴봐야 한다. 흔히 말귀를 알아듣는다는 표현을 쓴다. 이처럼 어른들이 하는 말을 대략 알아듣고 적절한 반응을 보이면 우선은 크게 걱정하지 않아도 된다. 그러나 특정 발음을 학교 들어갈 무렵까지 치명적으로 잘하지 못한다든지('ㅅ'은 초등 1학년까지 안 되는 아이도 있다. 이런 경우는 좀 기다려주자!) 또래와 소통하는데 어려움이 많을 정도이면 일단 언어 발달 검사를 받아보는 것이 좋다.

EBS 60분 부모 07

우리, 이제 조금씩 말이 통하는구나!

네 돌에서 여섯 돌까지 언어교육

네 돌이 지나면 아이의 두뇌 속에서 언어를 담당하는 전문영역이 서서히 자리잡기 시작하면서 아이는 비로소 정확하게 말할 수 있게 된다. 이제부터는 엄마와 아이 사이의 상호 대화가 가능해지고 의사소통의 기쁨을 조금씩 느낄 수 있다. 육아에 서툴렀던 많은 아빠들도 아이 나이가 네 돌 무렵이 되면 서서히 아이와의 상호작용을 시작할 수 있다. 말이 통하기 때문이다. 아이는 이제 하지 말라는 말을 알아듣고 조금씩 자기 마음을 억제하기도 한다. 어린이집에 가서 똑바로 앉아 있으라는 언어적 지시에 따르는 것이 가능해지는 나이가 바로 이때다.

이 시기엔 부모와 아이 사이에 정서적인 대화도 가능하다. 두 돌에서 네 돌 사이일 때에도 기본적인 정서교육이 가능하지만 이때에는 아이의 느낌을 부모가 정확하게 알아듣고 공감하기가 어렵다.

그러나 네 돌이 지나면 부모가 아이와 함께 책이나 비디오를 보면서 "저 사람의 기분은 어땠을까?" "저 누나는 무엇을 하는 걸까?" "어떻게 하면 저 사람 기분이 좋아질까?"라는 질문을 하면서 아이가 다른 사람의 기분이나 느낌을 알아채고 공감할 수 있도록 이야기를 주고받는 것이 제법 가능해진다.

이 무렵 아이는 같은 질문을 하루에도 몇 번씩 하는 경우가 있다. 아이가 이러는 것이 힘들어도 무시하거나 건성으로 대답하지 않도록 노력하자.

아이들이 반복 질문을 하는 이유는, 엄마의 답변에 의해 호기심이 충족되지 않았을 때, 그리고 호기심은 충족되었더라도 그 지식을 자신의 것으로 만들기 위해서이다. 이 시기의 질문은 단순히 질문이 아니라 지식을 내재화시키는, 즉 완전하게 자기 것으로 만들기 위한 끊임없는 반복 과정이기도 하다.

또 자신이 하고자 하는 말을 다하지 못하고 얼버무리는 아이도 있다. 이럴 땐 아이에게만 주의를 줄 것이 아니라 주변 어른들 가운데 말을 빨리하는 사람이 있나 살펴보자. 아직 말이 더딘 아이가 주변 어른들의 빠른 말투를 보고 그대로 따라하는 것일 수도 있다. 아이는 어른의 행동을 더 빨리 배우고 익힌다.

또한, 아이의 느리고 부정확한 언어에 채근하는 눈빛과 말투 등을 보이게 되면 아이들은 얼버무리게 된다. 느리게 말하는 것은 느린 정보처리의 결과이다. 채근하면 정보처리의 질도 떨어지게 된다. 말만 얼버무리는 것이 아니라 정신적으로 어리버리한 아이로 자라게 되는 것이다. 그러므로 아이가 말을 얼버무리면 천천히 또박또박 말하는 습관을 들이도록 도와주자.

아직도 내 말을 완전하게 알아듣지 못하는 아이! 그래도 이제는 서로 눈빛을 나누고 마음을 나누는 것이 어느 정도 가능한 시기가 되었으니 얼마나 다행인지.

말 잘하는 아이보다 의사소통 잘하는 아이로 키워야

아기의 언어는 어린이집이나 유치원, 혹은 학교에 들어가고 나서 아이의 사회생활과 학습문제에까지 연결되는 중요한 기능이다. 심지어는 성격에도 영향을 미친다. 아이가 말이 늦어 의사를 제대로 전달하지 못하면 욕구 불만으로 말미암아 공격적이 되거나 신경질적인 아이로 자랄 수 있다. 반대로 어릴 때부터 표현력이 뛰어나 주위로부터 귀여움과 사랑을 받는다면 이 아이는 매사에 자신감을 가진 아이로 자랄 수 있다.

그러나 유아 언어교육의 최종 목적이 단지 '말 잘하기'에 그쳐서는 곤란하다. 말하기란 평생에 걸쳐 타인과 더불어 마음과 생각을 나누는 중요한 소통 수단이다. 그러므로 유아 시기 언어교육의 목적을 단지 또렷하게 말 잘하는 아이로 만드는 것에만 두지 말자.

바람직한 유아 시기의 언어교육을 우리는 다음 두 가지 방향으로 정리하고 싶다.

첫째, 일방적인 수다쟁이는 되지 말자!

엄마의 수다가 아이의 다채로운 표현력으로 이어지고 잘 발효될 수 있게 하려고 엄마는 대부분 앞서가는 말을 하게 되지만 때론 아이의 말 뒤를 따라가는 말도 할 수 있어야 한다. 속도와 페이스를 조절하자.

둘째, 말 잘하는 아이도 좋지만 말 잘 듣는 아이로 만드는 것도 중요하다.

내 말만 일방적으로 쏟아내는 아이가 아니라 상대방 말에도 귀 기울이고 받아들일 줄 아는 아이, 대화할 줄 아는 아이로 키우자. 의사소통의 기쁨은 나 혼자 말 잘하는 기쁨보다 훨씬 더 크고 깊다.

유아가 욕을 할 때 대처법

4~5세 경 아이들은 뜻도 잘 모르면서 욕을 하기도 한다. 욕으로 엄마의 관심을 끌려고 할 때, 혹은 욕의 구체적인 뜻을 잘 모른 채 TV나 어른들이 쓰는 말을 모방해 보는 것이다.

이때 어른은 야단을 치거나, 어린 아이 입에서 나오는 욕이 귀엽다는 반응을 보이기도 한다. 두 가지 다 아이에겐 좋지 않다. 아이는 '이런 말을 하면 엄마가 나한테 관심을 둔다.'고 생각하기 때문이다. 습관처럼 욕을 한다면 일단 관심을 보이지 말자. 계속해서 반복하면 "엄마는 그렇게 말하는 아이와는 얘기할 수가 없어."라고 단호하게 이야기해 준다. 부드럽지만 단호한 태도로 "그게 무슨 뜻인지 아니? 그건 별로 좋은 말이 아닌데, 그 대신 ○○○라고 말해보자." 하는 식으로 좋은 표현을 가르쳐주는 것도 필요하다. 굳이 욕은 아니어도 '에이' 같은 말을 하면 '아이 참'으로 바꾸어 말하는 법을 알려준다.

그러나 아이가 이미 욕을 시작했고 습관처럼 사용하고 있다면 언어교육만으로 교정하기가 쉽지 않다. 이럴 땐 평소 아이가 보는 TV나 만화에 욕이 들어 있지는 않은지 살펴보고, 엄마나 아빠가 평소 쓰는 말도 되돌아 볼 필요가 있다. 모방의 천재인 아이들은 부모가 화내면서 내뱉는 욕, 자신을 야단칠 때 쓰는 표현을 고스란히 배우게 되기 때문이다. 더불어 아이가 심한 욕을 습관적으로 하게 되면 아이의 전반적인 생활환경을 검토하고 아이가 특별히 스트레스 받는 부분이 없나 살펴보고 나서 수면, 생활습관을 바꾸어 보는 등 아이의 전체적인 생활방식과 양육환경을 돌아보고 점검해 볼 필요가 있다.

EBS 60분 부모 08

책과 노는 엄마가 되자!

책, 공부하게 하지 말고 즐기게 하자

영국에서 처음 실행된 '북 스타트 운동'은 우리나라에서도 이제 영유아교육의 중요한 자리를 차지하고 있다. 그런데 부모들이 잘 생각해봐야 할 점이 있다.

북 스타트와 관련해서 아기 발달 상황을 살펴보니, 많은 부모가 생각하는 것과 조금은 다른 결과가 나왔다. "책 자체가 조기교육의 수단으로 작용해서 아기 발달을 도왔다기보다, 책을 매개로 삼아 엄마와 아기가 재미있게 잘 놀았더니 아기에게 긍정적인 영향을 주었다."고 한다.아기는 책을 들고 학습을 한 것이 아니라 책을 사이에 두고 엄마와 사이좋게 잘 놀았다는 것이다. 일찍부터 책을 보여주면 아기가 공부 잘하게 될 것이라고 성급하게 기대한 엄마가 있었다면 아기와 엄마는 서로 다른 꿈을 꾼 셈이라고나 할까.

북 스타트 운동의 원래 취지는 책 읽는 습관을 아주 어릴 때부터 심어 주어서 책 읽는 세 살 버릇을 여든까지 가게 하는 것이라고 한다. 그러려면 무엇보다 책이 공부 잘하기 위한 학습도구로 인식되지 말아야 한다. 그보다는 책이 엄마와 아기 사이의 놀이를 다채롭게 해 주는 도구이고 엄마와 아기 사이의 언어를 풍성하게 살찌워주는 수단이라고 생각하자.

물론 책은 아이의 지적 발달에 도움을 준다.

부모가 애정 어린 자세로 아이를 안고서 책을 읽어주었던 아이들이 '글자를 익히기 위한' 플래시 카드에 접한 아이들보다 후에 책읽기를 더 즐기게 되었다는 연구보고가 있다. 하지만, 여기서 지적 발달 자체보다 더 중요한 것은 책을 통해 한 아이가 성장해가면서 부모와 정서적 친밀감을 느낀다는 점이다. 유아 시절, 부모와 함께 행복하게 책을 나눈 경험이 책을 좋아하게 하고 나중에 성인이 되어서도 책 읽는 습관으로 굳어질 수 있다. 그러므로 유아 시기에 엄마들은 책을 공부하게 하지 말고 즐기게 해주자.

엄마의 질문을 아끼자

간혹 책을 읽고 난 후, 아이에게 성급하게 감상을 묻는 엄마들이 있다. 특히 주의해야 할 점이다. 돌 미만일 때는 아기가 책을 들여다보는 것만으로도 신기해하고 좋아했던 부모들이 이상하게도 두세 살이 되면서부터는 책을 '교육'하려고 시도한다. 유감스러운 일이 아닐 수 없다. 유아 시기 동안에는 생후 첫 1년간 그랬던 것처럼 당분간 책 읽고 난 후의 아이들을 다소 편안하게 내버려 둘 필요가 있다. 메시지나 교훈, 지식을 묻고 기억하게 하는 것보다 책 이야기를 재미있고 신기하게 간직하게 하는 정도가 오히려 현명하다.

만 4, 5세를 전후해서는 아이가 좋아하는 책을 보게 하고 그 책의 내용을 소재 삼아 아이와 책 속의 주인공들의 감정을 이야기해 볼 수도 있다. EQ(정서 지능)를 발달시켜주는 대화를 주로 많이 하는 것이 좋다. "이 아저씨는 기분이 어떠했을까? 왜 그랬을까?" "호랑이는 왜 화가 났을까?" "이러면 할머니의 기분 좋을까?" "너는 누가 제일 좋아?" 등등 유아와의 책읽기 감상은 대체로 이 정도가 무난하다. 이런 질문도 부모가 너무 정색을 하고 물으면 아이는 긴장하기 마련이다. 또 부모 질문이 너무 많아지면 아이 마음속에서 스스로 생기는 질문들은 물거품처럼 사라지고 만다.

질문이라기보다는 이야기를 주고받는다고 생각하자.

흔히 부모는 아이가 책을 보면서 아무 생각 없이 본다고 말한다. 그 증거로, 책을 읽고 난 후 책 속의 내용을 물으면 대답을 못한다는 것이다.

부모가 중요하다고 생각하는 것과 아이가 스스로 발견한 것이 똑같아야 할까? 책에 나온 내용으로 시험을 치러야 하는 입시생도 아닌데, 아직 취학 전의 아이에게 그것이 그렇게도 중요한 일일까?

아이는 나름대로 책에서 발견한 수많은 것을 지금 마음속에 쌓아가고 있을지도 모른다. 그것을 섣불리 헤집어내지 말자. 아이가 책을 들여다보면서 스스로 발견한 것들이 아이 내면에서 부화할 수 있는 시간적 여유를 주자.

너무 일찍부터 짜인 프로그램에 따라 책읽기 훈련을 시키면 책에 대한 흥미가 미처 싹트기도 전에 사라질 우려가 있다. 최근 독서교육이 중요하다는 점이 강조되면서 부모 중에는 책을 읽고 난 후 감상법이나 질문하는 법을 열심히 배우려고 하는 경우가 많이 생겼다. 어떻게 하면 아이에게 요령껏 질문을 던질 수 있을까를 궁리하기 전에 정말로 중요한 일부터 하자. 그것은 아이와 함께 책을 재미있게 즐겨보는 일이다. 책의 맛을 아주 재미있게 즐기고 난 후, 이야기를 나누자.

질문을 어떻게 할 것인가는 차차 학령기에 즈음해서 고민하도록 하자.

그동안 책을 교육수단으로 여겼던 당신, 이젠 마음을 바꿔 보자. 책을 즐거운 문학체험의 수단으로 삼아 보자! 유아 시절엔 더더욱 필요한 일이고, 초등학교 들어가서도 또 어쩌면 중학생이 되어서까지도 앞으로도 한참 동안 우리 아이에게 필요한 일은 책을 공부하기보다 즐기는 일이다. 그것이 진정한 북 스타트의 의미이다.

북 스타트/책 읽어주기 효과 연구

북 스타트에 참여한 부모와 아이, 참여하지 않은 부모와 아이 사이에는 어떤 차이가 있을까? 책을 장난감 삼아서 놀며 엄마와 함께 책을 읽은 아이들이, 그렇지 않은 아이들보다 정서적, 지적 자극을 많이 받으리라는 점은 어느 정도 예상할 수 있다. 2003년 국내에 북 스타트가 처음 시작될 당시, 아동심리 전문가인 곽금주 서울대 심리학과 교수는 북 스타트의 효과를 과학적으로 분석해 객관적인 수치로 보여주는 작업을 했다. 태어난 지 6~7개월 된 152명의 북 스타트 참여 영아와 30명의 비참여 영아를 6개월간 지켜보며 설문과 질문, 비디오 촬영 등을 통해 여러모로 연구한 것이다.

"6개월이라는 짧은 기간 동안 의미 있는 데이터가 나올까, 확신할 수 없었어요. 그런데 엄마와 아이가 집에서 보내는 시간을 두 달에 한 번씩 촬영한 테이프를 살피니, 두 집단 간에 뚜렷한 차이가 보이더군요. 참여한 부모와 아이의 상호작용이 늘고, 정서적으로 깊은 유대를 갖게 되는 과정을 눈으로 볼 수 있었어요."

처음엔 별 반응이 없던 아이가 두 달쯤 지나니 엄마가 책을 읽어주며 "어흥" 하는 소리에 반응을 보이기 시작했고, 혼자 책을 만지며 노는 걸 좋아하는 기색도 확연했다. 전체적인 변화를 분석한 결과, 북 스타트 프로그램에 참여한 아이들은 인지 발달, 언어 발달, 자아정체감 형성, 사회성 형성에서 참여하지 않은 아이들보다 조금씩 더 높은 성취를 보였고, 시간이 지날수록 그 격차가 커지는 것으로 드러났다. 그러나 곽 교수는 이러한 결과가 '조기교육의 효과'와는 별개 이야기라고 강조한다.

"아이의 발달에는 시기가 있어요. 그러니 북 스타트를 한다고 아이가 더 빠른 발달을 보인다는 것은 아니에요. 오히려 지나친 자극은 좋지 않은 영향을 주죠. 다만, 저는 이 시기 책을 매개로 부모와 노는 것이 아이에게 긍정적인 영향을 끼친다는 점을 과학적으로 증명한 것인데, 하루에 단 10분을 읽더라도 부모가 진심으로 즐거워하면서 아이와 함께해야 효과적이라는 점도 기억하셨으면 합니다." 곽 교수는 "당시 참여했던 아이들이 이제 세 살쯤 되었을 텐데, 지속적으로 연구해 책과 아이 발달에 대한 10~20년에 걸친 데이터를 축적할 수 없는 현실이 아쉽다."라고 말했다.

_〈한겨레〉 2006년 10월11일 기사 중에서

책 어떻게 읽어줄까?

책을 읽어줄 때 많은 부모가 구연동화처럼 읽어주려고 노력한다. 억양의 높낮이, 다양한 목소리를 내는 것이 아이들의 흥미를 살려주기 때문이다. 하지만 구연동화를 못 한다고 해서 걱정할 필요는 없다. 부모가 자신의 감정에 충실하게, 감정이 이끄는 대로 생생하고 또렷하게, 그러나 자연스럽게 읽어주면 아이들은 매우 재미있어 한다.

책을 읽어줄 때엔 부모가 자신만의 감각을 살려서 편안한 리듬을 실어보는 것도 좋다. 어린이는 음악을 좋아한다. 같은 책을 반복해서 읽어줄 때엔 될 수 있으면 유사한 패턴으로 읽어주는 것이 좋다.

최근 많은 독서교육가는 부모가 하루에 15분 정도만 투자해 짤막한 그림책 세 권을 매일 읽어주면 좋다고 강조한다. 아이가 좋아하는 책, 익숙한 책, 새 책으로 구성하거나, 아니면 같은 책을 세 번 반복해 읽어줘도 괜찮다고 한다. 유아들은 자신이 좋아하는 책을 몇 번이라도 계속 읽어달라고 조를 때가 잦다. 어른들은 한 번 보고 나면 책 내용이 파악되어서 흥미를 못 느끼지만 아이는 아직 전체 내용이 완전하게 파악되지 않았기 때문에 몇 번을 읽어도 매번 새로운 호기심을 느끼게 되는 것이다. 그러니 같은 책을 여러 번 반복해서 읽어주는 일을 게을리하지 말자. 아이는 한 번에 알아차리기 어려워서 책을 계속 탐색하고 있는 것이다. 그렇다고 해서 아기가 꼼짝없이 앉아서 책을 들여다보고 있다고는 상상하지 말자. 엄마더러 책을 읽으라고 해놓고 아기는 왔다갔다 부산스럽게 움직이고 있을 수도 있다. 아기가 지금 책 이야기를 듣는 건지 아닌지는 사실 누구도 확인할 수 없다. 다만, 이점은 확실하다. 듣든 안 듣든, 들고 온 책을 부모가 열심히 읽어주면 아이의 동기는 일단 존중된다는 점이다.

유아기엔 어떤 책이 좋을까?

단순한 문장, 특히 운율 있는 문장이 반복되고 그림의 선이나 형태, 색감이 분명한 책이 좋다. 의성어나 의태어가 많은 책도 좋다. 단 공부시키지 말고, 재미있게 노래하고 놀듯이 읽어주자.

북 스타트 운동

1992년 영국에서 처음 시작됐다. 버밍엄 지역의 아기들 가운데 책과 친했던 아기들이, 그렇지 않은 다른 지역 아기들보다 책을 좋아하는 어른으로 성장한 실험 결과가 출발점이었다. 아기 때부터 책을 가까이하고, 책에 대한 재미와 애착을 심어주자는 것이 이 운동의 기본 취지라고 한다.

우리나라는 2003년 '책 읽는 사회 만들기 국민운동'이 북 스타트 운동을 도입했다.

전국의 지자체 가운데 서울시 중랑구가 첫 시범지역으로 선정됐고 이제는 전국의 많은 지자체에서 이 운동을 받아들이고 있다. 북 스타트 운동에 참가하려면 아기가 디피티(DPT) 3차 예방접종을 받기 시작하는 6~7개월 무렵부터 가능하다.

EBS 60분 부모 09

타협을 가르치고, 가족 일에 아이를 동참시키자!

언젠가 한 육아잡지에서 한국의 젊은 부모들이 가장 주안점을 두는 교육방침을 조사한 적이 있다. 가장 많은 대답은 '기죽이지 않기' 였다. 그런데 이상하다. 그랬던 한국의 부모들이 가장 바라는 자식 상을 물었을 때는 '부모 말 잘 듣는 착한 아이' 라고 대답하더라는 것이다. '기죽지 않고 자란 아이' 이면서 동시에 '부모 말에 순응하는 착한 아이', 이런 아이가 된다는 것이 쉬운 일일까?

어린 왕, 어린 노예

프랑스의 교육심리학자 장 뤽 오베르(Jean-luc Aubert)는 많은 부모가 이런 양가감정이 있다고 말한다. 그는 부모들이 자녀를 '어린 왕' 으로 키우거나 혹은 '어린 노예' 로 삼고 있다고 지적한다. '어린 왕' 은 거절당해본 경험이 없다. 오직 자신의 만족, 자신의 욕구만 있고 세상에 혼자만 있다. 아이에게 부모는 어떤 것도 거절하지 않으며 아이는 요구하는 모든 것을 가능한 빨리 얻는다. 이런 과정이 반복되면서 아이는 점차 어떤 속박도 받아들이지 않을 뿐더러, 다른 사람들도 존재하고 그들 역시 살아갈 권리가 있다는 사실을 전혀 고려하지 않게 된다.

오베르는 이런 아이가 자라면 학교생활에 적응하기가 쉽지 않다고 한다. 즉각적으로 만족하는 삶을 살아온 이 아이는 참고 기다려서 무언가를 얻는다는 것이 무엇인지 알 수도 없고 이해하지도 못하기 때문이다. 학교생활에서 일어나는 대부분 일은 '배움'의 과정들이다. '배움'이란 대부분 참고 기다리고 인내하고 노력해서 깨우쳐 가는 그 무엇이다. '어린 왕'은 이런 것을 하기가 너무 어렵다.

반대로 부모 말에 무조건 순응하는 '어린 노예'가 있다. 이 아이들은 그러면 '배움'을 잘 참고 얻어낼 수 있을까? 그렇지 않다. 불행히도 '어린 노예'는 자신이 하고 싶은 것이 무엇인지 도무지 알 수 없는 존재다. 앞에 앉은 어른의 비위를 맞추고 눈치를 보느라 정작 자신이 하고 싶은 일이 무엇인지 알기 어려워진 것이다. 아무런 욕구도 없고 에너지도 없는 이런 아이가 '배움'이라는 매우 곤란한 과정을 견디기란 애초부터 불가능하다.

아이는 집안에서 왕도 아니고 노예도 아닌 존재여야 한다. 오베르는 이를 '어린 신하' 라고 표현했다. 때론 존중받고 때론 남을 존중하는 존재여야 한다는 것이다.

아이를 어떻게 하면 이런 존재로 기를 수 있을까?

부모와 아이가 서로 타협해서 행복이란 파이를 나누어야 한다

오베르는 아이가 갓 태어났을 때, 처음에는 아기가 원하는 대로 모유나 분유를 먹이지만 차츰 시간을 정해서 아이가 일정한 간격을 갖고 먹을 수 있도록 아이와 엄마가 수유 시간을 상호 조절해 갈 필요가 있다고 말한다. 물론 강압적이어서도 안 되고 일방적이어서도 안 될 것이다. 시간 계획은 엄마가 세우되, 아기의 반응을 봐가면서, 아기가 보챌 땐 부드러운 말과 애정 어린 포옹, 따듯한 관심으로 아기를 달래가면서 서로 규칙을 만들어 가야 한다.

사실 많은 양육 서적들이 아이의 욕구를 즉각적으로 만족하게 해 주라고 말한다. 아이와 신뢰감을 형성하고 아이를 안정되게 하려면 매우 필요한 일이긴 하다. 그러나 부모와 아이 사이에 24시간 동안 일어나는 모든 일들이 이렇게 아이 욕구를 만족하게 하는 방향으로만 진행되기란 불가능하다. 타협이 꼭 필요할 때가 있다.

수유이야기로 다시 돌아가 보자. 다음은 아기의 처지에서 짐작해 본 상황이다.

배고파서 보챘는데 엄마가 모유를 주지 않는다. 당연히 불쾌하고 화가 난다. 그런데 엄마는 모유는 주지 않았지만 안아주고 달래주고 뭐라고 계속 부드럽게 나를 설득한다. 이게 뭘까? 짜증도 나지만 엄마의 간절한 호소를 적어도 '느낄 수'는 있다. 나는 칭얼칭얼, 엄마는 조곤조곤! 그렇게 모호한 시간이 지나고 나니까 엄마가 드디어 모유를 주었다. 잘 기다려주었다고 매우 많이 칭찬해주고 예뻐해 준다. 당장엔 불쾌해도 조금 기다리니까 만족스러운 일들이 생긴다. 가만 보니 이런 일들이 규칙적으로 이루어진다. 아하! 조금 참으니까 모유도 먹고 포옹과 입맞춤도 오고… 그다지 나쁘지만은 않은걸!

부모와 아이 사이의 이러한 상호조절은 이후에도 계속되어야 한다. 그러려면 부모는 우선 자신들만의 원칙을 갖고 있어야 한다. 부부가 충분히 상의하고 협조해서 일관된 양육방침을 세우자.

오베르는 부부가 일치하지 못하면 아이는 마치 서로 엉뚱한 방향을 가리키는 헤드라이트를 단 자동차처럼 된다고 경고하고 있다. 어느 방향으로도 가지 못하고 앞이 캄캄한 상태에 놓이게 되는 것이다.

부부가 일관된 양육방침을 갖고 36개월 미만일 때는 아이의 정서가 다치지 않도록 주의하면서 조금씩 협상을 해나가고 만 4세, 5세가 되면 설득과 칭찬과 타이르기 등을 써가면서 아이와 타협해가야 한다. 물론 이런 일이 언제나 불협화음 없이 이루어지기란 어렵다. 시행착오를 겪게 되더라도 부부가 일관된 원칙을 갖고 꾸준히 해 나가면, 그리고 성공의 경험이 많으면 많아질수록 점점 더 잘될 것이다.

냉장고 사는 일에도 아이를 동참시키자

남에게서 존중받고, 또 남을 존중하는 존재가 되려면 아이 스스로 자신에 대한 신뢰가 있어야 한다. 부모가 대신 해주는 일이 많을수록 아이의 자기 신뢰는 점점 약해진다. 반대로 아이에게 선택할 수 있는 경험을 많이 주면 줄수록 아이는 자립적이 된다.

첫째, 두 돌 무렵에 시작되는 '내가 할래.'부터 존중해주자.

이 무렵, 아기는 스스로 양말을 신으려고 하고 혼자 숟가락을 잡으려고 한다. 이런 일을 참고 기다려주려면 엄청난 인내심이 필요하다. 엄마가 바쁘고 할 일이 많으면 절대로 기다려줄 수 없는 일들이다. 그래서 아이와 협상을 잘하기 위해서는 엄마가 우선 바빠서는 안 된다. 아이를 대하는 순간만큼은 여유를 갖고 시간을 많이 주어야 한다. 그렇지 않으면 타협이고 뭐고 없다. 신경질만 잔뜩 부리고 아이 마음에 상처만 남기기 쉽다.

하지만, 지금 이 일을 '조금'(그래 봤자, 30분? 1시간?) 기다려 줄 것인가, 아니면 나중에 사춘기가 되어서 '아주 오래 많이'(가출하면 석 달을 기다려야 할 수도 있다. 성적 올리기는 영원히 기다려야 할 수도 있다.) 기다려줄 것인가?

둘째, 일정한 범위 안에서 선택의 기회를 제공한다.

두 돌 무렵부터 시작되는 "내가 할래." 독립된 인간, 별개의 인간이 되고자 하는 선언이다. "어쭈!"가 아니라 "드디어 네가!"라는 심경으로 받아들이자.

세 돌 이후부터는 아기에게 선택의 기회를 제공한다. 옷 입을 때도 엄마가 일방적으로 골라 입히기보다는 두 개 정도의 옷을 보여주고 "이거 입을래? 저

거 입을래?" 물어봐서 둘 중 하나를 고르게 한다.

셋째, 집안일, 가족의 일을 결정할 때 아이를 참여시킨다.

가족회의를 일부러 거창하게 열 필요도 없다. 수시로 집안에 무슨 일이 일어나는지 아이에게 자상하게 일러주고 그와 관련해서 아이의 의견이 어떤지를 묻는다. "저녁은 무얼 먹을까?" "어떤 게임을 하고 싶니?"와 같은 사소한 일상거리에서부터 "일요일에 할머니를 만나러 갈 거야. 할머니를 만나면 무슨 일을 하고 싶지?" "다음 주에 친한 친구 생일이 있네. 무슨 그림 그려줄래?"처럼 구체적인 시간일정과 계획을 상의하고 선택해서 행동하게 한다. 심지어는 집안의 냉장고를 새로 살 때에도 아이의 의견을 물어보자. 어떤 모델이 좋은지, 혹은 적어도 어떤 색깔이 마음에 드는지 정도라도.

넷째, 집안의 소소한 일거리를 조금씩 시키자.

세 돌, 네 돌이 지나면 스스로 벗은 옷을 개키는 연습을 시작할 수 있다. 다섯 돌, 여섯 돌이 지나면 스스로 놀고 난 장난감을 치우게 하고 경우에 따라서는 빗자루도 들릴 수 있다. 음식쓰레기를 버리는 일, 재활용 분리수거 하는 일을 옆에서 보고 돕는 일 정도는 시키자. 스스로 먹고 입고 쓰는 것과 관련된 활동을 조금씩 차근차근 가르쳐 나가자. 자신과 관계있는 모든 생활 활동을 배우고 익혀 나간다는 것은 아이가 스스로에 대한 자신감과 신뢰를 느끼는데 도움이 된다.

다섯째, 부모 자신의 계획도 알려주자.

적어도 다섯 돌 정도가 된 아이에게는 아빠가 승진을 계획하고 준비한다는 것, 엄마가 평생교육원에서 무언가를 배운다는 것 등, 부모의 계획과 관련된 일들을 차근차근 일러주자.

일 혹은 배움을 향한 부모의 노력과 투자를 설명해주고, 이것으로 덕분에 얻게 될 기쁨을 말해준다.

준비한다는 건 어렵고 힘든 일이지만 이걸 잘 참고 해내면 구체적으로 어떤 기쁨과 즐거움이 생기는지 말해주자.

TIP

세상이나 부모는 아이들에게 얼마나 허용적이어야 하는가?

아이가 무조건 고집만 부리는 것이 아니라 분별력과 판단력을 가지고 세상을 살아나가기를 바란다면 '의지'라고 부르는 덕목을 기를 수 있는 환경을 마련해주어야 할 것이다. 에릭슨은 의지란, 피할 수 없는 수치와 회의의 경험에도 선택의 자유와 자기 제약을 연습하는 깨지지 않는 결심이라고 하면서 의지를 기르려면 어린 시기에 모순되고 상반되는 충동 중에서 선택하는 경험을 하도록 해야 한다고 했다.
선택을 하려면 자율성이 전제되어야 하는데 아이가 '내가' '내 것' '안 해.' '싫어.' 등의 말을 많이 쓰기 시작하는 시기 즉, 자율성이 길러지기 시작하는 시기에 부모는 사회적으로 허용된 것과 허용되지 않은 것의 경계를 알려주는 훈련을 해야 한다. 허용적인 일을 했을 때에는 칭찬과 격려를 듬뿍 주고, 허용되지 않는 일에는 대안을 제시하고 부끄러움이나 죄책감이 생기지 않도록 배려해주어야 한다.

EBS 60분 부모 10

7살, 초등학교 입학 직전까지 이 정도는 가르치자!

6살까지 편안하게 여유 있게, 정서 뇌를 발달시키는 교육을 주로 해왔던 부모라 해도 7살이 되어서는 학교에 입학할 준비를 어느 정도는 갖추도록 노력할 필요가 있다. 이제까지 정서적으로 안정된 환경 속에서 하고 싶은 욕구를 충분히 존중받은 아이라면, 또 책을 즐기고 부모와 많은 대화를 통해 스스로 선택할 기회도 얻었고, 무엇보다 친구와 즐겁게 잘 놀 줄 아는 아이였다면 7세가 되어 학교에 들어갈 기본 기술을 익히는데 큰 무리가 없을 것이다.

어떤 부모는 학교에 들어가서 한글을 익히게 하겠다고 말한다. 하지만, 부모의 이런 신념이 아이에겐 상처가 될 수도 있다. 솔직히 말해서 요즘 한글을 읽을 줄 모르고 어느 정도 쓸 줄도 모르는 채 학교에 들어오는 아이는 거의 없다. 학교 들어가 뒤늦게 한글을 읽고 쓰려면 아이는 힘이 들고 자존심에 손상을 입기도 한다. 편안하게 아이를 키웠던 부모들은 7세 여름이 되면 한글 익히기에 도전하는 것이 좋겠다. 우리는 이 책에서 한글교육의 시점을 일부러 밝히지 않았다. 문자교육보다 더 중요한 것들이 먼저 충분히 강조되어야 하기 때문이다. 유아 시절에 문자교육이란 최종적으로 넘어야 할 마지막 관문이지 유아 초기부터 내내 강조하고 궁리해야 할 사항은 아니기 때문이었다. 어떤 아이는 세 돌이 안 되어서도 글자에 흥미를 보이고 무난하게 한글을 읽는가 하면 어떤 아이는 7세가 되도록 혹은 학교 들어가기 직전까지 한글읽기를 유보하기도 한다. 개인차가 큰 이 부분을 굳이 밝히기란 곤란하다.

그러나 한두 가지 원칙은 말할 수 있다.

첫째, 아이가 글자에 관심을 보일 때가 '적기'라는 것이다. 단 엄마가 좋아할까 봐 억지로 관심 있는 척하는 것인지, 아니면 아이가 정말로 관심 있어 하는 것인지 잘 구분할 필요가 있다. 그걸 어떻게 아나? 길거리 간판이나 과자봉지 문자에 지속적으로 관심을 보이는지를 가지고 우선 미루어 판단할 수 있다. 이런 아이는 글자를 가르쳐주면 계속 흥미를 보이고 따라온다. 그러나 처음엔 글자에 관심을 보이는 것 같았는데 막상 공부시키면 싫어하거나 거부하면, 강요하지 않도록 하자. 아이는 아직 준비가 덜 되어 있는 것이다. 그런데 7세가 되도록 도무지 '적기'가 나타나지 않는 아이도 있다. 이럴 땐 7세 여름을 목표로 삼고 아이와 즐겁게 도전하도록 해보자. 부모가 화를 내며 가르치는 상황이 자꾸 생기면 차라리 한글학습 교사에게 잠시 맡겨보는 것도 한 방법이다.

둘째, 읽기와 쓰기는 동시에 이루어지지 않을 수 있다. 세 돌 무렵에 글자를 읽은 아이라 해도 쓰기는 그 후 한참 동안 잘 안 될 수도 있다. 쓰기란 아이에겐 꽤 힘든 손동작이기 때문이다. 일찌감치 읽기가 가능했다고 해서 바로 무리하게 쓰기에 도전하지 말자. 쓰기는 다섯 돌 지나서 하는 것이 비교적 무난하다.

셋째, 어떤 아이는 책 읽기를 통해 글자를 소리 소문 없이 떼기도 하지만 우리 아이는 그게 영 안 될 수도 있다. 내 아이가 즐겁게 배우는 방법을 찾자.

아이의 학습준비도는?

초등학교에 입학해서 학습에 잘 적응할 수 있도록 7세 유아는 다음의 기초 능력을 갖추고 있으면 좋다. 지능, 발달수준, 기초학습기능(읽기, 쓰기, 셈하기), 이 세 가지 범주의 수준을 가리켜 '유치원생의 학습준비도'라고 정의한다.

초등학교 입학은 고등학교 생활까지 10여 년 동안의 학교생활이 시작되는 출발점이 되기 때문에 초등학교에 입학해서 학교생활에 잘 적응할 수 있도록 하는 것이 매우 중요하다. 기본예절도 필요하고 규칙적인 생활도 잘 연습이 되어 있어야 하겠지만, '학습'과 관련해서, 초등학교 입학을 준비할 때 갖춰야 할 기본적인 사항들부터 알아보자.

읽기, 쓰기는 모든 학습의 기초

초등학교 1학년 교과과정은 글을 읽고 쓸 수 있다는 전제하에 구성된 것이다.

읽기, 쓰기는 모든 학습의 기초가 되므로 현재 아이가 어느 정도의 수준에 와 있는지 검사해보는 것이 좋겠다.

유치원생들은 한글 자음 모음 이름 알기, 간단한 낱말 읽기, 간단한 문장 읽기 정도는 할 수 있어야 한다. 아이가 좋아하는 유아용 동화책을 읽을 때 10개 단어~15개 단어 정도의 문장을 더듬거리면서도 전체적으로 크게 막힘없이 읽을 수 있으면 좋다.

쓰기에서는 제일 먼저 자기 이름을 쓸 수 있어야 한다.

그 다음에 밥, 국, 엄마, 아빠, 동생, 책 등 일상생활과 관련된 자주 나오는 낱말을 보고 쓰기가 가능해지면 좋고, 간단한 낱말은 받아쓰기 연습을 충분히 해두는 것이 좋겠다. 받침이 있는 글자 중에서 자주 사용되는 이중받침, 예를 들어

'많다.' '읽다.'와 같은 단어는 잘 쓸 수 있도록 연습해 두자. 글씨를 쓸 때 기본적으로 매우 중요한 것은 연필을 바르게 잡고 자음과 모음의 획순을 제대로 알 수 있도록 지도하는 것이다. 초등학교 입학 전에 글씨 쓰는 자세가 바르지 못하고 자음과 모음의 획순을 잘 못 익혀두면 나중에 바로 잡을 때 고생할 수도 있다.

일반적으로 올바르게 연필을 잡으려면 엄지와 검지가 서로 맞닿으면서 중지가 연필을 받쳐주는 자세를 유지해야 한다. 주먹은 달걀을 쥐는 정도의 모양을 하고 손목과 손등의 각도는 160~170도를 유지하도록 하자.

읽기와 쓰기에서는 '속도'도 중요하다. 초등학교 입학할 즈음에는 읽기는 평균적으로 1분당 100~120글자 정도를 읽으면 좋고, 쓰기는 공책 5줄을 쓰는 데에 10분 이상이 걸리지 않도록 하는 것이 좋다. 물론 아이마다 개인차가 있기 때문에 더 많은 시간이 걸릴 수도 있다. 그래도 최소한 15분은 넘지 않아야 선생님의 알림장을 받아쓰는 시도라도 할 수 있다.

수학

초등학교 입학을 준비하려면 한자릿수를 읽고 쓰는 것이 가능해야 한다. 그리고 한자릿수의 덧셈과 뺄셈 정도의 연산을 할 수 있도록 준비하자. 또한 같은 점과 다른 점으로 사물 분류하기, 한 가지 혹은 두 가지 기준대로 여러 가지 사물 분류하기, 사물을 열까지 세고 숫자와 연결하기, 1~10까지 수들의 크기, 시간 기초개념, 위아래, 앞뒤, 옆과 공간개념, 도형의 기초개념 정도는 아는 것이 좋겠다. 그리고 물체를 길이나 높이, 크기, 무게 등에 따라 비교해 볼 수 있어야 한다.

지나친 선행학습은 학습 동기를 없앤다

유치원생의 학습준비도는 초등학교에 입학하여 1학년 학교생활에 불편하지 않을 정도이면 된다. 그런데 최근에는 대부분 유치원생들이 너무 많은 것을 배워서 초등학교에 입학하고 있다. 유치원에서 배우는 것도 넘치는데 집집이 학습지 공부를 시켜 아이가 지나치게 선행을 한 상태로 학교에 들어오는 경우가 많은 것이다. 이런 상태로 학교에 입학하게 되면 수업에 대한 흥미가 떨어져서 결국 수업태도를 나쁘게 할 수 있다. 지나친 선행학습은 피하고 특히 교과서 자체로 공부하는 것은 피하도록 하자. 초등학교 1학년 교과내용은 어렵지 않으므로 특별한 어려움이 없다면 학교 수업시간에도 충분히 소화할 수 있을 정도인데 이미 공부한 내용을 또 공부하는 것은 학교 수업에 대한 흥미를 떨어뜨리게 하고 결국 학습 동기에 나쁜 영향을 미친다.

그런데 어떤 아이는 교과서를 가지고 열심히 선행학습을 시켜야 할 필요가 있다. 경계성 지능 등의 이유로 학교수업을 따라가는 것에 어려움이 예상되는 경우가 바로 그렇다. 아이가 학교공부를 따라가는데 조금이라도 어려움을 덜 겪고, 또 학교수업에서 자신감을 느낄 수 있도록, 이 경우에는 교과서를 활용해서 충분히 선행학습을 해주는 것이 좋다.

유치원 시기의 친구관계와 놀이

유치원 시기의 친구관계와 놀이는 이후의 성장, 발달에 많은 영향을 미친다. 아이는 친구관계와 놀이를 통해서 규칙을 배우고 도덕성도 자연스럽게 키워나간다.

그런데 학령 전 유아들은 스스로 친구관계를 잘 조절해 나가고 놀이에 필요한 사회성 기술들을 충분히 배우기가 아직은 어렵다. 프랑스의 교육심리학자인 장 뤽 오베르의 지적대로 공격적이고 이기적인 '어린 왕'과 자신의 욕구를 주장하지 못하는 '어린 노예'들이 뒤섞여 있는 시기이기 때문에 부모나 주변 어른들이 어느 정도는 개입해줘야 한다.

아이는 친구관계를 형성하면서 놀이를 자연스럽게 배워나갈 수도 있고, 거꾸로 놀이를 통해 친구관계를 자연스럽게 형성해나갈 수도 있다. 어느 쪽이든 친구관계를 통해서 소속감과 우정, 관심을 느낄 수 있다면 이후 신뢰하는 인간관계를 맺을 수 있지만 반대의 경우엔 신뢰하는 인간관계를 갖기가 쉽지 않다.

유아 시절의 친구 관계를 부모는 관심 있게 지켜봐야 한다.

이런 친구도 사귀어 보고 저런 친구도 사귀어 보도록 아이를 '관계' 속에 그냥 풀어 놓는다면, 만약 그 관계 안에 '어린 왕'이 여럿 있다면, 내성적이고 기가 약한 취학 전 아이한테는 때로 위험한 시도가 될 수 있다.

아이는 놀이를 통해서 자기중심적인 사고에서 벗어나 다른 사람의 관점을 이해할 수 있는 사회성을 키울 수 있다. 또한 유아들은 소근육, 대근육과 운동능력을 발달시킬 수 있으며 사고력과 창의력도 발달시킬 수 있다. 놀이는 아무리 강조해도 지나치지 않는, 유아의 중요한 학습방법이다.

인지 발달 단계가 높아지면서 놀이 유형은 신체적 표현으로 하는 놀이에서 자연스럽게 기호나 그림을 가지고 하는 놀이로 발전한다. 그리고 이런 시도는 점차 복잡한 규칙을 적용하는 놀이로 변화한다. 유치원 시기는 인지 발달 단계가 점점 자기중심성에서 벗어나 타인의 견해를 이해할 수 있는 단계로 넘어가는 시기이므로 이 시기에 풍부한 놀이경험을 할 수 있도록 하자.

유치원 시기에 친구관계를 맺는 능력은 아이가 초등학교에 입학하여 학교생활에 잘 적응할 수 있는 밑거름이 된다.

유치원 시기의 집중력

유치원 시기의 집중력은 얼마나 될까? 최소한 10분을 넘길 수 있도록 해야 한다. 초등학교에 입학해서 집중력 있게 공부하면서 학습효과를 가지려면 입학 전에 가정에서 즐겁게 집중력을 높일 수 있는 연습을 하는 것이 좋다.

유아지능검사

7세 무렵엔 유아지능검사를 받아볼 필요가 있다. 아이가 학교 공부를 따라갈 수 있는 지능인지 가늠해 볼 필요가 있는 것이다. 검사결과 K-WISC 지능지수가 70~79 이면 경계성 지능, 학교 공부를 따라가기가 어려운 상태이다.
우리나라 아동의 평균지능은 90~109 사이로 알려졌다. 90 이하이면 학교에서 이루어지는 학습에서 어려움을 겪을 수 있다.
그러나 너나 할 것 없이 조기교육을 하는 대한민국 현실에서는 지능지수가 100 이하면 학교 공부를 무난하게 따라가기가 쉽지 않다. 그러므로 우리 아이 지능이 100 이하가 나오면 학교 들어가기 전에 교과서를 놓고 충분히 선행학습을 시켜서 보내도록 하자.

지능 표 첨가

150 이상 천재	140~149 수재
130~139 영재	129~129 우수
110~119 평균 상	100~109 평균
90~99 평균 하	80~89 학습장애
70~79 한계지능	69 이하 정신지체

물론 지능이 반드시 학습 성공과 정비례하지는 않는다.
일례로 지능지수가 65였던 중1 학생은, 훈련과 연습을 통해서 네 자리 수 나누기, 세 자리 수 연산도 거침없이 풀 수 있을 정도로 학습할 수 있게 되었다. 이 학생은 비록 지능은 낮지만 학습 동기가 매우 높았기 때문이다.
지능지수는 학습할 수 있는 능력을 가늠하는 중요한 한 요소일 뿐이지 결정적이고 절대적인 것은 아니다. 지능이 높다고 해서 반드시 공부를 잘하는 것은 아니다.

11 EBS 60분 부모

성공한 영어교육
솔빛이네 영어연수의 비밀

영어 한마디도 못하는 엄마가 6세부터 좌충우돌 영어교육을 하기 시작했다. 학습지, 원어민 강사가 있는 영어학원, 나중엔 단기간에 영어단어를 외우게 해준다는 CD 테이프까지도 사봤다. 넉넉하지 않은 형편에 그럭저럭 들어간 돈도 만만치 않았지만 아이는 영어 실력 면에서는 이렇다 할 발전 없이 어느덧 초등학교 3학년이 되었다.

아이의 영어교육에 획기적인 계기가 생긴 것은, 답답한 심경에 모녀가 큰맘 먹고 없는 돈 털어서 일주일 동안 외국여행을 가서였다.

그런데 막상 영국에 가서 모녀는 알아듣기도 어려웠고 말하기도 어려웠다. 엄마는 그때 '이게 아닌데' 하는 생각이 들었다. 그동안 해온 숱한 영어공부가 실전에 부딪히니까 입 한 번 뻥긋할 수 없는 영어가 되어 버린 것이다. 엄마는 그때 깨달았다. 아이는 그동안 죽은 영어공부를 하고 있었다고. 엄마는 집에 돌아와 언어교육에 관한 수많은 책을 읽고 공부했다.

그리고 결론을 내렸다. 영어도 모국어처럼 듣기, 말하기, 읽기, 쓰기 순서로 공부해야 한다고.

이 이야기는, 초등학교 고학년 때 집에서 하루 세 시간씩 비디오 오디오 교육을 시도해서 영어를 듣고, 말하고, 읽고, 쓰기가 가능해진 〈엄마표 영어연수〉의 주인공 솔빛이와 엄마의 실제 사례다. 해외어학연수나 조기유학을 가지 않고도, 초등학교 고학년 때 본격적으로 집에서 혼자 시작했다는 솔빛이는 어떻게 해서 영어공부에 성공할 수 있었을까?

영어도 모국어처럼 '듣기'부터 시작하자!

초등 4학년, 이미 아이에게도 영어를 잘하고 싶다는 동기가 충분히 생긴 상태였다. 엄마는 그때부터 솔빛이가 좋아하는 영화 테이프를 실컷 볼 수 있게 했다. 단 한글 자막을 테이프로 가리는 조건으로. 솔빛이는 눈으로 장면과 상황을 보면서 귀로는 영어 소리를 들은 것이다. 형편 때문에 비싼 해외연수를 못 보내는 대신 아이에게 좋아하는 영화 테이프를 실컷 볼 수 있게 하면서 엄마는 선언했다. '우리 집이 외국이다!'라고.

솔빛이는 초등 4학년, 1년 동안 집에서 하는 영어연수에 몰두했다. 주로 듣기공부였다. 그렇게 1년이 다 되어가던 어느 날, 거짓말 같은 일이 일어났다. 그림을 보고 대충 이해하던 비디오가 점점 더 재미있어지면서 빠르게 들리던 소리가 느리고 또렷하게 들리기 시작한 것이다. 영어 소리가 잡히기 시작했다! 그리고 아이는 귀로 들은 영어 소리를 홍얼홍얼 말하기 시작했다. 처음엔 홍얼홍얼 정확하지 않은 말이었지만 듣기공부를 꾸준히 해 나가면서 점차 정확하게 따라 말하기가 가능해지기 시작한 것이다.

아나운서가 말을 잘하는 것은 혼자서 말하기 연습을 많이 하기 때문이다. 바로 그런 것처럼 솔빛이는 혼자 말하기 연습을 꾸준하게 진행했다.

영어를 듣고 말하는 것이 가능해지면서 솔빛이는 읽기공부와 쓰기공부에 도전했다. 처음에는 소리 나는 대로 읽느라 잘못 읽기도 했고 소리대로 쓰느라 철자법이 틀리기도 했다. 처음 한글을 읽고 쓸 때 잘못 읽기도 하고, 더러 맞춤법이 틀리는 것과 비슷한 현상이었다. 그러나 이미 귀로 많은 영어 소리를 잡게 된 아이는 신이 나서 계속 영어공부에 도전했고 마침내 2년 만에 웬만큼 듣고 말하고 읽고 쓰는 일이 가능해졌다.

솔빛이는 초등 6학년 때 영어 말하기 대회에 나가서 대상을 받았고 중학생이 된 이후에는 CNN의 소식을 가족에게 전해주는 통역사 역할을 했으며 영어로 다양한 취미 생활과 자원봉사 활동을 할 수 있게 되었다.

중요한 것은 이 모든 과정에 이르기까지 아이는 별로 지루하지 않았고, 학원 다니는 아이들처럼 힘들지 않았으며 각종 레벨테스트에 시달리지도 않았다는 점이다. 게다가 초등학교 4학년쯤 되고 보니 아이 스스로 해보겠다는 의지가 충만했고 약속을 지키는 힘도 있을 때였다. '하느니 마느니' 모녀가 서로 충돌하는 일 없이, 연수가 잘 유지될 수 있었던 것도 아이의 '나이와 동기' 덕분이었다.

반기문 UN 사무총장의 영어 발음

반기문 총장은 유아 시절부터 영어를 공부한 사람이 아니다. 그의 발음은 결코 원어민처럼 유창할 수 없다. 그러나 세계 모든 사람들이 반 총장의 입에서 어떤 내용의 말이 나올까 기대를 하며 경청한다. 그의 발음이 원어민 같지 않다고 불평하는 사람은 없다.

미국의 명문대학에서 강의 하는 석학교수 중에 일본이나 중국 등 외국인 석학들에게서도 그런 경우를 만날 수 있다. 발음은 형편없지만 누구도 그의 실력을 의심하지 않는다. 언어는 모국어든 영어든 생각을 전달하는 도구이며 더군다나 발음은 영어의 작은 요소일 뿐이다. 우리 아이가 궁극적으로 영어로 무슨 내용의 말을 할 수 있을지, 사실은 그것이 제일 중요하지 않을까? 그렇게 하려면 모국어 교육을 결코 등한시할 수 없다. 모국어 교육을 통한 생각교육이 전제되지 않는 영어교육은 앵무새 영어를 만들어 낼 뿐이며 결국은 생각을 전달하는 도구로서의 기능도 다하지 못하게 될 것이다.

'습득'과 '학습'의 절묘한 조화

솔빛 양의 영어 연수가 성공하는 데에는 어떤 비밀이 숨어 있었을까?

관동대학교 언어학과 박만규 교수에 따르면, 외국어를 배우려면 '습득(acquisition)'과 '학습(learning)' 두 갈래 길이 있는데 솔빛이는 '습득'과 '학습'을 잘 조화시키는 방법을 썼고 그것이 성공의 비결이었다. '습득'은 외국어가 계속 흘러나오는 환경 속에서 듣고 말하기를 되풀이하면서 자연스럽게 그 언어를 구사하게 되는 것을 말한다. 사람의 뇌 속엔 많이 듣고 말하는 과정 속에서 자연스럽게 언어를 배우는 프로그램이 있다. 모국어도 다 그렇게 배우는 것이다. 그런데 '습득' 프로그램은 불행히도 2, 3세부터 13, 14세를 전후한 시기에만 활동하게 되어 있다. 성장판이 닫히는 것처럼 일정 시기가 지나면 더 기능하지 않는다. '학습'은 체계적이고 반복적인 훈련과 연습을 통해서 언어를 배우는 것을 말한다. 성인들은 대부분 외국어를 배울 때 '학습'의 방법으로 배운다. 이 말은 결국 성인은 '습득'의 방법으로 외국어를 배우기 어렵고, 반대로 논리적인 이해가 부족한 유아의 경우엔 '학습'의 방법으로 외국어를 배우기는 무리라는 뜻이다.

그렇다면, 한국의 많은 유아 엄마들은 아이에게 어떻게 영어교육을 하고 있을까?

엄마들이 바라는 건 '습득'의 방법이다. 많이 듣고 많이 말할 수 있는 환경에 들어가서 영어를 자연스럽게 말하게 되기를 바라는 것이다. 그러나 외국인 가정에서 살지 않는 한 국내에서 아이는 모국어 환경을 더 많이 경험할 수밖에 없다. 엄마들은 그래서 부족한 부분을 채우고자 파닉스도 시키고 이런저런 동화테이프를 들려주며 학습지도 시킨다. '학습'을 사용하는 것이다.

이렇게 이런저런 방법을 동원해서 시키면 발음은 다소 유창해진다. 그러나 그것뿐이다. 아이는 성인처럼 학습 동기도 없고 어려운 공부를 견딜힘도 없다. 유아를 대상으로 한 영어수업이 관심 끌기, 흥미 유발을 위한 노래놀이로 대부분 이루어지는 것도 그 때문이다. 이렇게 1시간 수업을 해도 얻을 수 있는 언어 능력은 극히 미미하다. 5세부터 영어학습을 시작한 초등 1학년과 초등 1학년부터 영어를 시작한 아이의 실력이 결과적으로 크게 차이가 없다는 연구결과도 있다. '습득'보다는 '학습'에 더 의존할 수밖에 없는 대한민국 환경 속에서 7살 미만의 아이들에게 영어교육을 하는 것은 결과적으로 얼마나 비효율적인가. 게다가 7세 이전에는 아직 모국어도 채 완성된 것이 아니다. 영어공부에 주력하면 할수록 모국어 교육은 상대적으로 등한시될 수밖에 없다.

솔빛 엄마는 시행착오를 딛고 자녀를 영어로부터 자유롭게 만들기까지 온갖 경험을 했다. 그 과정 속에서 깨달은 것들은 다음과 같다.

국내에서 영어를 배울 때 제아무리 비싼 원어민 강사 수업을 듣게 한다해도 외국어를 '습득' 할 만큼의 환경을 만들기가 애초부터 불가능하다는 점이다. 한국에선 영어공부를 위해 '습득' 보다 '학습' 에 더 많이 의존할 수밖에 없고 그러므로 '습득' 방법을 위해서 하루 세 시간 정도 집안을 외국어로 가득 채울 것! 단, 아이의 동기가 형성될 수 있는 나이인 초등학교 3, 4학년쯤부터 아이와 충분히 상의하고 동의를 얻은 후에 시작할 것!

솔빛 엄마가 고안한 〈나홀로 영어 연수법〉은 취학전 유아 시절엔 함부로 시도 할 일이 아니다. 유아가 하루 세 시간 정도, 영어를 집중적으로 듣는다는 것은 매우 어렵기 때문이다. 실제로 네 살 아이가 멋 모르고 이 방법을 따라 했다가 비디오 중독증후군으로 고생한 사례도 있다.

유아 시기엔 즐거움을 통한 맛보기 교육, 간단한 교재로도 충분하다.

처음부터 너무 많은 돈을 들이지 말자. 두세 살부터 영어학습을 한 아이와, 학교 들어가 영어학습을 시작한 아이 사이에 발음만 빼고는 결과적으로 큰 차이는 없다. 그러므로 아이가 영어학습을 감당할 능력이 채 안 되어 있는 유아 시기엔 영어 노래 부르고 영어로 놀고 하면서 영어와 친해지는 시기 정도로만 생각하자.

이 정도라면 TV에서 방영하는 어린이 영어 프로그램이나 재미있는 영어 비디오 교재로도 가능하다. 여유가 있다면 원어민 강사와 노는 것도 좋겠지만 비용이 많이 들고 외국인 강사 자질도 일일이 확인하기 어렵다. 지금부터 굳이 비싼 돈을 매우 많이 쏟아 부을 필요가 있을까?

튼튼한 모국어의 터전 위에 영어의 성을 쌓자!

모국어가 유창하지 않은 아이는 엄마표 영어연수를 할 때에도 표현력이 약하다. 8세 이전에는 같은 값이면 모국어 교육에 더 치중하자. 우리말로 아름다운 동화를 많이 읽고 자란 아이는 상상력도 풍부하고 어휘력도 좋아서 후에 영어연수과정에서 그 실력이 드러난다. 우리 말로 두세 마디만 표현하는 아이는 영어로도 두세 마디만 표현한다.

엄마표 영어연수는 비디오 시청이 주된 방법이므로 올바른 TV 시청법, 컴퓨터 활용법을 미리 익혀주자.

미디어 교육이 잘 안 되어 있는 아이, 특히 유아 시기에 비디오에 너무 많이 노출하면 자칫 비디오 중독에 걸릴 수도 있다. 컴퓨터 학습놀이를 할 때에도 일정한 시간을 하고 절제하는 능력을 미리 키워주어야 한다. TV를 없애고 컴퓨터 전원을 아예 못 켜게 하기보다 차라리 적절하게 절제하면서 골라 사용하는 습관을 가르쳐주자.

대한민국의 많은 유아 엄마는 지금 영어교육에 도전하고 있다.

성공하는 엄마들도 물론 있다. 그러나 대다수 엄마들은 이렇다 할 소득도 없이, 많은 돈을 써가면서 아이 머릿속에 '하기 싫은 기억'만을 남기는 건 아닐까? 엄마는 엄마대로 '이대로는 안 되겠다. 이민이나 조기유학이라도 가야 하는 건 아닌가?' 싶은 더 큰 불안과 무력감을 느낄 수도 있다.

조기 영어교육에 성공했다는 엄마들의 화려한 방법이 내 아이의 성공을 절대 보장하지 않는다. 내가 그 엄마가 아니고 우리 아이가 그 아이가 아니기 때문이다. 그 엄마가 제공하는 각종 교재나 교구 정보들이 내 아이의 영어 말문을 빨리 틔워줄 거라고 혹시 나는 착각하고 있는 것은 아닐까? 이럴 바에는 차라리 천천히 시작하는 것도 괜찮다.

영어를 왜 공부해야 하는지 엄마가 결심하기보다 아이가 결심하게 하자. 결심을 이루려면 긴 시간을 참고 견딜 수 있는 능력이 어느 정도 가능해지는 나이, 곧 초등학교 3~4학년 무렵이나 고학년일 때, 이때가 어쩌면 한국 현실 속에서는 '영어 적기'가 아닐까?

억지로 EngliSh~ 아이는 '영어 거부증'

원어민 강의 부적응 이상행동도… 학원 다니는 유아 절반이 심한 스트레스

#1. 경기 성남시에 사는 김주연(6 · 가명) 양의 부모는 1년 전 조기 영어교육을 위해 김 양을 원어민이 강의하는 영어학원에 등록시켰다. 하루 4시간 동안 놀이와 학습을 100% 영어로 진행하는 커리큘럼이 재미있었는지 처음 김 양은 수업에 잘 적응하는 듯했다. 그러나 6개월이 지나자 김 양은 "학원 가기가 싫다."며 자주 울기 시작했다. 의사소통이 자유롭지 못한데다 매일 강의 내용을 복습시키는 엄마의 성화가 싫었기 때문이었다. 급기야 김 양이 TV 어린이채널의 영어 방송만 봐도 소리를 지르는 등 이상행동을 보이자 겁이 난 김 양의 어머니는 학원을 그만두게 했고, 김 양은 그로부터 한 달쯤 지나서야 평소 모습을 되찾았다.

#2. 인천 계산동에 사는 주부 김미현(38 · 가명) 씨는 아들 이종웅(8 · 가명) 군이 사립초등학교에 입학하고 나서 영어 실력이 뒤처지자 고민 끝에 비싼 수강료를 무릅쓰고 이군을 원어민이 수업을 진행하는 영어학원에 넣었다. 단기간에 아들의 영어 실력을 끌어올리려는 욕심에서였다. 그러나 이군에게 영어수업은 버겁기만 했다. 이군은 학원 같은 반 아이들보다 영어를 못한다는 자괴감에 빠진 나머지 내성적으로 변해갔고, 영어는 아예 입에 올리려 하지 않았다. 결국, 김씨는 이군을 영국으로 조기 유학을 보냈지만 이군은 여전히 영어공부에 어려움을 겪고 있다.

영어 스트레스에 원형 탈모증까지

지난해 유아 영어교육 정보 사이트 '쑥쑥 닷컴'의 조사결과에 따르면 자녀를 영어학원에 다니게 하는 학부모 가운데 48.7%가 "아이들이 '영어 거부증' 현상을 보인 적이 있다."라고 답했다.
아이들은 학원 갈 시간에 '배가 아프다.'라고 호소하거나 '선생님이 때렸다.'라고 거짓말을 하기도 했으며, 집안에서 소리를 지르거나 발을 구르고 영어에 대한 혐오감을 나타내는 등의 거부 증상을 나타냈다. 홍성도 삼성서울병원 소아청소년정신과 교수는 "아이들이 영어공부에 대한 스트레스가 커질수록 정서가 불안해져 이상행동을 할 수 있다."고 말했다.
과도한 영어교육 스트레스는 신체 건강에도 악영향을 줄 수 있다. 임미리 YBM/ECC 수석연구원은 "스파르타식 영어교육에 시달린 나머지 원형 탈모증에 걸리거나 아토피 증세가 심해지는 아이들도 많다."라고 말했다.

부모가 기대수준 낮춰야

자녀의 영어 거부증은 부모의 '영어 강박증'에서 비롯된 측면이 강하다. 자녀의 눈높이를 고려치 않은 억압식 학습이 아이에게 심한 스트레스로 작용하는 것이다. 한 유명 유아 영어학원 관계자는 "우리나라 부모들은 자녀의 실력이 떨어져도 항상 자기 자식이 잘하는 아이들과 함께 영어수업을 받기를 원하는 등 현실을 받아들이려 하지 않는다."라고 꼬집었다. 전문가들은 자식에 대한 과도한 기대 수준을 낮추고, 영어교육 수준도 아이에게 맞게 조정하라고 조언한다. 또 영어를 공부가 아닌 생활과 놀이로 받아들일 수 있게 하라고 충고한다.
서울 강남구 청담동에 사는 주부 김영희(42 · 가명) 씨는 첫째 딸 조민진(13 · 가명) 양이 5세 때 조 양을 영어학원에 다니게 했다. 그러나 1년간 학원 3곳을 전전했지만 겉만 번지르르한 토론식 교육에 아이는 오히려 말문을 닫고 말았다.
이후 초등학교 3학년이 됐을 때 학원을 다시 찾은 조 양은 그림, 연극 등과 연계한 놀이식 교육에 재미를 붙이기 시작했고, 지금은 외국어고 진학을 목표로 할 만큼 영어를 즐기고 있다. 김씨는 "과거엔 무조건 공부 많이 시키는 학원이 제일인 줄 알았다."며 "우리 말 배우듯 자연스런 환경을 조성해주는 게 중요하다는 것을 뒤늦게 깨달았다."고 말했다. 성경준 한국외국어대 영어학부 교수는 학부모들에게 "너무 어릴 때 영어를 가르치면 우리말조차 못하게 된다."라며 "초등학교 때 시작해도 늦지 않으니 너무 조바심을 내지 마라."고 당부했다.

_〈한국일보〉 2007년 9월 26일 기사 중에서

2장

EBS 60분 부모

초등학교 1~3학년을 위한 학습법

_핸들 잡기 단계

EBS 60분 부모 01

'나는 멋진 아이'라고 생각할 수 있어야 한다!

자전거를 배울 때 한 번이라도 넘어지거나 무릎을 다치지 않고 쉽게 배울 수 있을까? '자기주도 학습' 이란 자전거를 탈 때에도 당연히 넘어지고 다칠 수 있다.

그런데 똑같이 넘어져도 어떤 아이는 바로 재도전을 하는가 하면 어떤 아이는 겁을 먹고 자전거에 올라타는 걸 두려워한다. 왜 이렇게 다를까? 타고난 성향 탓도 있겠지만 자신감의 여부와도 관계가 있다. 자신감 있는 아이는 세상을 낙관적으로 대하고 자신감이 부족한 아이는 자꾸 비관적으로 본다.

초등학교에 들어가면 아이는 교사와 친구들로 이루어진 거대한 집단의 구성원이 된다. 학교에는 다 같이 지켜야 할 수많은 규칙이 있다. 아직 어린 아이기에 '규칙'과 '규칙' 사이에서 길을 잃을 수도 있다. 그런데 이럴 때 아이가 보이는 반응은 저마다 다르다.

나쁜 일에 대한 반응

상황 1 ; 선생님한테 꾸중을 듣고 왔다.

자신감 있는 아이 → 내가 오늘 한 일이 선생님 마음에 들지 않았나 봐.

자신감 없는 아이 → 우리 선생님은 만날 그래, 나만 미워하나 봐.

상황 2; 시험을 못 봤다.

자신감 있는 아이 → 이번에는 공부를 충분히 안 했기 때문인가 봐.

자신감 없는 아이 → 나는 머리가 좋지 않은가 봐.

좋은 일에 대한 반응

상황 3; 어려운 수학문제를 풀었을 때

자신감 있는 아이

→ 나는 머리가 좋고 어려운 문제일수록 잘 푸는 경향이 있어.

자신감 없는 아이

→ 나는 수학만 좀 잘하는 것 같아. (나머지는 그렇지 않은데.)

상황 4; 친구가 나를 많이 좋아할 때

자신감 있는 아이 → 내게는 영훈이가 좋아할 만한 매력이 있어. 잘 지내야지.

자신감 없는 아이

→ 나한테 능력이 없었다면 영훈이가 날 좋아하지 않았을 거야.

(혹은)내가 머리가 나쁘다면 영훈이가 날 좋아하지 않을 거야.

비관적인 아이의 특성은 "그럼 그렇지! 역시 난 안 돼."이고, 낙관적인 아이의 특성은 "그럼 그렇지! 노력한 만큼 결과가 나왔네."이다. 잘한 것에 대해서는 '이것은 우연이 아니다'라고 말할 수 있고 잘못한 것에 대해서는 '내가 잘못한 것은 단지 〈이 일〉일뿐이지, 〈나 자신〉이 아니다.'라는 생각을 할 수 있는 아이가 낙관적인 아이이다.

어떻게 하면 이런 아이로 키울 수 있을까?

귀인 이론

공이 굴러간다. 이유 없이 굴러가지는 않는다. 누군가가 힘을 주어 밀었기 때문이다.

공이 굴러가다 멈춘다. 역시 이유 없이 멈추지는 않는다.

누군가 막았거나 마찰력 때문에 멈춘 것이다. 공이 굴러가고 멈추는 것과 마찬가지로 공부를 잘하면 잘하는 대로 이유가 있고, 못하면 못하는 대로 이유가 있다.

학생들이 시험을 본 후에 성적이 왜 잘 나왔는지, 혹은 왜 못 나왔는지 그 원인을 찾는 과정을 '학업에서의 귀인' 이라고 한다.

성적이 잘 나온 이유가 혹은 못 나온 이유가 자기 자신의 능력이나 노력 등에 있다고 생각할 때는 내적 귀인을 한 것이고, 운이나 시험의 난이도 등 외부에 그 원인이 있다고 생각할 때는 외적 귀인을 한 것이다.

이번 한 번만 이런 결과가 나온 것으로 생각할 때는 불안정 귀인을 하는 것이고 앞으로도 쭉 같은 결과가 나올 것으로생각할 때는 안정 귀인을 하는 것이다.

또 성적에 내가 영향을 미칠 수 있다고 생각하면 통제 가능 귀인이고 내가 무엇을 하던 간에 성적과는 관계가 없다고 생각하면 통제 불가능 귀인이다.

아이가 실패를 했을 때는 그 이유를 외적 요인보다는 내적 요인에, 안정 요인보다는 불안정 요인에, 통제 불가능 요인보다는 통제 가능 요인에 귀인 했을 때 학습동기가 올라간다.

			실패한 아이	성공한 아이
내적 귀인	안정적	통제 불가능	난 머리가 나빠./적성이 없어.	난 머리가 좋아.
		통제 가능	난 항상 공부를 하지 않았어.	난 항상 열심히 공부를 했어.
	불안정적	통제 불가능	시험 당일에 아팠어.	그날 아침에 본 문제가 나왔어.
		통제 가능	그 시험을 위해 공부하지 않았어.	그 시험을 위해 열심히 했어.
외적 귀인	안정적	통제 불가능	학교시험은 언제나 어려워.	학교 문제는 풀기가 쉬워.
		통제 가능	선생님은 편파적이야	선생님은 공정해.
	불안정적	통제 불가능	운이 나빴어.	운이 좋았어.
		통제 가능	친구들이 도와주지 않았어.	친구들이 도움을 주었어.

성공해 본 경험이 열쇠

우리 아이가 낙관적인 아이가 되길 바란다면 아이의 세상 경험에서 성공이란 글자를 가능한 많이 새겨주어야 한다. "너는 능력이 있고 무엇이든 잘할 수 있어."라는 말을 해준다고 해서 아이가 무조건 자긍심을 갖게 되는 것은 아니다.

실제로 아이가 성공의 경험을 '직접' 그리고 '많이' 맛볼 수 있어야 한다.

그러려면 아이 수준에 맞는 것부터 차근차근 시작하는 일이 꼭 필요하다. 너무 어려운 일을 하게 하면 아이는 성취감보다 실패감을 먼저 배울 수 있다.

무엇이든 처음 시작할 때는 다소 서툴 수 있다. 그렇다 하더라도 관대하게 보아 넘어가 줄 필요가 있다. 아이가 무언가를 할 때마다 부모가 나서서 매번 틀렸다고 지적하고, 고치라고 하면 아이는 흥미와 자신감을 금세 잃기 쉽다.

공부에서도 마찬가지다. 무조건 진도를 앞서 나가는 것보다 '조금씩 천천히' 아이가 배우는 학습 내용을 잘 기억해갈 수 있도록 격려해준다. 언제까지나 느리게 가는 것은 아니다.

아이의 머릿속에 쌓이는 지식의 양이 많아질수록 그 속도는 배가 된다.

초등학교 공부를 시작할 때 받아쓰기나 한자릿수 덧셈, 뺄셈을 할 때 사소한 실수를 지나치게 지적하는 부모들이 있다.

부모의 에너지를 그런 사소한 지적에 쏟지 말자. 그보다는 오히려 우리 아이가 어떻게 하면 성공의 경험을 차곡차곡 많이 쌓아갈 수 있을까를 연구하고 도와주는 쪽으로 부모의 에너지를 쏟는 것이 현명하다.

부모가 자녀에게 학습이나 그 밖의 일을 가르쳐줄 때 다음 세 단계 방법을 기억하자.

처음엔 요령을 잘 알려주고, 두 번째는 아이와 함께 해본 뒤, 세 번째 혼자서 해보도록 한다.

두 번째 단계를 특히 주의하자. 많은 경우, 한 번 설명해주고 한 번 같이 해봐서 잘 따라오면 바로 혼자 하게 하기 쉽다. 이러면 아이 입장에선 사실은 '어찌어찌 하다 보니' 찍어 맞춘 것일 가능성도 있다. 아이와 함께 하면서 아이가 잘 이해하고 있는지 세심하게 살펴보자.

그다음 비로소 혼자 해보게 한다.

중요한 것은 아이가 성공할 수 있도록 부모가 세심하게 배려하고 살펴주어야 한다는 점이다.

성공의 경험을 먼저 배운 아이는 어려운 일이 닥쳐도 그만큼 위기관리를 잘 해낼 수 있다. 자기실현과 자기만족이 있을 때 바로 그 순간 어린이는 놀랍게 성장한다.

난 할 수 있는 아이

'나는 실수도 할 수 있고 잘 못할 수도 있어. 하지만 그건 내가 아직 어리기 때문이야. 내가 앞으로 자라면서 잘할 수 있게 될 거야. 그리고 알고 보면 내가 잘한 것이 더 많아. 난 꽤 멋진 아이야. 부모님과 선생님, 주변 사람들은 나를

인정하고 사랑해주고 있어.'

초등학교 시절엔 아이가 이렇게 느끼고 자라는 것이 꼭 필요하다. 그러므로 아이 스스로 '이만하면 난 비교적 멋진 아이야.'라는 자신감을 가질 수 있도록 도와주자.

자기주도 학습.

곧 스스로 공부하는 아이가 되려면 자신감이 매우 중요하다.

아이 스스로 자긍심을 갖고 좋은 자아 이미지를 갖고 있다면 학습습관을 익히고 공부요령을 깨치는 과정이 훨씬 더 효과적일 것이다.

'스스로 주도하는 공부'라는 이름의 자전거를 똑같이 타고 나가도 '행복한 똑똑이'는 '불행한 똑똑이'보다 훨씬 더 많고 다양한 풍경을 볼 수 있을 것이다. 넘어지거나 장애물을 만나더라도 훨씬 더 잘 이겨낼 것이다.

자긍심을 높여주는 방법

잘못한 일을 지적하기보다, 잘한 일을 언급하고 격려해준다. "의자에 비뚤게 앉지 마."라는 말을 반복해도 저학년 아이는 자꾸 잊어버린다. 그보다는 어쩌다 똑바로 앉았을 때를 놓치지 말고 "의자에 똑바로 앉으니까 좋구나."라고 칭찬해주고 인정해주는 말을 반복해서 들려주는 것이 낫다.

실수를 하면 "좋은 경험을 했네. 앞으로 더 나아질 거야."하고 격려한다. 평소 소심한 아이라면 "네가 생각하는 것처럼 그렇게 나쁜 상황은 아니야." 하면서 부정적인 감정에 빠지지 않도록 도와준다.

아이가 새로운 제안을 하면 "그것참 멋진 생각이구나." "어떻게 해서 그런 생각을 해낼 수 있었을까?" 반색을 하며 귀를 기울여준다. "역시 너는 천재야."라는 말은 가능한 한 삼가자. '나는 사실 천재는 아닌데.' 하고 아이 마음이 불안할 수 있다.

항상 아이 이야기에 귀 기울여 주고 자주 안아주자. 아이에게 관심이 있다는 것을 아이가 충분히 느끼게 해주자. 초등학교 시절까지 아이는, 시선은 친구들을 향해 있지만 마음속으로는 아직 '내 뒤에 부모가 든든하게 버티고 있다.'라는 생각이 필요한 시기이다.

02 EBS 60분 부모

구체적인 칭찬, 따듯한 격려가 필요하다

유대인 부모들은 아이가 착한 일을 하거나 칭찬받을 일을 하면 보상으로 돈을 주거나 선물을 사주지 않는다. 그들은 대신 이렇게 말한다. "너 같은 아들(딸)을 두어서 자랑스럽구나." "네가 내 자녀여서 참 행복하다." 미국의 부모나 교사들은 평소 어린이들에게 "굿 아이디어(Good Idea)" "굿 잡(Good job)"이란 말을 많이 쓴다. 대단한 일을 하지 않아도, 별것 아닌 사소한 일에도 이런 말을 자주 해주면서 아이를 격려해준다.

한국의 부모들은 자녀를 칭찬할 때 어떤 말을 할까?

정식으로 조사된 바는 없지만 주변에서 자주 들리는 말은 대체로 다음과 같다. "그래 잘했다." "착하다." "예쁘다." "멋지네.' "좋았어." 여기까진 그래도 낫다. "다음에도 이렇게 잘해야 해!" 하면서 미리 다짐을 받아 놓는 부모도 있다. (칭찬인가 서약인가.) 게다가 한국의 부모는 물질로 칭찬을 대신하는 때도 적지 않다. 보상이 언제나 나쁜 것은 아니지만, 우리나라 부모들은 칭찬의 참된 의미, 칭찬을 잘할 수 있는 기술에 다소 서툰 경향이 있다. 평소 자녀에게 들려줄 칭찬의 말을 열심히 생각해서 준비해놓자!

칭찬의 힘

미국의 교육학자인 로젠탈(R. Rosenthal)과 제이콥슨(L. F. Jacobson)은 1968년, 샌프란시스코의 한 초등학교에서 전교생을 대상으로 지능검사를 했다. 그들은 검사 결과와 상관없이 무작위로 학생들의 명단을 뽑은 후, 해당 학교의 교사들에게 이 명단을 알려주면서 "이 아이들은 지적 능력과 학업성취의 향상 가능성이 크다고 판명된 학생들이다."라고 거짓 정보를 주었다. 학년이 끝난 후, 다시 학생들의 지능검사를 했다. 놀랍게도 명단에 속한 학생들은 다른 일반 학생들보다 평균점수가 실제로 높게 나왔을 뿐 아니라 예전보다 성적이 큰 폭으로 향상됐다. 명단을 받아 든 교사들이 '이 아이들은 지적 발달과 학업성적이 향상될 것'이라는 기대를 하고 정성껏 돌보고 칭찬한 결과, 실제로 아이들의 성적이 올랐던 것이다. 교사는 명단 속 학생을 대할 때엔 눈맞춤도 더 많이 하고 고개도 더 많이 끄덕거려 주는 등 긍정적인 행동을 많이 해주었지만, 명단 속에 끼지 않은 아이들에게는 그만큼 소홀했다. 명단 속의 아이들은 실제로 평범한 아이들이였음에도 교사의 사랑과 관심, 칭찬을 받자 공부하는 태도가 변하고 공부에 대한 관심도 높아져, 결국 능력까지 변하게 된 것이다. 이 연구결과는 훗날 유명한 교육학 이론이 되었다.

바로 피그말리온 효과(Pygmalion effect)이다. 교사가 어떤 학생을 '쟤는 우수할 거야, 잘해낼 거야.'라고 생각하고 가르치면 그 학생은 다른 아이보다 더 우수해진다는 이론이다. 관심과 기대를 가지고 칭찬을 해주니까 아이가 용기와 자신감을 가지게 되어서 더욱 분발하게 된다는 것이다.

칭찬도 기술이 필요하다

초등학교 저학년 아이에게 가장 중요한 것은 앞에서도 말했듯이 자신감이다. 앞 장에서 우리는 자신감을 느끼기 위해서 아이가 비교적 쉬운 일부터 도전하면서 성공의 경험을 많이 맛보아야 한다고 했다. 아이가 뭔가를 해내고 이루어냈을 때, 아이 마음속에는 즐거움과 만족감이 가득 차오른다. 아이 마음이 잔치 분위기로 가득 찰 때, 옆에서 부모가 타이밍을 맞춰 적절한 말로 칭찬해주면 아이의 기쁨은 배가 된다. 축제 날 밤하늘에 수놓은 폭죽 불꽃처럼 아이 마음속에 기쁘게 아로새겨지는 것이다. 실제로도 뭔가를 잘해낸 자신이 기특하고 자랑스러운데, 여기에 부모의 인정과 사랑까지 받았다. 아이의 자신감은 더욱 상승할 수밖에 없다. 이것이 칭찬의 힘이다!

널리 알려졌다시피 칭찬은 고래도 춤추게 한다. 그런데 부모 중에는 이 말을 오해해서 무조건 아무 칭찬만 해주면 좋은 줄 아는 경우가 적지 않다. 칭찬에도 기술이 필요하다.

첫째, 칭찬할 일만 칭찬한다.

아이들도 자신이 칭찬받을 만한 일을 했는지 아닌지 분별할 수 있는 능력이 있다. 그러니 애매모호한 상황에서는 칭찬하지 말자.

둘째, 칭찬은 구체적으로 해야 하고 가능한 결과보다 과정을 강조하는 것이 좋다. 단순하고 두루뭉술한 표현보다 구체적인 것이 좋다. 다음은 좋은 칭찬의 예이다.

내 아이는 무엇을 잘할까?: 다중지능

하버드의 가드너 교수는 아이가 타고난 지능은 하나가 아니라 8가지라는 다중지능이론을 이야기한다. 가드너 교수는 사람에 따라 뛰어난 지능이 다르고 8개의 지능이 이루는 패턴도 다르므로 적합한 재능과 적성을 찾아 교육하는 것이 바람직하다고 주장한다. 지능을 논리 · 수학 · 언어 · 음악 · 공간지능 · 대인관계 · 자연탐구 · 자기이해 등 8가지로 나누어 살펴서 부족한 재능은 보완하고 우수한 재능을 키워주는 것이 부모의 역할이다.

_초등 1학년이 복합 자음 글자의 받아쓰기를 잘해왔을 때 "자음이 두 개여서 참 복잡하고 알쏭달쏭했을 텐데 차분하게 기억을 잘했구나."

_책을 좀 많이 읽었을 때 "지난 달보다 이번 달에는 책을 5권이나 더 많이 읽었네."

_친구에게 양보했을 때 "너도 갖고 싶었을 텐데 그걸 참고 친구에게 나눠준 것은 참 멋진 일이야."

이렇게 아이가 한 행위와 과정을 구체적으로 담아서 칭찬해주자. 칭찬거리를 많이 만들려면 평가를 좀 관대하게 할 필요가 있다. 이웃의 또래 아이와 비교하지 말고, 아이의 어제와 비교해서 조금이라도 나아진 점이 보일 때, '그 부분'을 기쁜 마음으로 들려주는 것을 칭찬의 원칙으로 삼자. 부모는 아이가 얼마나 잘했는지를 따지지 말고, 아이가 얼마나 온 힘을 다했는지를 알아주는 칭찬을 해야 한다. 세상의 칭찬은 누가 봐도 잘한 일, 착한 일일 때 얻을 수 있지만 부모의 칭찬은 결과 그 자체보다 아이의 과정도 헤아려주는 것이어야 한다. 이것이 아이의 기를 펴주는 일이다.

셋째, 칭찬받을 일을 했을 때 그 자리에서 바로 해준다.

미루고서 나중에 하지 말자. 가능한 아이의 좋은 행동을 보았을 때 바로 그 자리에서 어깨를 토닥거려 주거나 살짝 안아주면서 칭찬을 해주자.

진정한 칭찬은 격려이다

아이들에겐 잘했을 때는 칭찬, 잘못했을 때는 격려가 필요하다. 칭찬과 격려는 어떻게 다를까? 쉽게 말해 칭찬은 어떤 일을 잘했을 때 하는 것이고, 격려는 아직은 부족하지만 앞으로 잘하라고 힘과 용기를 줄 때 하는 것이다. 칭찬이란 결국, 어떠한 조건이나 기준을 충족시켰기 때문에 하는 것으로 평가의 의미가 있다. 그러나 격려는 평가와 상관없이 아이의 부족한 점을 보고 용기와 자신감을 북돋아 주는 말이나 태도이다. 아이가 수학을 아주 어려워해서 시험을 잘 못 쳤을 때 어떻게 격려하는 것이 좋을까?

1. "넌 기본적으로 머리가 좋으니까 열심히 하면 돼. 그럼 다음엔 시험 꼭 잘 볼 거야."(x)
2. "그래도 지난달보다는 연산실력이 많이 좋아졌는걸. 지금처럼 꾸준히 하면 조금씩 나아질 거야."(○)

1번 말은 아이를 불안하게 할 우려가 있다. 자칫 엄마 기대를 못 맞추게 될까 봐 부담이 생길 수 있다. 가능한 2번 말처럼 하는 것이 옳다. 잘못한 것 중에서도 그나마 좋아진 점을 들추어 인정해 주고 '꾸준히' 하면 '천천히' 좋아진다고 하는데, 이런 말을 싫어할 아이가 있을까?

우리 사회에는 칭찬의 말은 그나마 있는 편인데 격려의 말은 절대적으로 부족하다. 부모들은 자녀의 공부가 '꾸준히' '천천히' 좋아지기보다는 '단번에' '확' 좋아지길 기대하기 때문이다.

아이의 부족한 점을 보았을 때 사교육으로 그 자리를 채우려 하기 전에, 먼저 아이 내면의 힘을 끄집어 낼 수 있는 격려부터 해보자. 아이는 아직 저학년이다. 섣불리 사교육시장으로 내몰 것이 아니라 아이 속에 잠재해 있는 힘을 끄집어 내야 할 시기이다. 격려가 바로 그 역할을 할 것이다.

피그말리온[Pygmalion] 효과

그리스신화에 나오는 피그말리온 왕으로부터 비롯된 자성적 예언 효과, 자기 충족적 예언 효과를 말한다. 피그말리온 왕은 뛰어난 조각가로서 실제 여인보다도 더 아름다운 여인상을 조각하게 되고 마침내 그 조각상을 사랑하게 되었다. 그가 조각상이 사람이 되기를 간절히 바라자 마침내 그 조각상이 아름다운 여인이 되어 행복하게 살았다는 신화가 전해지고 있다. 피그말리온 효과는 이 신화를 바탕으로, 무언가를 열망하거나 진심으로 기대하면 바라는 대로 이루어지는 현상을 말하는 것으로서 특히 학교에서 선생님이 학생에게 어떤 기대를 하느냐에 따라 학생의 학업성취도나 학습 행동 등이 달라지는 경우를 학교에서의 피그말리온 효과 혹은 로젠탈 효과라고 부른다.

EBS 60분 부모 03

하루 30분, 아이와 책을 읽자

초등학교 저학년 시기는 아이 머릿속에 공부 저수지를 만드는 시기이다. 저학년 동안 이 저수지에 〈읽기〉〈쓰기〉〈셈하기〉라는 물을 채워 주자. 〈읽기〉는 단지 국어공부뿐 아니라 사회, 역사는 물론이고 수학, 과학 등 전 과목에 걸쳐 필요한 대표적인 기초영역이다. 문장을 읽어내는 읽기 자체는 많은 책을 읽고 또 읽어가면서 키울 수 있다. 그러나 아이에게 책을 읽으라고만 하고 내버려두면 책은 많이 읽는데 책과 정말로 친하지 못한 경우가 있다. 초등학교 저학년 시기에는 특히 〈읽기〉 교육을 위해서 엄마가 하루 30분씩 아이와 책읽기 활동을 하면 큰 도움이 된다.

하루 30분 독서 활동 요령

1. 도서 선정

먼저 '아이가 좋아하는 책'과 엄마 생각에 '아이가 읽어야 할 책'을 섞어서 일주일치 목록을 짜본다. 한 달치 목록을 미리 정해도 좋다. 아이가 읽어야 할 책을 짤 때에는 학년별 권장도서나 각 기관에서 추천하는 연령별 좋은 책 목록을 참고하자. 책 선정을 아이에게만 맡겨두면 아이가 좋아하는 책만 읽을 우려가 있다. 좋아하는 책만 읽게 하기보다는 읽어야 할 책도 권할 필요가 있다. 혼자 읽으라고 하는 게 아니라 엄마와 같이 읽을 것이라고 하면 아이도 기꺼이 이 새로운 독서행사를 따를 것이다.

2. 엄마와 한 줄씩, 혹은 한 단원씩 번갈아 읽기

책을 읽을 때엔 혼자서 읽는 것도 좋지만 엄마와 함께 나란히 한 줄씩, 혹은 한 단원씩 소리 내어 번갈아 읽어보는 것이 좋다. 아이 스스로 책을 읽을 수 있어도 부모가 책을 읽어주면 아이들은 좋아한다. 엄마와 함께 번갈아 책읽기는 정서적으로 좋을 뿐 아니라 아이의 읽기 능력을 향상시키는데도 좋다. 어른의 읽는 솜씨를 보고 들으면서 아이는 억양처리나 매끄러운 발음 등을 가랑비에 옷 젖듯이 배울 수 있기 때문이다.

3. 책 읽고 나누기

① 줄거리 말해보기

책을 다 읽고 나면 먼저 "무슨 이야기였을까?" 하고 내용을 정리해보게 한다. 아이더러 처음부터 이야기를 다 해보라고 하면 어려워한다. 처음엔 엄마가 먼저 대략의 이야기 틀을 잡아 줄 필요가 있다. 엄마가 먼저 이야기 첫 대목을 시작해주고 "그다음에 뭐였더라?" 하고 아이에게 다음을 이어가도록 유도하면서 전체 이야기를 기억해보게 한다. 아이가 이야기를 기억하는 일에 영 자신 없어 하면 책의 삽화만 보면서 이야기를 되짚어 보게 하는 방법도 좋다. 책의 주요 내용이 그려진 그림을 보면서 이야기를 떠올리다 보면 줄거리가 대략 정리된다.

② 특징적인 표현이나 인상적인 점 이야기하기

책을 읽는 중에 아이가 재미있어하거나 색다르게 반응했던 표현들을 잘 기억해 두었다가 이것을 소재 삼아 이야기 해본다. 예를 들어 옛이야기를 읽다가

'귀가 솔깃하다.'라는 표현에서 아이가 깔깔 웃거나 혹은 "이게 무슨 뜻이야?" 하고 색다른 반응을 보였다면 책을 다 읽고 난 후, 엄마는 이 말뜻을 보충해서 설명해줄 수 있다. 말뜻을 설명해주고 나서 "네가 귀가 솔깃한 말은 뭐지?" 하고 물어보면 아이가 신이 나서 자기가 하고 싶은 일이나 좋아할 일을 말할 것이다. "그래! 그게 바로 〈귀가 솔깃한 말〉이라는 뜻이야."라고 확인해주면 아이는 오래오래 이 말뜻을 기억하고 일상에서 활용할 수 있게 된다.

③ 주인공의 태도나 행동에 대해서 생각해 보기

저학년 책읽기에서도 여전히 감정지수 발달은 중요하게 고려되어야 한다. 책 속에 나오는 주인공들의 행동을 화제 삼아 이야기해보자.

예를 들어 '황금을 버린 형제' 이야기에서 형과의 우정을 지키고자 황금을 강물에 버린 동생의 행동에 대해 아이에게 물어볼 수 있다. "동생의 행동이 마음에 들어?" 혹은 "너라면 어떻게 했을까?" 아이의 대답을 통해 아이의 도덕성이나 평소의 가치관도 알 수 있게 된다. 이때 아이의 대답이 다소 엉뚱하더라도 부모는 무시하거나 어이없어하거나 혼내지 말고 부드럽게 받아주어야 한다. 부모의 반응이 호의적이지 않으면 아이는 점점 대화 나누기를 꺼리게 된다.

초등학교 저학년 때에는 기본 가치관과 인성 발달교육이 중요하다. 도덕성에 대한 교육은 평소 부모의 가치관이나 행동을 보고 배우기도 하지만 이렇게 책읽기 과정을 통해서도 이루어질 수 있다. 도덕교육을 위해서는 옛이야기나 명작동화를 읽을 필요가 있다. 고전이나 명작 속의 등장인물들은 인물의 성격이 분명하며, 보편적으로 옳다고 믿는 가치관을 보여주는 경우가 많다. 우선은 고전과 명작 속에 나오는 인물 원형을 익히고, 차차 자라면서 초등학교 고학년이나 중학생이 되어 비판적 책읽기 과정을 통해 기존 인물들을 뒤집어보는 사고력 활동을 하는 것이 좋다. 초등학교 저학년 시기에는 비판적인 관점보다는 평범한 세상 사람들이 옳다고 믿는 보편적 가치관을 먼저 가르칠 필요가 있다.

④ 독서 퀴즈 내보기

책을 읽고 나서 엄마와 아이가 책 속의 내용에서 각자 질문을 3~5가지 정도

뽑아 서로 퀴즈 형태로 제시해보는 것도 좋다. 하루는 엄마가 질문을 내고 하루는 아이가 질문을 내는 방식도 좋다. 학년이 어릴수록 엄마가 질문을 만들고 아이가 대답한다. 그러나 고학년일 경우에는 아이가 질문을 만들고 엄마가 대답하는 것도 좋다. 고학년이 되면 문제 수를 좀 더 늘려도 좋다. 아이더러 책 속에서 10문제를 뽑아서 직접 질문을 노트에 적어 만들어보라고 하면 아이의 학과 공부실력도 키울 수 있다. 스스로 문제를 만들어 보고 답도 일러주는 모든 과정이 아이 공부에 모두 도움이 된다. 가끔은 엄마가 일부러 틀리게 대답해주면 아이들은 신이 나서 책을 읽고 나서의 활동을 더 즐기기도 한다.

⑤ 그 밖의 독후 활동

책을 읽고 나서 이야기 뒤를 상상해보기, 혹은 책 속의 상황을 바꾸어 전개해보기. 그리고 책 속의 등장인물을 역할극처럼 가족이 꾸며서 해보기, 독후감상 그리기 등 할 수 있는 일들이 사실 무궁무진하다. 앞의 ③, ④까지 기본적인 활동이 이루어지고 난 후에 다양한 독후 활동을 해보자.

아이가 책을 전혀 좋아하지 않는다면 쉬운 책부터 시작하고 처음엔 ②나 ③까지만 시도하자. 이때 책 한 권을 다 읽기보다 한 페이지나 두 페이지 정도만 엄마와 번갈아 읽고 이야기를 나눠보는 것이 좋다. 재미있는 얇은 책을 하루에 조금씩 읽게 해서 끝까지 읽게 하는 것도 끈기를 기르는데 좋다.

페이지가 많은 장편 동화를 읽을 때에는 위 활동을 한 단원씩 끊어서 하는 것이 낫다. 이야기가 길면 중간에 끊을 때마다 '다음 이야기는 어떻게 될까?' 상상해보게 하고 다음날 아이의 답과 실제 내용을 맞추어 보자. 이렇게 해야 긴 이야기도 흥미를 잃지 않고 볼 수 있을 것이다. 무엇보다 중요한 것은 이런 활동을 일주일에 최소한 2-3회 정도 꾸준히 해야 한다는 점이다. 1년 정도만 꾸준히 해도 아이의 공부 저수지에 상당한 〈읽기〉 물이 채워질 것이다. 단, 엄마하고 책 읽는 일이 아이에게는 숙제나 일이 되어선 안 된다. 여유 있게 편안하게 해야지 이런 활동을 죽자 살자 식으로 열심히 하면 아이들이 질릴 수도 있다.

책읽기 활동과 관련해서 아이에게 권하고 싶은 또 다른 활동은 바로 동생에게 책 읽어주기다. 가끔은 동생에게 책을 읽어주도록 권장하자. 엄마가 읽어주는 소리를 듣는 것도 좋은 공부가 되지만 이따금 자신이 동생에게 읽어주는 것도 새로운 공부가 될 수 있다. 도서관 카드를 만들어 주고 자녀가 읽을 책, 부모가 읽을 책을 같이 빌려오거나 부모가 어린 시절 재미있게 읽었던 책 이야기를 들려주는 것도 아이의 독서교육에 도움된다.

학습과 관련된 문제: 학습장애, 학습부진, 학습지진, 학습지체

학습장애 는 정상 지능에 정서적, 사회 환경적 문제가 없음에도 학업성취도가 현저히 낮은 경우를 말한다. 특히 읽기, 쓰기, 셈하기 영역에서 지능, 연령, 학력, 지적 수준보다 매우 낮은 성취도를 나타내어 학교생활이나 일반생활에서 심각한 적응 장애를 보인다. 일반적으로 뇌의 특정영역에 장애가 있다고 보인다. 대표적 학습장애로는 다른 영역에는 아무런 문제도 없는데 오직 글만 읽지 못하는 난독증, 쓰기만 못하는 난서증, 숫자만 이해하지 못하는 난수증 등이 있다.

학습부진 은 지능이 정상인 학생이 불안이나 우울 등의 정서적 문제나, 가정환경, 학습전략 부재, 주의력 결핍 등으로 학업성취가 떨어지는 경우를 말한다. 부진을 일으키는 요인을 제거해주면 학업성취도가 향상된다.

학습지진 은 지능이 평균 이하로 학업 속도가 느리며 학업성취가 떨어지는 경우를 말한다.

학습지체는 지능이 정신지체수준 이하로 학업성취가 어려운 경우를 말한다. 학습지진과 학습지체는 특수교육이 필요하다.
세계적으로 학습장애와 학습부진, 학습지진 및 학습지체의 비율은 전체 학생의 약 1/4을 차지한다고 알려졌다. 우리 아이가 학업성취도가 적절하지 못할 때는 '능력' 부족이나 '노력'부족을 탓하지 말고, 학습과 관련된 문제 중 어디에 속하는지를 정확하게 알고 대처하는 것이 필요하다.

04 EBS 60분 부모

오늘은 또 뭐라고 일기를 써야 하나?

저학년 때 〈읽기〉보다 아이들을 더 힘들게 하는 건 사실 〈쓰기〉이다.

1학년 1학기엔 받아쓰기가 1학년 2학기엔 일기 쓰기가 아이들 발목을 잡는다. 받아쓰기는 그래도 문제가 미리 주어지거나 정해진 범위 안에서 하니까 열심히 반복연습하면 큰 문제는 없다. 설령 받아쓰기 100점을 못 받아도 아직 1학년인데 큰일 날 일은 아니다. 정말 막연하고 쓰기 어려운 것은 바로 일기 쓰기다. 대부분 아이들은 일기를 쓰라고 하면 '밥 먹었다. 학교 갔다 와서 친구와 놀았다. 재미있었다. 끝.' 식으로 자신이 했던 일을 서너 줄 쓰고 나서 더 쓸 것이 없다고 한다.

1학년은 아직 〈쓰기〉 자체를 어려워한다. 손목에 힘을 주고 어려운 글자를 써나가는 일이 익숙지않다. 그래서 일기를 처음부터 '쓰라고' 하면 대부분의 아이들이 힘들어 한다. 무엇을 써야 좋을지도 모르겠는데 열 줄 정도 채우라고 하면 지레 겁을 먹고 하기 싫어하기 마련이다. 어떻게 하면 일기를 열 줄 정도 써내려 갈 수 있을까?

〈쓰기〉 전에 먼저 이야기하기

아이가 글쓰기를 어려워할 땐 〈쓰기〉 전에 먼저 '이야기'를 나눠보자. 아이와 '오늘 가장 재미있었던 일, 신나는 일' 혹은 '오늘 속상했던 일' 또는 '오늘 학교에서 제일 기억에 남는 일' 등 한 가지 일을 주제로 삼고 대화를 나눠보자. 다음은 오늘 학교에서 기억에 남는 일을 주제로 엄마와 아이가 나눈 대화이다.

아이 오늘 내 짝이 준비물을 안 갖고 와서 내가 빌려줬다.

엄마 그랬더니?

아이 짝꿍이 점심때에 맛있는 돈가스를 한 조각 주더라.

엄마 와, 맛있었겠네. 그래서 너는 짝한테 뭐라고 그랬어?

아이 나? 그냥! 아무 말도 안 했는데….

엄마 그럴 땐 고마워, 맛있다! 하면 좋은데….

아이 그래? 에이 그런데 그런 말 하기 좀 쑥스러워.

엄마 왜 쑥스러울까?

아이 그냥.

엄마 그럼 다음에도 인사 안 할 거야?

아이 응.

엄마 엄마 생각엔 친구가 고맙게 하면 '고마워'라고 말하는 게 옳다고 봐. 다음부터 그렇게 말하도록 해봐.

아이 알았어.

엄마 지금 엄마랑 나눈 이야기를 일기로 한 번 써볼까?

아이 어떻게?

엄마 엄마하고 했던 이야기를 그대로 적어봐. 그게 일기야. 뭐라고 했었는지 말로 다시 한 번 정리해 보자. (처음을 시작해 준다) '나는 오늘 짝에게 준비물을 빌려줬다.'

아이 음. 짝이 점심때 돈가스를 주었다. 이렇게?

엄마와 나눈 대화를 아이가 매끄럽게 일기장에 옮겨 적으려면 적어도 두세 차례는 글의 맥락을 반복해서 말하도록 한다. 그다음, 방금 말한 것을 일기장에 그대로 써보라고 한다.

다음은 엄마와 나눈 대화를 아이가 일기장에 옮겨 놓은 글이다.

제목; 고마워

오늘 내짝이 준비물을 안 갖고 왔다.

내 자를 빌려줬다.

점심 때짝이 돈가스를 주었다. 아무 말도 안 했는데 먼저 줬다.

맛있었다. 엄마한테 이 이야기를 했더니 엄마가 친구한테 고마워라고 했느냐고 했다

그래서 내가 아니라고 했다.

엄마는 왜?라고 물었다. 나는 쑥스러워서 안 했다고 했다.

친구한테 고맙다고 해야지, 다음부터 고맙다는 말 꼭 하라고 엄마가 말했다.

나는 쑥스럽지만 엄마한테 생각해보겠다고 말했다.

아무리 〈읽기〉〈쓰기〉를 게을리하는 아이라 해도 저마다 자기 '생각'이란 것이 있다.

문제는 생각을 물어보면 대부분 아이들이 '그냥', '몰라'라고 시큰둥하게 응답한다는 점이다. 엄마는 두세 살 때 아이에게 부드럽게 많은 말을 건넸었다! 그랬던 것처럼 1, 2학년 때에도 아이의 생각을 끄집어 낼 수 있도록 인내심을 갖고 대화를 많이 유도해내야 한다.

아이와 어떤 대화를 나눌 것인가?

전천후 일기를 쓰게 하자

때론 책을 읽고 난 독후 감상도 일깃감이 될 수 있다. 엄마와 읽은 책 내용을

옮기고 엄마와 나눈 대화를 옮겨 적도록 한다. 할아버지 할머니 혹은 고모나 이모, 삼촌에게 편지쓰기를 해도 좋을 것이다. 날씨이야기도 훌륭한 일깃감이고 오늘 먹은 반찬과 간식이야기를 쓸 수도 있다. 내가 좋아하는 친구는 어떤 성격이면 좋을지, 엄마 아빠, 형제 · 자매에게 하고 싶은 나의 말도 일기 소재가 된다는 걸 알려주자.

위의 소재들을 번갈아 알려주고 대화를 나누고 나서, 이것을 다시 글로 적어 보게 하면 일기 쓰기가 차츰 다양해지고 익숙해질 수 있다. 저학년 때엔 사실 노트 한 페이지 채우기도 버겁다. 그러나 먼저 대화를 나누고 그것을 차근차근 글로 옮겨 적는 과정을 꾸준히 해나갈 수 있다면, 아이의 쓰기 실력은 크게 늘어날 것이다.

일기 쓰기가 신나는 일이 되려면, 엄마는 틀린 글자를 지적하지 말고 당분간 그냥 두고 보아야 한다. 오자나 틀린 표현보다는 잘한 점을 칭찬해주고 격려해주면 아이는 차츰 자신 있게 다양한 표현을 시도하게 된다. 아이의 생각이 쌓이고 아이의 표현에 자신감이 붙을 때까지 가능한 작은 실수나 틀린 문법, 맞춤법을 꼬집지 말자. 그런 일은 앞으로 해나가려고 하는 일에 비한다면 정말로 새 발의 피다. 지금 아이는 '자신이 하고자 하는 이야기의 맥을 잡아나가는 일'을 하고 있다. 이것이 가장 중요하다는 걸 명심하자.

1분 스피치

'내 말이 틀리면 어쩌나?', '엄마 마음에 안 들면 어떻게 하지?' 하고 걱정하기 때문에 의사 표현을 제대로 못하는 아이가 적지 않다. 자신 있을 때만 작은 소리로 짧게 말을 시작하는데 부모는 인내심을 갖고 기다려야 한다. 매일 한 가지 이상 잘한 행동을 구체적으로 설명하고 칭찬해주면 좋다. 엄마와의 대화가 익숙해지기 시작하면 이젠 '1분 스피치' 형식으로 발표할 기회를 만들어주는 것도 좋다. 자신이 좋아하는 음식이나 운동 등을 주제로 이야기하게 하거나 동화 속 주인공에게 하고 싶은 말 등을 발표하게 한다. 무슨 이야기를 하든 잘했다고 격려해주고 그것을 글로 옮겨 보게 한다. 1학년은 1분 스피치, 2학년은 2분 스피치, 3학년은 3분 스피치 식으로 차차 시간을 늘려가 보자.

05 EBS 60분 부모

초등 저학년 수학은 원리와 개념, 그리고 즐거운 활동이어야 한다!

수학교육을 하는 이유는 무엇일까?

고대 그리스에선 수학자가 곧 철학자였다. 생각하는 힘과 수학적 힘은 불가분의 관계이기 때문이다. 수학을 공부하는 이유는 결국 생각하는 힘을 길러주자는 것이다. 저학년 때엔 특히나 수학교육 목적을 '성적'보다 '사고력'에 두어야 한다.

초등학교 저학년 때엔 수학을 공부시킬 때 구체적인 사물을 갖고 활동을 통해 이해하게 하는 것이 좋다. '들이'를 공부할 때는 컵에 200㎖ 우유를 따라 마셔가며 감각을 익히게 한다. '분수'를 공부할 때는 과일이나 빵을 직접 나누어 보거나 색종이를 활용해서 하는 것도 좋다. 저학년일수록 구체적으로 손에 잡히고 눈으로 보는 과정을 통해서 개념을 더 빨리 익힐 수 있다. 게임이나 즐거운 놀이 방식으로 암산하게 할 수 있는 카드놀이나 다양한 보드게임도 좋다. (4장 심리학습 클리닉에 소개된 '수학학습놀이' 참고)

수학교육과 관련해서 누구나 쉽게 범하는 우가 있다. 어린이에게 수학을 가르칠 때 어른들이 범하기 쉬운 잘못과 관련된 실험이 있었다.

엄마(실험에서는 교사)가 묻는다. "9+7은 뭐지?"

아이가 대답을 못하자 엄마는 재차 묻는다. "7+7은 뭐지? 그래 14야. 그럼 8+7은 뭐지? (대답을 기다리지도 않고) 조금 전보다 1이 커졌네. (답에 대한 강력한 힌트를 주고) 그럼 9+7은, 1이 더 커졌으니까." 하면서 문제풀이를 진행한다.

문제를 해결하기 위한 근본적인 전략은 엄마가 다 내놓고 아이는 그저 입으로만 따라온 것이다. 이러면 아이는 9+7의 답은 빨리 찾겠지만 아이 생각의 폭을 좁혀 놓은 것이기 때문에 좋은 경우라고 할 수 없다. 설명할 때는 잘 알아듣겠는데 혼자 하려면 잘 안 된다는 아이는 바로 이런 식으로 배운 아이들이다.

손가락을 사용하는 일은 아직 유용하다!

아이에 따라서는 손가락을 사용해서 연산하는 방법을 사용하는 아이가 있다. 저학년까지는 이 방법을 계속 사용하게 두는 것이 좋다. 익숙해지면 누가 뭐라 해도 스스로 그만둔다.

최근에는 암산능력을 방해한다고 손가락 사용을 금지하는 부모들이 있다고 한다. 아이들은 손가락 하나와 숫자 1을 짝을 짓는 연습을 통해서 차차 자동으로 암산하는 능력을 개발해 간다. 그런데 손가락을 사용하면 마치 지능이 떨어지거나 학년에 맞지 않는 유아적인 행동이라고 몰아붙이는 풍토는 잘못된 일이다. 사물의 이치를 깨달아 가는 배움의 과정에서 어린이가 몸이나 물건을 사용하는 구체적인 방법을 쓰는 것은 자연스러운 일이지 혼낼 일이 아니다.

한자릿수 가르기와 한자릿수 모으기

"우리 아이는 3+2=5 이런 문제는 다 맞는데, '구슬이 다섯 개 있는데 나와 내 동생이 나누어 가지는 방법은 모두 몇 가지일까요?' 하는 문제는 잘 틀려요. 어떻게 하면 이런 문제도 잘 맞게 할 수 있을까요?" 하는 경우가 있다.

구슬을 나눠 가지는 방법에 관한 문제는 문장제 문제이기 때문에 글 이해가 우선되어야 하지만 글 이해가 되더라도 수 가르기와 수 모으기를 잘하지 못한다면 이런 문제에는 취약할 수밖에 없다.

초등 저학년 때의 수 계산은 정확성과 신속성이라는 두 마리 토끼를 잡아야 한다. 정답을 맞히지만 너무 느린 것도 안 되고, 문제를 빨리 풀지만 오답을 내는 것도 안 된다. 두 마리 토끼를 잡는 방법으로 수 가르기와 수 모으기를 추천한다. 한 자릿수의 가르기와 모으기를 열심히 하면 숙달된 연산능력을 기를 수 있다.

수학교육에 성공하는 계획

학년이 올라갈수록 수학을 잘하게 하려면 평소 책을 많이 읽어 문장 이해력이 높아야 한다. 저학년 때부터 문장제 문제를 자주 보게 하자.

어릴 때부터 연산학습만 많이 한 아이는 수학은 곧 숫자이고 계산이라는 생각을 먼저 갖게 되기 쉽다. 문제를 파악하기도 전에 습관적으로 계산부터 하는 경향이 많다. 그러다보니 엉뚱한 답을 내놓기도 하고 문제를 통해 생각이 깊어질 기회를 잃는다.

그러므로 어느 정도 이해력이 생긴 뒤에 집중적으로 연산하는 것이 훨씬 효과적이다. 연산실력은 고학년이 되면 반드시 필요한 부분이다.

그러나 저학년부터 이것만 집중적으로 훈련하지는 말자. 정확한 계산연습도 물론 필요하지만 그보다는 개념을 파악하고 원리를 이해하고 문제를 생각해보는 기회를 더 많이 얻게 해야 한다. 연산실력이 떨어지는 아이는 한자릿수 계산부터 꼼꼼하게 다시 익히도록 한다. 두 자리, 세 자리, 네 자리 수 계산이란 것도 결국엔 한자릿수 셈의 연속일 뿐이다.

또 하나 수학에 자신 없어 하기 싫어하는 아이일수록 쉬운 문제부터 시작해서 자신감을 높여가는 것이 중요하다. 사고력을 길러준다고 어려운 문제를 주면 아이는 점점 수학을 싫어한다.

힘들어 할 때는 쉬운 문제집을 풀게 하는 식으로 아이가 수학에 대한 거부감과 두려움을 극복해 나가도록 하자.

왜 그렇게 생각하지?

2004년도에 발표된 한 통계조사에 따르면 초등 1학년 때에는 수학에 대한 선호도가 80%지만 초등학교 5학년이 되고 나면 선호도가 40%밖에 안 된다고 한다. 유아 때나 초등학교 입학 당시에 가졌던 수학에 대한 호감이 왜 이렇게 빨리 사라지는 것일까? 아마도 수학이라는 과목이 추상성을 갖고 있기 때문일 것이다.

사과, 배, 포도가 무엇이냐고 물으면 우리는 쉽게 머릿속에서 연상하고 각각의 특징을 설명할 수 있다. 사과, 배, 포도는 세상에 구체적으로 존재하는 사물이다. 그러나 이 모두를 가리켜 과일이라고 말할 때는 문제가 좀 달라진다. 과일이란 것은 세상에 따로 존재하지 않는다. 과일이란 사과, 배, 포도 등을 통칭해서 만든 추상적인 이름이다. 수학은 '과일'들의 세상이다.

숫자 1은 무엇을 의미하는가? 사과 하나, 사람 한 명, 손가락 하나를 '하나' 혹은 '1'이라고 하는 건 쉽게 알겠다. 그러나 숫자 1이 무엇인지 예를 들지 않고 설명하라고 하면 막막해진다. 수학은 그래서 기본적으로 쉽지 않다.

수학은 고도로 추상적인 언어이다. 언어이기 때문에 언어학습에 적용되는 학습원리가 수학학습에도 그대로 적용된다. 보통 언어를 배울 때는 듣기, 말하기, 읽기, 쓰기를 통해 학습한다. 수학도 예외가 아니다. 듣기는 소리로 들려주는 수학 문제를 제대로 이해하는지, 말하기는 이해한 바를 제대로 표현하는지, 읽기는 문자로 주어진 것을 정확히 읽고 이해했는지, 쓰기는 문제풀이를 제대로 해 나가는지와 적절한 속도로 숫자와 문자들을 써 나가는 것과 관련이 있다.

언어학습에서는 이해를 가늠하는 중요한 행동으로 말하기가 있다. 제대로 이해하지 못한 개념은 표현이 아예 안 되거나 서툴어진다. 흔히 수학학습을 할 때 쓰기만 하는 경향이 있다. 수학을 말로 표현하도록 해보자. 연산이건 개념이건 실력이 쑥 향상될 것이다.

어려운 수학문제를 앞에 놓고 아이가 묻는다. 이럴 때 엄마는 어디까지 힌트를 주어야 할까? 보통은 엄마가 문제를 이해하고 아이에게 쉽게 설명해주는 방법을 많이 쓴다. 수학 칼럼니스트 강미선 씨는 다소 시간이 걸리더라도 아이가 문제 자체를 이해하는 과정을 기다려줄 것을 권하고 있다. 문제가 요구하는 것이 빼기인지 더하기인지 곱하기인지, 정확하게 파악하는 과정이 중요하다는 것이다. 이 일은 물론 아이 스스로 해야 한다. 엄마가 도울 수 있는 것은 그저 기다리고 옆에서 지켜봐 주는 것이다. 그러다 아이가 샛길로 나가면 "왜 그렇게 생각하지?" 하고 물어봄으로써 저만큼 다시 벗어난 길을 돌아오게 하는 일!

우리 아이는 아직 저학년이다. 점수에 연연해 하지 말고 아이 스스로 문제를 해결하는 능력을 키우는 시기를 만들어주자. 지금 이 일을 충실하게 하지 않으면 중학교, 고등학교 가서 수학 때문에 울거나 포기하기 쉽다.

실패하기 쉬운 수학학습 스케줄

- 유아 때부터 반복 연습
- 초등학교 3, 4학년쯤 되면 계속 밀어붙여 반복 연습 (또는) 수학을 포기하고 다른 과목에 신경 씀
- 초등학교 고학년이 되어 2년 이상 선행하며 문제 풀이에 집중(기본형 문제집보다는 경시대회용만 선택)

성공하는 수학학습 스케줄

- 유아기를 포함해서 초등학교 저학년까지: 한 가지 개념이라도 꼼꼼하게 파악하기(개념 중심 학습)
- 초등학교 고학년까지 : 기본적인 사칙연산에 능숙하기(계산 연습)

EBS 60분 부모 06

조금씩 꾸준히 규칙적으로 공부하는 습관을 들이자

저학년 때는 실컷 놀게 하고 4학년 올라가면 공부시켜야겠다고 생각하는 엄마들이 많다. 그런데 막상 4학년이 돼서 공부를 시키려고 하면 쉽지 않다. 공부습관이 전혀 잡히지 않았기 때문이다. 이제까지 말고삐만 잡고 있으라고 했다가 갑자기 말에 올라타서 달려나가라고 하는 것과 같다고나 할까.

교과 과정도 4학년부터는 부쩍 어려워진다.

아이 입장에서 보면 이제까진 키가 엇비슷한 망아지였는데 갑자기 훌쩍 큰 말이 '내가 네 교과서야.' 하고 다가서는 것과도 같다. 그럴까 봐 미리미리 유아 때부터 학습지 시키고 이런저런 공부시켰다는 엄마들, 하지만 이런 엄마들은 위험하다.

유아는 놀면서 세상을 재미있게 배워나가야 한다. 문자나 숫자에 얽매이는 공부를 미리, 많이 시키면 초등학교 저학년까지는 엄마 말이 무서워 곧잘 따라오는 척한다. 하지만, 막상 고학년이 되면 공부 의욕을 잃게 되어 시켜야만 억지로 하는 아이가 되기 쉽다.

초등학교 공부습관 들이기는 늦어서도 곤란하고, 너무 이르면 더 곤란하다.

공부는 초등학교 저학년 시기, 1학년 2학기나 2학년 1학기쯤부터 조금씩 규칙적으로 시작하게 하자. 1학년에 들어가면 처음 겪는 단체생활 때문에 아이들이 긴장하고 피곤해한다. 1~2학년까지는 학교에서 받아오는 숙제를 비롯한 일기 쓰기, 수 개념 익히기, 재미있는 책 읽고 이야기하기 등 기초학력을 쌓는 정도로만 공부습관을 들여 준다.

그러다 3학년 들어서면서 서서히 '매일 공부'를 시작하자. 매일 공부라고 해서 본격적으로 머리 싸매고 달려드는 공부라고 생각하지는 말자. 건강하게 살기 위해서 아침저녁으로 양치질하고, 정해진 시간에 일어나는 생활습관들이 필요하다. 그것처럼 교과서와 연계된 공부를 '나 혼자 곰곰이 생각하면서 익히는 과정'을 습관 들여 나간다고 생각하자.

하루에 얼마나 공부하나

매일 조금씩 공부하게 하라고 해서 아이를 붙잡아 두고 하루 2~3시간씩 시키라는 뜻은 아니다. 집중시간을 고려할 때 초등학교 1~2학년은 처음 20분에서 시작해서 차츰 30~40분 정도, 3~4학년부터는 1시간 정도, 중학생은 하루 1시간 30분 정도가 적당하다. 또 하루 공부시간으로 정해둔 30분~40분(3~4학년은 1시간)의 시간을 한 과목에만 투자하는 것은 능률적이지 않다. 두세 과목 정도를 돌아가면서 조금씩 익히게 하는 것이 좋다.

예를 들어 초등학교 3학년 학생의 매일 공부계획을 짜 보면 다음과 같다.

월-영어, 수학(+국어)
화-영어, 수학(+사회)
수-국어, 수학(+과학)
목-영어, 수학(+국어),
금-영어, 수학(+사회),
토-국어, 수학(+과학)
일-자유롭고 신나게 놀기

이런 식으로 주요과목은 매일 배치하고 나머지 과목들은 돌아가면서 공부하는 것이 전략적으로 좋다.

우리 아이는 영어, 수학학원을 일주일에 세 번 이상 보내니까, 그걸로 됐지 하는 때도 있다. 학원에 가서 하는 공부는 '배우는 공부'다. 배우는 시간만으로는 공부가 내 것이 되기 어렵다. 배운 것을 내 것으로 익히는 과정이 필요하다.

초등 3학년부터는 이렇게 배운 것을 '나 혼자 곰곰이 익히는 시간'을 확보해 주어야 한다. 그렇게 하려면 지나친 보습학원 순례는 시키지 말아야 한다. 학교에 가서 배우고, 보습학원에 가서 또 배우고, 그리고 나 혼자 익히고, 이렇게 많은 공부 부담을 저학년 아이가 견뎌낼 수 있을까? 이렇게 하면 공부는 썩 잘할지 몰라도 아이가 세상사는 게 재미없어진다. 동기가 점점 떨어진다. 저학년 때는 그럭저럭 잘하는 것 같더니만 고학년 올라가면서 점점 늘어지게 된다. 저학년 공부는 엄마가 교과서와 참고서를 충실하게 살펴봐도 핵심을 잡아줄 수 있다. 그러니 〈학교 수업에 충실하기〉를 도와주고 아이에게 모자라거나 보충할 부분은 집에서 엄마가 도와주는 것이 좋겠다.

숙제가 유난히 많은 날은 어떻게 할까? 이런 날은 따로 공부를 시키기보다 숙제를 진득하게 하면서 숙제를 통한 공부를 하게 하는 것이 좋겠다.

주말에는 반드시 자유롭게 숨 쉴 틈을 주자.

학습지 공부할 때 주의할 점

'매일 조금씩 규칙적으로 공부하는 것이 중요해서 학습지를 시킨다.'라고 말하는 엄마들이 있다. 학습지는 잘 활용하면 규칙적인 공부에 도움된다.

단, 학습지 공부를 시킬 땐 주의할 점이 있다. 학습지, 특히 날짜가 정해져 있는 학습지는 하루만 밀려도 좌절감을 주고 죄책감이 들게 할 수 있다는 점을 유의하자.

아이는 아직 저학년이다. 실수할 수도 있고 계획대로 잘 안 될 가능성도 많은 나이다. 이럴 때 계획을 수정하면서 가야 하는데 날짜가 정해져 있는 학습지는 6월호를 6월에 끝내지 못하면 7월이 되어서 6월호는 지난 것으로 생각하고 안 하게 되는 경우가 대부분이다. 혹은 7월인데 6월호를 하고 있으면 왠지 밀린 걸 하고 있다는 생각에 학습 동기도 떨어질 수 있다. 학습지는 일정기간 동안 일정분량을 끝내야 하기 때문에 조금이라도 기간을 맞추지 못하면 부모 자녀 간에 밀린 학습지 때문에 갈등이 생긴다.

상담을 하다 보면 학습지로 인한 부모-자녀 간 갈등이 집집마다 넘쳐나는 것을 보게 된다. 이런 갈등을 겪는 집이 한두 집이 아니다. 학습지는 수동적으로 공부계획을 따르게 하는 것이기 때문이다. 때에 따라서는 학습 분량과 속도에 차이를 둘 수도 있어야 하는데 학습지 공부로는 이런 중간 수정이 어렵다. 물론 학습지를 잘만 활용하면 적은 비용으로 스스로 공부하는데 도움이 될 수도 있다. 그러나 부모와 자녀가 충분히 대화를 나눠서 해나갈 일이지 부모 일방적으로 지시하고 밀어붙일 일은 아니다.

공부습관을 들여 나가기

하루 30분 매일 공부를 하기로 약속했으면, 엄마가 일방적으로 시간을 정하지 말고 아이에게 먼저 물어보자. “어느 시간에 공부하면 좋을까?”

1~2학년일 때는 방과 후 집에 돌아와서 잠자리에 들 때까지 자신의 하루 시간이 어떻게 돌아가는지 가늠이 잘 안 되는 아이들이 많다. 태권도나 미술, 피아노 등 예체능 교육을 받거나 방과 후 특기적성 수업을 듣는 날도 있기 때문에 어느 시간에 공부하면 좋을지 미리 얘기를 나눠서 간략한 시간 계획표를 만들어 붙여주자.

그러려면 평소 생활습관이 규칙적으로 잘 이루어져야 한다. 나가 놀아도 저녁 해가 지고 밥 먹기 전까지는 집에 돌아와야 한다는 등 생활규칙을 아이는 명심하고 있어야 한다. 이러한 규칙들 역시 부모가 일방적으로 정하기보다 아이와 서로 상의하면서 정해가야 한다.

저학년 시기에는 아이가 공부할 때, 부모가 그 옆에서 다른 일을 하면서 함께 있어주면 좋다. 그러면 아이 마음이 훨씬 더 안정된다. 이 시기에는 또 다양한 과외활동을 통해 자신의 취미와 소질을 확인해 볼 필요가 있다. 그러나 아이에게 너무 많은 활동을 시키지 말자. 다양한 호기심을 채우는 일도 물론 중요하지만 숨 고르며 쉬는 시간도 필요하다. 또 차분하게 혼자 공부하는 시간도 필요하다. 요즘 초등학생들은 너무 바쁘게 이것저것 하느라 쉬기는커녕 차분하게 혼자 공부하는 의미를 알기가 여간 어렵지 않다.

앞서 소개한 대로, 1~2학년에는 공부 저력을 쌓아주는 책읽기나 일기 쓰기 활동, 수학은 틈틈이 엄마랑 놀이처럼 재미있게 해 나가자.

3학년에 접어들면서 교과관련 공부를 하루 1시간 정도, 스스로 하도록 습관을 들여 나가자. 이렇게만 해도 초등학교 시절 동안 아이는 스스로 공부하는 습관의 기초를 차곡차곡 쌓아갈 수 있을 것이다.

분산학습과 집중학습

수학을 하루에 4시간 하는 것이 효과적일까? 하루에 한 시간씩 나흘 동안 하는 것이 효과적일까?

하루에 조금씩 며칠 동안 나누어 학습하는 것을 분산학습이라 하고 하루에 몽땅 다 학습하는 것을 집중학습이라고 한다. 공부한 절대시간이 같더라도 분산학습의 경우가 집중학습의 경우보다 학업성취도나 기억의 측면에서 월등하게 우수한 효과를 지닌다. 수학시험 공부를 하는데 하루에 몰아서 화끈하게 끝내고 일주일 동안 한 번도 보지 않다가 일주일 뒤에 공부한 내용을 많이 잊어버린 상태에서 또 한 번 공부하고 또 한참 뒤에 공부하는 식으로 하지 말고 하루, 혹은 이틀에 한 번씩 주기적으로 지속적으로 공부하는 것이 좋다. 또한, 하루에 수학공부만 하는 것보다는 수학과 영어, 영어 다음엔 다시 과학 하는 식으로 분산하도록 학습을 계획한다. 수학 다음에는 문학을, 문학 다음에는 영어를, 영어 다음에는 음악을 하는 식으로 공부를 시켜보자.

07 EBS 60분 부모

아이 마음 상하지 않고 격려하는 방법, 스티커!

별로 재미없는 것을 열심히 들여다봐야 하는 것(집중력)이 공부다. 하기 싫은데도 오래 참고 해야 하는 것(과제 인내력)이 공부다. 이렇게 재미도 없고 하기도 싫은 것을 억지로 하게 하려니 부모는 힘이 든다. 자꾸만 잔소리를 하게 되고 아이와 자주 부딪치게 된다.

이럴 때는 스티커 제도를 활용해 보자.

스티커 제도란 부모와 아이 사이에서 서로 약속한 일을 잘 지킬 때마다 칭찬의 의미로 한 장씩 붙여주고, 이것이 일정량 쌓이면 보상으로 선물을 주는 일을 말한다.

어떤 부모는, 아이가 당연히 할 일을 한 것인데 여기에 일일이 보상을 주면, 나중에는 보상이 없으면 안 움직이려고 하는 것 아니냐고 반문한다. 보상은 물론 '외적 동기'를 부여하는 일이다. 자신이 원해서 하기보다 스티커를 통한 선물을 받으려고 오직 그 일을 하기 때문에 스스로 우러나와서 하는 '내적 동기'와는 거리가 있다.

스티커 제도는 처음에는 어떤 일을 외적 동기로 시작하게 하지만 차츰 내적 동기로 변화시키는 작용을 한다. 어떻게 그런 일이 가능할까?

예를 들어 공부하기 싫어하는 아이에게 매일 조금씩 규칙적으로 정해진 분량의 공부를 하면 스티커를 주기로 했다고 치자. 처음엔 스티커 받을 욕심에 아이는 억지로 책상 앞에 앉는다. 그런데 약속된 시간에 책상 앞에 앉다 보니까, 공부하면서 아는 것이 차츰 많아져서 전처럼 공부가 어렵고 재미없지만은 않게 된다. 게다가 약속을 잘 지킨다고 엄마한테 칭찬도 받게 된다. 외적 동기로 시작된 일이 슬그머니 내적 동기로 전환되는 과정이 일어난다. 스티커가 바로 그런 역할을 하게 되는 것이다.

스티커를 확실하게 모셔라

스티커 제도를 시행할 때는 다음을 주의해야 한다. 잘못하면 실패한다.

①성의없이 스티커 주기

엄마들이 스티커 제도에서 실패하는 이유 중의 하나가 바로 아이가 지킨 약속을 직접 확인해보지 않고 건성으로 알아보고 주는 일이다. "했니?" "네가 가서 붙여." 이렇게 성의없이 대하면 아이도 스티커의 의미를 과소평가할 수 있다. 아이가 약속을 지키면 반드시 꼼꼼하게 확인을 하고, 스티커를 붙일 때에도 옆에서 "와, 정말 잘했다." 칭찬해주고 격려해주자. 이래야 스티커 제도가 제대로 효과를 발휘할 수 있다.

②스티커 남발하기

약속한 일에만 정확한 양을 주어야 하는데, 아이 성화에 못 이겨 대충 한 일에도 스티커를 주는 부모가 있다. 스티커는 좋은 버릇, 긍정적인 행동을 강화시켜 나간다는 의미이다. 이렇게 대충 주면 대충 하는 아이가 된다. 외적 동기가 내적 동기로 변환되는 일을 기대하기 어렵다.

③부실 체크

스티커는 그날그날 바로 즉석에서 확인하고 주어야 한다. 일주일 어치를 몰았다가 나중에 한꺼번에 주거나 '3번에 1번'식으로 늘였다 줄였다 하거나 중간마다 한 번씩만 확인하고 주면 아이는 김이 샌다.

④보상 미리 주기

스티커를 30장 모으면 선물을 주기로 했는데, 20장쯤 모았을 때 미리 주는 일도 금물이다. 선물은 반드시 정해진 스티커 양을 모았을 때 준다.

초등학교 1학년의 경우엔 일주일 단위가 적절하고, 2, 3학년은 때에 따라 한 달 정도씩 약속 기한마다 선물을 받을 수 있도록 목표 스티커 양을 정할 수도 있다. 그러나 이 경우에도 일주일 단위로 작은 선물을 주어, 아이가 보상을 기다리는 것이 지루하지 않도록 배려해 준다. 스티커 보상 기한이 너무 길어지면 실패하기 쉽다.

동네 중국집이나 피자집 치킨집 등에서 스티커를 줄 때를 보라! 대부분 10장 모으면 1회 서비스인 경우가 많다. 100장 모으면 1회 보상한다는 집은 거의 없다. 기다림은 성인에게도 힘든 일, 초등학교 저학년일 경우에는 더 말해 무엇 할까?

초등학교 1학년에서 3학년 사이가 일생에서 아이가 부모 말을 가장 잘 듣는 시기 중의 하나라고 해도 과언이 아니다.

이 시기의 아이는 인정욕구가 생기면서 가능한 부모에게 인정받고 싶어 하고 부모 마음을 크게 상하게 하고 싶어 하지 않는다. 부모 입장에서는 자칫하면 너무 부모 마음대로 아이를 좌지우지할 우려도 있는 시기다.

초등학교 저학년 시기는 또, 유아적인 욕구와 부모 인정을 받고 싶은 자기 절제력 사이에서 오락가락하는 시기이기도 하다. 어제는 잘했던 행동도 오늘은 미루고 안 하려고 꾀를 부리기도 한다. 힘들지만 유익한 것이니까 참고 해야지 하는 생각은 고학년이 되어서야 가능하다. 아직은 그게 잘 안 되는 시기다. 그런 아이를 혼내고 잔소리 하다 보면 자긍심이 떨어지기 쉽다. 난 안 되는 아이라고 지레 생각하기 쉽다. 그러므로 이 시기에는 잔소리나 꾸중보다는 스티커 제도를 적절하게 활용해서 아이로 하여금 긍정적인 행동과 습관들을 많이 익힐 수 있게 해주자.

외적 동기를 내적 동기로 변환시키는 스티커 활용법

매번 스티커를 받고자 무언가를 하는 아이는 스티커라는 외적 동기가 없으면 행동을 하지 않는다. 스티커가 없어도 스스로 알아서 행동하도록 하려면 부모는 스티커를 어떻게 활용해야 하는가?

강화의 비율 늘이기라는 기법을 사용하도록 해보자. 이 방법은 처음에는 행동마다 스티커를 주다가 어느 정도 행동이 확립되었다 싶으면 이번에는 두 번 행동할 때마다 하나의 스티커를 주는 식으로 약속을 변경한다. 계속해서 5번 행동에 스티커 하나. 스티커 모으는 재미를 위해서는 작은 크기의 스티커가 5개 모이면 큰 크기의 스티커 하나를 주어도 된다. 이후에는 10번 행동에 하나의 스티커. 실제로 심리학 실험에서 미국의 한 대학생은 하나의 스티커를 얻으려고 11시간 동안 8,000번의 행동을 하기도 했다. 이렇게 스티커를 듬성듬성 성기게 주어도 행동이 지속되는 현상을 '간헐적 강화 효과' 라고 부른다. 결국에는 스티커가 없어도 행동을 지속하게 된다. 내적 동기가 생긴 것으로 보이지 않는가!

08 EBS 60분 부모

잔소리 대신 행동계약서를 쓰자

초등학교 3학년 승환이는 목욕탕에 한 번 들어가면 최소한 30분은 걸린다. 목욕탕에서 물놀이하는지, 책을 보는지, 자는지, 한 번 들어갔다 하면 온 가족이 성화를 부려야 간신히 나오곤 한다. 엄마가 타일러도 보고 혼을 내봐도 소용없다. 급기야 엄마는 목욕탕 앞은 물론이고 집안 구석구석 아이 눈에 띄는 곳마다 포스트잇을 붙여놓았다. '목욕탕에 들어가서 빨리 안 나오면 벌금 천 원.' 하지만 아이의 행동은 좀처럼 고쳐지지 않았다. 늘어나는 건 엄마 잔소리와 신경질적으로 온 집안에 잔뜩 늘어가는 노란 포스트잇 뿐.

어떻게 해야 승환이의 행동이 고쳐질 수 있을까?

아이의 자존심을 존중하는 서약서, 행동계약서

엄마의 잔소리와 경고문이 아이의 행동을 변화시키지 못한다면 잔소리와 경고문은 소귀에 경 읽기, 즉 효과가 없는 것이다.

이럴 땐 행동계약서를 쓰는 것도 한 방법이다. 아이가 특정한 행동을 자꾸

어기거나 잘 못했을 때, 약속을 한다. 그 약속을 문서화시켜 놓고 엄마와 아이가 서로 사인을 해놓으면 약속을 가시화시킨 것이기 때문에 더 확실하고 구체적으로 할 수 있다. 행동계약서에 서명하는 것은 일종의 선거공약과도 같은 효과를 내기 때문에 행동계약을 더 열심히 지키도록 하는 효과가 있다.

약속한 것을 잘 지키지 못할 때 계약서를 같이 읽어봄으로써 아이와 실랑이를 덜 하면서 아이가 약속을 지키도록 지도할 수 있다. 한꺼번에 너무 많은 것을 계약하면 지키기 어려워지고 스트레스만 크게 받을 수 있으므로 처음에는 1~2가지부터 시작하여 점차 늘려나간다. 행동계약서는 또 스티커 제도를 병행해서 기대효과를 늘릴 수 있다. 행동계약서를 쓰는 요령은 다음과 같다.

보기 1) 휴대전화 사용과 관련해서 갈등이 있었던 경우

행동계약서

● 잠자리에 들기 전에 전원을 끈 상태로 휴대전화를 안방에 가져다 놓는다.

* 위 사항을 지킬 때마다 스티커 1개를 받고 스티커 7개를 모을 때마다 칭찬선물을 하나씩 받을 수 있다.

2007년 월 일

엄마 (인) 자녀 (인)

보기 2) 숙제를 안 해서 계약서를 쓴 경우

행동계약서

- 내가 정한 시간에 숙제를 시작한다.
- 학교숙제를 먼저 시작하고 학습계획을 실천한다.
- 숙제를 마치지 않으면 친구와 놀기, 책보기, TV 보기, 게임을 하기 등 놀이 활동을 할 수 없다.

* 위 사항을 지킬 때마다 스티커 1개를 받고 스티커 7개를 모을 때마다 칭찬선물을 하나씩 받을 수 있다.

2007년 월 일

엄마 (인) 자녀 (인)

보기 3) 다음과 같은 행동계약서는 실패하기 쉽다. 이런 행동계약서는 공부 내용이 구체적으로 정해져 있지 않기 때문에 서로 실천 여부를 놓고 실랑이가 벌어질 수 있으므로 실패할 가능성이 크다.

행동계약서

- 매일 1시간씩 공부한다.

* 위 사항을 지킬 때마다 스티커 1개를 받고 스티커 7개를 모을 때마다 칭찬선물을 하나씩 받을 수 있다.

2007년 월 일

엄마 (인) 자녀 (인)

보기 4) 다음은 '스스로 공부'와 관련해서 행동계약서를 썼지만 실패한 경우이다. 계약서는 잘 썼지만 엄마가 제대로 확인을 하지 않고 스티커를 규칙적으로 주지 않았기 때문에 실패했다.

행동계약서

● 매일 사회, 과학 문제집 한 페이지의 내용을 공책에 옮겨 적는다.

* 위 사항을 지킬 때마다 스티커 1개를 받고 스티커 7개를 모을 때마다 칭찬선물을 하나씩 받을 수 있다.

2007년 월 일

엄마 (인) 자녀 (인)

"성공처럼 좋은 것은 없다."라는 격언이 있다. 어떤 행동에서 성공경험을 많이 쌓고 그 경험에 적절한 보상이 따른다면 그 행동의 강도를 증가시키거나 유지할 수 있다. 보상은 인정, 돈, 칭찬, 선물, 특정한 일에 대한 허락 등 아이가 원하는 것을 준다. 세상에서 가장 힘이 빠지는 보상이 부모가 마음대로 판단해서 주는 보상이다. 아이가 원하는 보상이 무엇인지를 잘 파악하여 주는 것이 중요하다. 아이들은 고가의 학용품보다는 한 장의 만화 스티커를 얻으려고 맹렬히 계약을 지키려고 한다는 것을 유념해야 한다. 주의할 것은, 약속한 목표를 이루기 전에는 '칭찬선물'을 얻을 수 없도록 해야 한다는 점이다.

일반적으로, 약속을 잘 지키게 하려면 적은 양의 보상을 자주 주는 것이, 많은 양의 보상을 가끔 주는 것보다 훨씬 효과적이다. 그러므로 그날 그날 목표한 것을 이루면 스티커를 주고 목표스티커 개수를 모두 모으면 보상을 주도록 한다. 일주일 단위로 작은 선물을 주고 한 달 단위로 큰 선물을 주는 식으로 해서 보상을 받기까지 기다리는 시간이 너무 길지 않도록 해야 한다.

단 하나의 선물을 얻으려고 몇 백 번의 행동을 할 수 있도록 한다면 얼마나 좋을까? 이렇게 성기게 선물을 주어도 계속해서 행동하는 것이 가능할까? 당연히 가능하다. 선물 받는 기간을 점점 더 늘여가는 것을 비율 늘이기라고 부른다. 아이들의 좋은 습관도 마찬가지이다. 처음에는 매번 칭찬이나 보상을 주지만 차차 성기게 보상을 주는 기간을 늘여간다. 이때 서서히 비율을 늘이는 것이 매우 중요하다. 갑자기 너무 많이 늘이면 아예 보상을 포기해버리는 비율 긴장이 발생한다.

보상을 줄 때는 반드시 보상을 주면서 칭찬을 해 주어야 한다. 보상물과 칭찬이 짝을 지어지면서 기분 좋은 상태가 되어야 특정한 행동을 하기 위한 동기가 유지되고, 그래야 나중에는 보상물을 주지 않고도 칭찬으로 특정 행동을 유지하게 하는 효과가 있기 때문이다.

우울한 아이들은 스티커 제도가 잘 안 되는 경향이 있다!

우울한 아이들은 행동을 수정하려고 쓸 수 있는 에너지가 거의 없어서 스티커 제도가 효과적이지 않을 때가 잦다. 우울할 때는 재밌는 것도 없고, 하고 싶은 것도 없고, 가지고 싶은 것도 별로 없는 경우가 대부분이다. 스티커 제도를 먼저 활용하기 전에 몸을 많이 움직여서 기분을 좋게 만들고 의욕이 생기도록 하자. 그런 다음 스티커 제도를 활용하는 것이 효과적이다.

EBS 60분 부모 09

학습준비물과 과제 해결하기는 초등 저학년 공부의 반!

초등학교 수업 방식이 바뀌었다.

부모들의 초등 시절과는 달리, 요즘 아이들은 4명씩 모둠을 이루어서 같이 토론하고 같이 만들고 상의하는 수업 진행이 많다. 학습준비물을 잘 챙기도록 해주고 숙제를 격려해주는 일은 부모가 수업을 지원하는 가장 확실한 방법이다. 부모가 학습준비물과 숙제에 관심이 있고 돌보아 주면 아이는 우리 부모가 수업을 존중하고 있다고 생각하게 된다.

사실 학교 수업은 실제로도 의미 있고 중요한 일이다. 수업 중에 집중을 안 한다든지, 예습이나 복습 없이 그럭저럭 학년을 올라가는 아이, 심지어는 학교 수업 빠지는 걸 대수롭지 않게 생각하는 아이, 다시 말해 학교공부를 우습게 아는 아이는 학년이 올라갈수록 공부를 못할 가능성이 크다.

그러므로 부모는 학교공부를 아이 공부의 중심에 놓고 학교공부가 아주 중요하다는 인상을 자녀에게 주도록 노력해야 한다. 구체적으로 어떻게 하면 좋을까?

① 준비물 수납장 만들어주기

학교 준비물은 수업에 집중할 수 있는가를 결정하는 주요 변수이다. 준비물을 잘 챙겨가지 않으면 선생님으로부터 지적을 받게 되고 수업에 대한 자신감이 저하된다. 초등 저학년에서는 무엇보다 자신감이 중요하다. 그러므로 집안에 준비물 준비를 위한 시스템을 구축하자. 작은 수납장을 마련해 주어서 1층에는 크레용, 그림물감 등 미술 준비물, 2층에는 악기를 포함한 음악 준비물, 3층에는 가위, 풀, 자 등 문방용품, 4층에는 연필, 지우개 등의 필기구 등을 분류해서 보관해준다. 그리고 필요할 때마다 스스로 챙겨가도록 한다. 준비물 한 번 챙길 때마다 온 집안을 뒤지고 엄마와 실랑이 벌이는 일이 없도록 자신의 물건은 항상 제자리에 분류해 놓고 챙길 수 있도록 기틀을 마련해 주자.

② 해야 할 과제를 상징화해서 눈에 띄는 곳에 걸어놓기

벽의 왼쪽에는 과제 수행 전, 오른쪽은 과제 수행 후로 구분할 수 있도록 링을 걸 수 있는 자리 두 개를 만들어주자. 아이가 하루 동안 해야 할 일을 색종이에 각각 적어서 코팅카드를 만들어준다. 예를 들어 학교숙제-빨간색, 일기-파란색, 준비물 챙기기-노란색, 책가방 챙기기-초록색 등으로 색을 구분해서 글씨를 적어 넣고 코팅하여 예쁜 카드들을 만들어준다.

아이가 학교에서 돌아오면 모든 카드는 왼쪽(과제 수행 전) 자리에 걸려있다. 하나씩 과제를 마칠 때마다 스스로 카드를 오른쪽 자리로 옮기도록 한다, 잠자기 전에 왼쪽에 걸려있는 카드가 하나도 없으면 칭찬스티커를 준다.

이런 일을 하는 목적은 스스로 준비물과 과제를 챙기는 습관을 만들기 위해서다. 저학년 아이는 자신이 해야 할 일을 자주 잊어버리게 되고 그래서 엄마의 잔소리도 끝없이 따라다닐 수밖에 없다. 그런데 이렇게 말로 부딪치다 보면 관계만 나빠지고 아이 자존심도 손상된다. 그러므로 이런 식으로 과제를 체계화해서 자신이 눈으로 보면서 과제를 해결하도록 하자. 이렇게 하면 무엇보다 자기 관리와 시간 관리의 습관을 들일 수 있어 좋다. 사실 이렇게 자기 할 일을

책임 있게 마치는 습관만 잡혀도 초등 학습지도의 반은 해결된 셈이다.

이런 습관이 착실하게 쌓여나가면 중고등학생이 되어서도 적절한 학습습관으로 이어질 수 있기 때문이다.

교사에게 불만이 있어도 수업은 존중하자

간혹 담임교사가 맘에 들지 않는다는 이유로 학교와 수업까지 더불어 적대시하는 부모도 있다. 교사의 교육방침이 불만이거나 과제물이 아이 수준에 맞지 않게 너무 어려워 '뭐 이런 숙제를 다 내주나?' 싶은 마음이 들어도 속마음을 아이 앞에서 내보이지 않는 것이 좋다. 아이가 여전히 학교와 수업과 교사를 존중하는 마음을 갖도록 하는 것이 아이를 위해서 좋다.

엄마와 담임교사와의 불화 때문에 아이가 피해를 보게 하지 말자.

교육에 헌신적이고 열성적인 엄마일수록 교사에 대한 기대가 높다. 그러다 보면 학급 교육방침과 가르치는 자세 등에 대해 불만이 생길 수도 있다. 그러나 무엇보다 중요한 것은 아이가 담임교사를 존중할 수 있도록 아이 앞에선 교사에 대한 불만을 드러내지 않는다는 점이다.

아이가 공부를 좋아하고 좋은 성적을 받으려고 노력하게 하려면 담임선생님을 좋아하게 해야 한다. 비록 교사에게 실수가 있다 해도 아이 앞에서는 선생님에 대한 부정적인 말을 하지 말자. 선생님이 잘하시는 점과 노력하시는 점을, 존경하는 모습을 자녀에게 될 수 있으면 많이 보여주자.

물론 심한 신체적, 정신적 체벌을 한다든지 비리가 있는 교사, 일부 부적격 교사의 경우라면 이야기는 달라진다. 그런 교사를 존경하기란 쉽지 않다. 다만, 그럴 때라도 아이 앞에서는 교사에 대한 부정적인 감정을 최대한 드러내지 말도록 노력하자. 그럴 때는 교사에 대한 언급 자체를 아예 안 하고 침묵하는 것도 한 방법이다.

엄마와 교사가 불화를 겪게 되면 제일 큰 피해는 아이에게 돌아간다.

학교와 수업을 존중하려면 부모는 기본적으로 다음 사항을 잘 생각해보아야 한다.

_선생님을 판단할 때 한두 가지 사례만 가지고 속단하지 말자.

직접 만나 대화도 해보고 수업참관도 빠지지 말고 들어가 보고 여러 가지 정황을 고려하면서 시간적인 여유를 갖고서 교사의 교육관을 알아보도록 한다.

_교육제도와 학교 방침에 대해 관심을 두고 다른 학부모들과도 협조하면서 어울린다.

담임교사가 1년 동안 가장 중요하게 생각하는 규칙이 무엇인지도 알아보고 최대한 협조하자. 또 우리 아이 학급의 부모 10명 정도 하고는 최소한 눈인사라도 나누면서 서로 알고 지내자.

_학교에서 오는 통신문을 빠트리지 않고 챙긴다. 학교 돌아가는 것에 관심을 두자.

부모인 내가 중요하다고 생각하는 점을 담임교사는 대수롭지 않게 여기는 것 같으면 솔직하게 의견을 말하고 교사의 의견을 경청해본다. '우리 아이가 그러는데'로 시작하는 말, '우리 아이는 이러이러한 단점이 있습니다.'라는 말은 두 가지 다 사려 깊게 해야 할 말이다. 자칫하면 교사에게 잘못된 선입견을 심어줄 수 있기 때문이다.

완벽한 부모가 없듯이 완벽한 교사는 없다. 심한 경우가 아니라면 아이는 이런저런 교사를 거치면서 성숙해져 간다고 생각하자.

사실 초등 시절, 아이 교육은 가정에서 60~70%, 학교에서 30~40%가 이루어진다 해도 과언이 아니다. 그러니 교사에게 불만을 품고 학교를 적대시하는 일은 지나친 에너지 낭비다. 학교와 교사에게 부정적인 관심을 두기보다 긍정적인 관심을 두자.

아이가 선생님을 흉볼 때는 어떻게 해야 할까요?

선생님 흉을 본다고 아이를 단속만 하기보다는 선생님 흉을 보는 아이의 감정을 수용해준다. "○○가 선생님 때문에 속상했나 보구나." "선생님이 그렇게 행동하셔서 많이 억울했겠구나." 정서를 인정해주고 난 다음, 왜 선생님이 그런 행동을 하셨을까를 말로 표현하도록 한다. 이때는 역할놀이를 하는 것도 좋다. 역할놀이는 감정을 분출하고 상대방을 이해하기 위한 훌륭한 방법이다. 또한, 대화를 통해 아이가 보는 면뿐만 아니라 다른 측면도 있을 수 있다는 것을 알려주어 한 상황에 다양한 해석과 원인이 있을 수 있음을 인식시켜준다. 이 단계에서만도 아이들의 응어리진 마음은 상당히 많이 풀린다. 아직도 아이가 억울해 한다면, 아이가 선생님께 편지를 쓰거나 이메일을 보내도록 해보자. 이때 배경설명을 위한 엄마의 전화 한 통이 함께 한다면 아이와 선생님 그리고 학부모를 모두 포함하는 교육의 황금 삼각형 효과를 볼 수 있을 것이다.

10 EBS 60분 부모

학습의 터닝 포인트 초등 3학년

초등학교 입학할 무렵부터 공부 방법에 관심이 많았던 종훈이 엄마! 그렇다고 해서 처음부터 아이에게 교과공부 부담을 강요하진 않았다. 저학년 동안 종훈이 엄마의 원칙은

첫째, 박물관이나 미술관, 각종 문화 공연과 현장체험 등 볼거리와 들을거리를 충분하게 채워준다. 그리고 책읽기, 셈하기, 일기 쓰기를 각각 일주일에 2~3회 한다.

둘째, 학교 숙제나 간혹 교과관련 공부를 할 때, 종훈이의 특성을 잘 살피면서 장단점, 공부와 관련된 행동을 꼼꼼하게 기록한다.

셋째, 평소 주변 학부모들과 교류하면서 다른 사례들을 잘 관찰하고 종훈이가 다른 아이들과 다른 점이 무엇인지를 생각해둔다.

이렇게 2년을 보낸 후, 어느덧 종훈이가 3학년이 되었다. 종훈이 엄마는 초등 4학년에 학습이 잘 이뤄지려면 3학년부터 준비기간을 가져야 한다는 생각을 했다. 그동안 교과공부에 대해 크게 부담을 주지는 않았지만 3학년이 된 이상, 지금부터는 몇 가지 공부 방법들을 적용해보기로 했다. 종훈이 엄마가 3학년 아이에게 시도해보기로 한 공부 방법은 무엇일까?

첫째, 오답노트를 만들어보게 한다. 정식으로 오답노트를 만들게 하면 아이가 어려워할 수도 있으므로 3학년 때는 간단한 시도만 한다. 즉 노트에 틀린 문제를 적고 다시 풀어보는 정도로 단순한 오답노트를 만들어 보게 한다.

둘째, 교과서를 읽을 때에는 그냥 읽게 하기보다 〈효과적인 읽기전략〉을 조금씩 적용해 보도록 한다.

셋째, 수학 문장제 문제를 풀 때엔, 단순히 식과 답을 쓰기보다는 문제 풀이와 분석을 한다. 문제의 뜻을 조목조목 항목별로 적어보게 하고 모르는 말이 나오면 잘 설명해주는 방법으로 하루에 한 문제 정도만 꾸준히 연습해 나간다.

엄마는 종훈이에게 공부 방법들을 하나씩 가르쳐주기 시작했고, 종훈이도 이렇게 하니까 공부가 잘된다, 저렇게 하니까 공부가 잘 안 된다 하면서 자신의 공부 스타일을 조금씩 알아가기 시작했다. 종훈이는 그 후 어떻게 됐을까?

초등 4학년이 되면서 아이는 조금씩 배워온 공부 방법에 익숙해져 가는 모습을 보였다. 어려워진 교과공부에도 별로 당황하지 않으면서 잘 소화해내는 모습을 보였다. 4학년이 끝날 무렵, 종훈이는 자신만의 공부리듬을 타기 시작했고 5학년이 된 지금 자신에게 맞는 공부 방법을 계속 익혀나가면서 상위권 성적도 놓치지 않고 있다. 중요한 것은 종훈이가 공부를 그다지 어려워하지도 않고 지겨워하지도 않으면서 '해볼 만한 것'이란 생각을 하게 되었다는 점이다. 초등 3학년 동안 공부를 너무 과하지도 않게, 그렇다고 해서 부족하지도 않게 잘해낸 덕분이었다.

초등 3학년! 이 시기는 기초학습 기능이 완성되는 시점이다.

1, 2학년 때만 해도 여전히 어수룩하고 어설퍼 보였던 아이가 3학년이 되면 제법 야무진 생각을 말하고 똑똑한 모습을 보인다. 학년별 교과과정을 정할 때, 3학년에 사회과목과 과학과목이 추가되는 것도 괜히 그런 것이 아니다.

사실은 초등 3학년이 중요하다!

본격적인 교과공부는 사실 초등 4학년 때부터 시작해도 늦지 않다. 그러나 공부라는 것이 어느 날 갑자기 마음을 먹는다고 해서 술술 잘되는 것이 아니다. 자신에게 맞는 공부 방법을 찾으려면 여러 차례 시행착오를 겪어야 하고, 이런 방법 저런 방법을 적용해 보면서 과연 나에게 어떤 공부 방법이 맞는지를 탐색하는 기간이 필요하다. 그러므로 4학년이 시작되기 전에 나에게 맞는 공부 방법에 대한 탐색이 시작되어야 한다. 그런데도 초등 4학년이 중요하다는 인식 때문에 초등 3학년까지는 무조건 놀리거나 교과공부를 소홀히 하는 경우가 참 많다. 6학년 성진이가 바로 그런 경우였다.

성진이 엄마는 유아시절 한글도 일찍 익혔고 똘똘한 모습을 자주 보였던 아들이었기에 학교에 들어가면 잘하겠거니 하고 내심 기대가 많았었다. 그런데 막상 초등학교에 입학하고 보니 성진이는 공부에 큰 흥미를 나타내지 않았다. '때가 되면 잘하겠지. 공부는 4학년 때부터가 중요하다고 하니까 그전에는 그냥 하고 싶은 거 하게 해주자. 성진이가 머리는 좋으니까 마음만 먹으면 금방 교과공부를 잘할 수 있을 것이야.'라고 생각하면서 엄마는 교과공부에 큰 신경을 쓰지 않았다.

성진이가 4학년이 되고 나서 엄마는 이제 본격적으로 공부를 시켜야겠다고 생각하고 잘 가르친다는 학원, 과외 선생님을 알아보기 시작했다. 초등 4학년이 되니까 갑자기 마음이 급해진 성진이 엄마는 유명한 과외 선생님까지 수소

문해서 공부하도록 했지만 생각보다 성진이가 잘 따라주지 않았다. 마음이 급해진 엄마가 성진이에게 점점 부담을 주게 되자 성진이는 점점 더 엇나가기만 했다. 성진이는 교과내용 자체를 이해하지 못하는 것도 아니고 공부를 할 때 곧잘 집중도 하는 것 같았지만 꾸준히 공부가 이뤄지지 못하는 것이 문제였다.어려워지고 본격적으로 교과공부를 해야 하는 시점에 공부하는 습관이 잘 자리 잡지 못한 것이 결정적으로 방해되었던 것이다.

성진이는 해야 할 공부량이 많아지는 시점에, 공부습관이 전혀 자리 잡혀 있지 못한 상태에서 공부를 시작하려다 보니 힘만 들고, 그러면 그럴수록 공부가 더 재미가 없어져만 갔다. 그렇게 악순환의 시간이 흘러서 6학년이 된 성진이, 현재 중학교 입학을 앞두고 자신감은 자신감대로 없어지고 엄마와의 갈등도 심해질 대로 심해진 상태이다.

초등 3학년은 공부 워밍업 시기

교과공부에 대해 무방비 상태로 있다가, 또 공부습관도 전혀 들여져 있지 않다가 4학년이 되면서 갑자기 공부방법에 관심을 두고 학교공부를 본격적으로 하라고 하면 당연히 어려움이 따른다. 생각한 것처럼 공부가 잘되지 않기 때문에 부모 자녀 간에 교과공부를 둘러싸고 갈등이 심해지게 된다. 초등 3학년 무렵부터는 집중적이지는 않더라도 조금씩 본격적인 학습전략 습득을 시도해보면 좋겠다.

고학년이 되어서 〈본격적인 학습전략〉을 실천해야 하는데 3학년은 그것의 전 단계, 즉 준비체조를 하는 단계라고 생각하자.

〈본격적인 학습전략〉은 다음 장을 참고하자.

3장

EBS 60분 부모

초등학교 4~6학년을 위한 학습법

_페달 밟기 단계

EBS 60분 부모 01

공부를 아무리 시켜도 실력이 늘지 않는 이유

초등학교 4학년 준성이.

매일 아침 졸린 눈을 비비며 엄마가 정해준 대로 수학 학습지를 풀고 영어단어 10개를 암기한다. 준성이는 사실 아침 잠이 많은 편이다. 그런데도 아침공부를 시작하게 된 것은 엄마 때문이었다. 엄마가 얼마 전 동창회 모임을 나가더니 친구 아들이 학교 가기 전 아침시간을 잘 활용해서 성적이 올랐다는 이야기를 듣고 온 것이다.

준성이는 꾸벅꾸벅 졸면서 엄마가 시키는 대로 마지못해 연필을 들곤 한다.

하지만 생각을 많이 해야 풀리는 문제들은 무조건 모르는 문제들로 체크를 해놓고, 영어단어도 눈으로만 대충 훑어본 뒤에 학교로 가 버린다.

준성이가 그렇게 학교에 가고 난 후, 엄마는 준성이가 풀다가 놓고 간 학습지를 보면서 기가 막힐 따름이다.

그날 준성이는 설상가상으로 영어학원 테스트에서 형편없는 점수를 받아왔다. 대충 공부하는 준성이를 보면 엄마는 답답하기 그지없고, 준성이는 준성이대로 아침마다 선잠을 깨서 원치 않는 공부를 해야 하는 일이 짜증날 뿐이다.

이런 일이 준성이 집에서만 일어나는 일일까?

대한민국 초등학생들은 저학년 때부터 무언가를 늘 쉬지 않고 열심히 배운다. 그런데도 시키는 만큼 효과를 본다는 부모들을 만나기란 쉽지 않다. 그보다는 이것저것 시키는데 성적도 안 오르고 아이는 점점 책상 앞에 앉기 싫어해서 큰일이라는 부모의 하소연이 더 많이 들린다. 학년이 올라갈수록 차츰 실력이 좋아져야 할 텐데 반대로 공부를 싫어하고 공부에서 점점 멀어지는 경우, 부모들은 속이 탄다.

어떻게 해야 학년이 올라갈수록 실력이 좋아지는 아이로 키울 수 있을까?

첫째, 아이의 공부 저수지를 살펴보자.

초등 저학년 시기는 앞에서 밝혔듯이 공부 저력을 쌓아주어야 하는 시기이다. 하루 한 권 정도 꾸준한 책읽기를 통해 〈읽기〉 실력을 쌓고, 매일 매일 꾸준하게 일기 쓰기를 독려해서 〈쓰기〉 실력을 갈고 닦아 나가야 한다. 그리고 수와 양에 대한 개념을 확실하게 갖고 〈셈하기〉 기초가 탄탄하게 쌓여 있어야 한다. 이것저것 많이 시키는데 정작 공부는 늘지 않는다고 생각되면 자녀의 읽기, 쓰기, 셈하기의 기초가 탄탄한지 먼저 돌아보아야 한다.

공부 저력이라는 저수지에 읽기, 쓰기, 셈하기 물이 충분하게 채워져 있지 않으면, 말 그대로 밑천이 딸려서 공부를 해 나가기가 어렵다. 고학년이라 해도 이 부분이 안 되어 있다면 이제부터라도 시작하자.

둘째, 고학년이 되면 공부 방법을 배워야 한다.

고학년이 되면 과목 수도 늘어나고 저학년 때와 달리 추상적이고 논리적인 지식을 배우기 시작한다. 지식의 양이 늘어나고 수준도 높아지기 때문에 효과적으로 공부하는 방법을 배우지 않으면 그 많은 양과 높은 수준을 따라가기가 점점 어려워진다. 우리나라 아이들은 사교육을 많이 받고 있는데도 불구하고 뜻밖에 공부 방법을 모르는 경우가 많다. 아무리 학원을 많이 다녀도 학과목 내용을 가르쳐 줄 뿐, 공부 방법을 가르쳐 주지는 않는다. 가정에서도 마찬가지다. 부모 역시 학창시절에 공부 방법을 제대로 배워본 적이 없다. 그러니 중학생 고등학생이 되어도 공부 방법을 모르고 무작정 책만 들여다보는 학생들이 적지 않다. 마치 지도 없이 미지의 대륙을 탐험하고 있는 것과도 같다.

공부 방법과 기술들을 익혀놓으면 공부라는 미지의 영역을 일구어 나갈 때 맨손이 아니라 좋은 연장을 손에 쥐고 보다 유리하게 작업을 할 수 있다.

그런데 공부 방법을 모르면 남들이 좋다는 소위 '비법'에 솔깃해져서 점점 더 자신에게 맞는 자기주도적이고 효과적인 공부법과는 거리가 멀어지게 된다. 준성이 엄마처럼 아침에 30분씩 수학 문제를 푸니까 수학 실력이 좋아졌다는 누군가의 방법을 듣고 와서, 아침잠이 많은 아이에게 무작정 아침공부를 강요하면 아이는 공부를 더 싫어할 수도 있다. 방법과 수단만 좇다가 아이의 귀한 '동기' 마저 떨어뜨리게 되는 것이다.

공부를 어떻게 해야 효과적이고 효율적일까?

공부 방법과 기술은 단지 수험생들에게만 필요한 것은 아니다. 초등학교 고학년부터 아이가 이해하고 따라 할 수 있는 범위에서 차근차근 배워나가게 도와주자.

공부 방법과 기술을 익혀두면 읽기, 쓰기, 셈하기라는 저수지에서 효과적으로 물길을 내서 필요할 때 기본지식을 가져다 쓸 수 있게 되고, 또 새로운 다양한 지식을 효율적으로 다시 채워 넣을 수 있다. 공부 방법은 알고 보면 참 많다. 그중에서 초등 고학년 학생에게 필요한 공부 방법을 3장에서 제안해 놓았으니, 참고하기 바란다.

셋째, 아이에게 공부할 의욕과 동기가 있어야 한다.

흔히 말한다. 말을 연못까지 끌고 갈 수 있어도 강제로 물을 먹게 할 수 없다고. 초등학교 고학년이 되면 벌써 공부를 지겨워하고 힘겨워하는 아이들이 있다. 그

동안 올바른 방법으로 공부하지 않았거나, 혹은 저학년 시기부터 질리도록 공부를 많이 시킨 경우이다. 부모의 적절한 지원을 받으면서 조금씩 공부를 해온 아이라면 고학년이 되었을 때, 공부가 다소 힘들긴 해도 보람 있고 의미 있는 것이라고 생각할 수 있다. 그렇지 않다면 아이가 왜 불편한 심리를 가졌는지, 전문가의 도움을 받아서라도 원인을 파악하고 부모의 양육태도와 아이의 공부환경을 점검해서 잘못된 부분을 교정해주어야 한다. 이런 진단은 초등학교 때 하는 것이 중학교 고등학교 가서 뒤늦게 하는 것보다 훨씬 낫다.

꿈이 있고 목표가 있어야 동기도 생기고 공부할 의욕도 나는 법, 고학년이 되면 부모는 아이가 장차 하고 싶은 일이 무엇인지 왜 그것을 하려고 하는지, 어떻게 하면 그 일을 할 수 있을지 자주 이야기 나누고 꿈을 독려해주자. 꿈이 아이를 키운다. 아이를 어려운 공부 앞으로 바짝 끌어당기는 것, 그것이 바로 동기다.

아이의 꿈과 동기를 살펴주자.

넷째, 생각할 틈과 자기 스스로 관리할 시간을 주자.

방송에서 자기주도 학습법을 소개하면서 놀라웠던 것은, 전국의 수많은 초등학생에겐 도무지 자기주도라는 것을 할 시간이 없다는 점이다. 아침부터 잠들 때까지 아이들은 늘 뭔가를 배우러 다녀야 했다. 훈련받고 지도받고 교육받고 배우느라 아이들은 혼자서 곰곰이 생각이란 것을 해볼 틈과 여유조차 갖기 어려워 보였다.

실제로 대부분 초등학생들이 어떻게 공부하고 있는지 살펴보자. 자신이 그걸 왜 해야 하는지도 알지 못한 채 엄마가 하라는 대로, 가라는 대로 부지런히 시간 맞춰 과외, 학원에 쫓아 다닌다. 가서는 그냥 선생님의 강의를 듣는다. 모둠이나 시청각 교육방식으로 진행되는 교육도 있지만 대부분 강사의 가르침을 듣는 방식이 많다. 수업이 끝나고 나면 지친 마음으로 또 물어본다. '엄마 나 다음엔 뭐해?' 이렇게 타율적으로 끌려다니는 사교육을 받느라 놀 시간도 별로 없다. 아이들이 놀 때는 얼마나 자기주도적인가. 놀 때만 기가 살고 열심이라고 뭐라 할 일이 아니다. 놀 때라도 기가 살아나니 다행이라 생각해야 한다. 자기주도 학습은 스스로 뭔가를 할 줄 아는 힘이 있어야 시작할 수 있는 작업이다.

그런데 부모들은 자기주도할 시간은 하나도 주지 않고 스스로 공부하지 않는다고 나무란다. 부모와 아이 사이의 악순환이 이렇게 발생하기 시작하는 것이다.

초등 고학년이라면 혼자서 곰곰이 읽고 새기고 외우고 풀어보는 공부시간을 하루 1시간씩은 마련해주자. 아이가 만일 공부할 이유와 목적을 아는 아이라면 그래서 동기를 가진 아이라면 이런 시간이 더욱 필요하다. 아르키메데스는 잠시 쉬고 있는 도중에 갑자기 아하! 하면서 해결 방법을 떠올렸다. 유레카!

'잠시 쉬고' 있는 동안이라는 것이 매우 중요하다. 심리학에서는 이렇게 쉬는 동안을 '부화기'(incubation period)라고 부른다. 마치 달걀이 병아리가 되려면 암탉이 스무하루 동안 알을 품고 있어야만 하듯 생각도 품고 있어야 더 나은 생각으로 이어진다는 것이다.

우리 아이에게 생각할 틈과 여유를 줘보자. 저학년부터 부모가 관심을 두고 기본 생활습관과 자기 관리법 등을 가르쳐왔다면 아이는 이 틈과 여유를 분명히 의미 있게 써 낼 것이다.

열심히 배우러 다니고, 배운 것들이 부화할 틈도 채 갖지 못한 상태에서 또 무언가를 열심히 그려내야 하고 써내야 하고 뱉어내서 평가받아야 하는 숨 가쁜 롤러코스터 교육법에서 아이를 내려주자. 스스로 공부하다가 아하! 할 수 있는 경험이 많을수록 아이 머리도 더 많이 트인다. 과똑똑이가 아니라 행복한 진짜 똑똑이가 된다.

다섯째, 연습하고 노력할 줄 알아야 한다.

마지막으로 정말 중요한 이야기가 있다. 기초학력, 공부기술, 동기, 생각할 틈과 여유가 있어도 기본적으로 생활습관과 공부습관이 잡혀 있지 않으면 안 된다. 공부란 실천이 없으면 아무 소용없다. 공부 방법 다 알고 이루고 싶은 꿈이 있어도, 심지어는 내가 관리하고 주도할 시간을 가져도 움직이지 않고 실천하지 않으면 아무 소용없다.

연습과 노력을 할 줄 아는 아이로 키우자. 차 안에서 시동만 걸고 핸들만 돌리고 있으면 뭐하나? 액셀 밟고 출발도 하지 않는데.

최근, 아침에 일어나서 30분쯤 수학문제를 풀거나 영어단어를 외우는 초등학생들이 적지 않다. 또 학교를 마치고 돌아오면 수학, 영어학원을 비롯한 각종 보습학원과 예체능학원에 다니는 아이들이 대부분이다. 학원에 다니지 않더라도 학습지 한두 개쯤은 한다. 대한민국 아이들은 지금 이 순간에도 무엇인가를 열심히 공부하고 있다. 그런데 그 공부란 것이 도대체 어떤 공부인지, 앞서 언급한 다섯가지 점이 고려된 공부였는지 다시 한 번 점검해보자.

만일 그렇지 않은 공부였다면 당신의 아이는 아무리 공부해도 실력이 늘지 않는 아이다!

'과똑똑이'로 키우지 않으려면

'플린 효과'(Flynn Effect)를 아는가?
전 세계적으로 사람들의 IQ가 해마다 올라가는 현상을 말한다.
왜 이런 현상이 생길까?
학자들은 그 이유를 ① 연습 효과(반복해서 지능지수 시험을 보면 점수가 올라가는 효과), ② 엄마 뱃속에 있는 동안이나 영 · 유아기의 뇌 발달에 꼭 필요한 영양상태 호전, ③ 증가한 학교 수업, ④ 시각매체의 증가 등에서 찾고 있다.
학자들이 특히 타당하다고 생각하는 원인은 시각매체의 증가이다. 1920년대 영화의 등장, 1950년대 텔레비전의 등장, 1970년대 비디오 게임의 등장 그리고 1980년대 컴퓨터 게임의 등장으로 말미암아 지능지수가 상승했다고 보는 것이다.

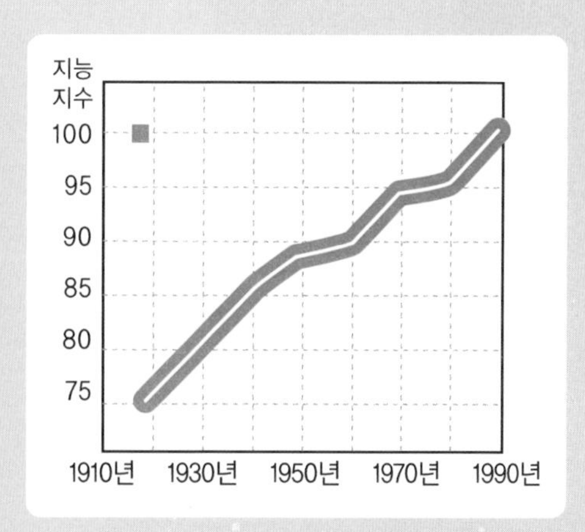

이러한 시각매체가 효과적일 수 있는 이유는 대부분의 사람이 같은 내용을 글자로 배울 때보다는 그림으로 배울 때 학습이 더 잘되는 '그림 우월성 효과'를 보이기 때문이다. 영상매체 발전이 인류의 지능지수를 높이고 있는 것이다.

'무엇' 보다 '어떻게'를 알아야 현명한 아이

지능지수가 오른 만큼 사람들이 똑똑해졌을까?
영국 런던대 응용심리학과 셰이어 교수가 발표한 연구결과에 따르면 현재 아이들은 7년 전 아이들에 비해 덜 똑똑하며 심지어 15년 전의 아이들보다도 덜 똑똑하다고 한다. 그때 아이들 대부분이 풀 수 있었던 문제를 요즘에는 2분의 1이나 3분의 1 정도의 아이들만이 풀 수 있다. 요즘 아이들은 과거 그 나이 때의 아이들이 듣도 보도 못한 일들을 많이 아는 것처럼 보이기 때문에 이런 결과가 의아해 보인다.
현재 아이들이 덜 똑똑하다는 것은 단순히 가진 지식을 묻는 문제가 아니라 그 지식을 각 인지발달 단계에 적합하게 사용할 수 있는지를 알아보는 개념 문제나 사고 문제의 경우에 그렇다는 것이다. 결국 '무엇'을 아는 것보다는 '어떻게'를 아는 것이 더 현명하다고 보면 요즘 아이들은 '무엇'은 많이 아는데 '어떻게'를 잘 모르기 때문에 덜 똑똑하다고 할 수 있다.

지능지수 올랐어도 인지능력은 떨어져 문제

지능지수는 올라갔는데도 아이들이 '과똑똑이'인 이유, 즉 인지적 능력이 떨어진 구체적 이유는 무엇일까?

다양한 분야의 학자 100여 명이 모여 이 문제의 해답을 얻으려고 토의한 결과를 보자. 그들은 우선 현재의 지능검사가 사람의 다양한 능력 가운데 일부만을 측정하는 검사이지 지능, 즉 지적인 능력 그 자체를 총체적으로 재는 검사가 아니라고 지적한다. 하지만, 학자들이 이보다 더 공감하는 이유는 크게 다섯 가지이다.

하나, 우선 과다한 TV 시청이다.

TV 시청은 그 자체가 수동적으로 정보처리를 하게 함으로써 능동적으로 생각할 기회를 박탈한다. 또한, 과거에는 재미없는 프로그램이 나올 때면 '어쩔 수 없이' 독서 등 다른 일을 했지만 요즘에는 채널이 100여 개가 넘다 보니 TV 앞을 떠나기가 매우 어렵다. 그만큼 아이들이 능동적으로 정보를 습득할 시간도 줄어들고 있다.

둘, 패스트푸드와 인스턴트 식품 등 정크푸드 탓이다.

짧은 시간 과도한 칼로리의 음식을 섭취하면 체내의 산 · 알칼리 균형이 일시적으로 깨지며, 생리적으로 성마르고 집중력이 부족한 상태가 된다. 아이들의 지적 능력을 향상시키려면 참을성과 집중력이 필요한데 이를 정크푸드가 방해하는 것이다.

셋, 부모들이 아이들에게 적합하지 않은 옷을 입히기 때문이다.

아이들을 위한 브랜드 옷이 나오면서 아이들에게 고가(高價)이거나 성인 디자인의 옷을 입혀놓고 마음대로 뛰어놀지 못하게 하는 것은 물론이고 어른처럼 의젓하게 행동하라고 요구한다. 서구에서는 부모가 네 살 정도의 아이들에게 하는 질책 가운데 "애처럼 칭얼대지 마."가 상당히 많다고 한다. 현대에 와선 시행착오를 통해 때로는 칭얼대가며 배워야 할 어린 시절이 줄어든 것이다.

넷, 인터넷 게임도 한몫했다.

요새 아이들이 즐기는 인터넷 게임은 중독성이 강해 한번 시작하면 빠져나오기가 어렵고, 매우 빠른 반응을 요구한다. 빠른 속도의 게임에 익숙해진 아이들은 차분하게 생각하는 것은 지루해서 견딜 수가 없다. 인지 능력 대부분은 참을성 없이는 얻기 어렵다.

다섯, 경쟁적인 학교 분위기 때문이다.

지적 능력을 높이려면 혼자보다는 동년배들과 묻고 대답하고 토의하면서 상호작용을 통해 습득하는 것이 좋다. 친구를 경쟁 상대나 라이벌로 간주하는 학교 분위기에서는 이러한 점이 실제로 어렵다는 것이 학자들의 의견이다.

'머리'보다 '몸'으로 배워야 큰 효과

결국 요새 아이들은 그 나이 때에 친구들과 함께 느리게 몸을 통해서 배워야 하는 많은 것을 혼자 빠르게 머리를 통해서만 배우기 때문에 '과똑똑이'가 되고 만다. 친구들과 함께 몸으로 배울 때 가장 효과적이고 효율적인 공부 방법은 두말할 것 없이 '놀이'이다. 진정한 똑똑이가 되려면 친구들과 뒹굴며 놀 기회가 주어져야 한다. 놀이가 점점 사라지는 대한민국 현실, 아이들이 그렇게 공부에 시간을 많이 들이고 있는 데 비해 과똑똑이가 되어 가는 것은 놀이의 실종과도 관계있지 않을까?

02 EBS 60분 부모

공부법의 기본이자 출발점, 시간 관리법

용돈을 안 쓰고 모으면 돈이 모인다. 시간도 안 쓰고 모으면 모여질까? 우리가 지금 안 쓴 시간을 모아서 병에 담아두거나 책상 서랍 안에 넣어두면 시간이 간직될 수 있을까?

초등학교 고학년이 되면 아이에게 이런 이야기를 해주고, 시간은 모으는 것이 아니라 그때그때 주어졌을 때 잘 관리해야 한다고 알려주자. 시간 관리는 사실 자기 관리의 출발점이자 종착점이다.

자기 관리란 효과적인 학습을 위해서 자신의 습관이나 태도 등을 스스로 조절하고 관리하는 것, 그런데 이것은 어릴 때부터 습관화되어 있지 않으면 나중에 성인이 되어서 실천하기가 여간 어렵지 않다. 그러므로 초등학생 때부터 자기 관리가 조금씩 몸에 배도록 해야 한다. 자기 관리의 요소 중에서 공부와 관련해서 가장 중요한 것이 바로 시간 관리이다.

누구에게나 하루에 주어지는 시간의 양은 똑같다. 초등학교 고학년이 되면 우선 학습과 관련한 시간을 꼼꼼하게 계획하고 실천해야 한다. 이것뿐이 아니다. 상황이 바뀌거나 돌발적인 일이 일어나면 계획을 융통성 있게 변경해서, 결국은 학습목표를 달성할 수 있는 것까지도 시간 관리 개념에 포함될 수 있다.

어떻게 하면 시간 관리를 잘할 수 있을까?

먼저 하루 일과를 들여다보자. 생각보다 낭비된 시간이 정말 많다는 것을 알게 될 것이다. 낭비하는 시간을 최소화시키면서 학습효율을 최대화시키는 것이 시간 관리의 핵심이다. 일 년, 6개월, 한 달 단위로 큰 그림을 그려서 계획을 세운 다음, 생활계획표와 학습계획표를 꼼꼼하게 세우고 실천하도록 하자. 단, 생활계획표는 100% 지키면 좋겠지만 뜻하지 않은 일이 생길 수도 있으므로 그럴 때는 100% 모두 지켜야 한다는 강박관념 때문에 초조해하기보다 상황에 따라 융통성 있게 대처하는 방법도 가르쳐주자.

시간 관리를 철저하게 시키기보다는, 시간 관리를 통한 자기 관리를 몸에 배게 하는 연습과정이 초등학생 때의 시간 관리라고 생각하자.

시간 명세서 써보기

시간 관리의 출발은 먼저 자신이 시간을 어떻게 사용하고 있는지 분석해

주간 시간사용 분석표

	잠잔 시간	수업시간	스스로 공부 시간	논 시간	독서시간
월요일					
화요일					
수요일					
목요일					
금요일					
토요일					
일요일					
총시간					
평균시간					

보는 것에서부터 시작된다 (4장 심리학습클리닉 〈숙제하기 싫어요! 4학년 상우이야기〉 참고).

한눈에 볼 수 있도록 일주일 동안 현재 내가 시간을 어떻게 사용하고 있는지 적어보자. 잠자는 시간, 노는 시간, 공부하는 시간, 식사시간 등 실제로 어떻게 시간을 어디에 얼마만큼 사용하고 있는지를 분석하면서 너무 지나친 것은 없는지 너무 모자란 것은 없는지를 반성해본다.

시간에 대한 인식이 별로 없고 시간 관리가 안 되는 아이들에게 실제로 자신이 시간을 어떻게 사용하고 있는지 지속적으로 체크해보게 하면 시간 사용이 무엇인지 알 수 있게 된다. 그러므로 성급하게 생활계획표를 세우게 하기보다는 먼저 시간일지를 꼼꼼하게 기록하고 생각해보는 준비단계부터 갖자.

시간일지를 쓸 때, 모든 내용은 최대한 구체적으로 적어 넣자. 무엇을 하고 놀았는지, TV 시청을 했으면 어떤 프로그램을 시청했는지, 공부를 했으면 어떤 과목을 어떤 책을 가지고 공부했는지 등 구체적으로 적어야 자신이 사용하고 있는 시간에 대한 각성효과가 크고 시간분석을 더 잘할 수 있게 된다. 2~3시간마다 체크하면 가장 좋고, 상황이 여의치 않아서 자주 체크를 못하게 되더라도 그날의 시간 사용에 대해서 체크하는 것은 다음날로 미루면 안 된다. 자주 체크를 하지 않으면 그만큼 각성효과가 떨어지게 되므로 주의하자.

생활계획표 세우기

주간 생활계획표를 작성해 보도록 한다. 일주일 동안 자신이 실제로 시간을 어떻게 사용하고 있는지 시간대별로 적어보는 활동을 통해서 본격적인 시간 관리의 첫발을 뗄 수 있다.

주간 생활계획표 작성 순서

①고정시간(학교수업, 학원수업, 과외 등)을 먼저 채워 넣고 일상생활에 반드

시 필요한 활동들(식사, 수면, 세면 등)을 채워 넣는다.

②예습, 복습시간을 채워 넣는다(어려운 과목을 먼저 채워 넣고 자투리 시간에 예습 시간을 넣는다. 짧은 예습만으로도 수업시간에 좀 더 집중할 수 있는 효과가 있다.).

③매일 꾸준히 공부할 수 있도록 계획하고 반드시 자유시간을 확보하여 채워 넣는다.

아이들에게 생활계획표를 짜보자고 하면 이처럼 공부, 공부, 공부, 막연하게 '공부' 라고 쓴다. 막상 계획을 지키려고 하면 무슨 공부를 해야 할지 생각하느라고 시간만 보내게 되고 최악의 경우엔 '어느 것을 할까요. 알아 맞춰봅시다.'

잘못된 생활계획표의 예

<table>
<tr><th></th><th>월</th><th>화</th><th>수</th><th>목</th><th>금</th><th>토
(놀토아님)</th><th>일</th></tr>
<tr><td>7:00</td><td colspan="5" rowspan="7">학교생활</td><td rowspan="6">학교생활</td><td rowspan="11">자유시간</td></tr>
<tr><td>8:00</td></tr>
<tr><td>9:00</td></tr>
<tr><td>10:00</td></tr>
<tr><td>11:00</td></tr>
<tr><td>12:00</td></tr>
<tr><td>1:00</td><td>점심식사</td></tr>
<tr><td>2:00</td><td colspan="5">휴식</td><td rowspan="4">체험학습</td></tr>
<tr><td>3:00</td><td colspan="5">학교 숙제, 스스로 학습</td></tr>
<tr><td>4:00</td><td rowspan="2">학원</td><td>독서</td><td rowspan="2">학원</td><td>독서</td><td rowspan="2">학원</td></tr>
<tr><td>5:00</td><td>자전거타기</td><td>자전거타기</td></tr>
<tr><td>6:00</td><td colspan="5">TV 시청</td><td>휴식</td><td>학교숙제</td></tr>
<tr><td>7:00</td><td colspan="7">저녁식사</td></tr>
<tr><td>8:00</td><td>공부</td><td>공부</td><td>공부</td><td>공부</td><td>공부</td><td>TV 시청</td><td>독서</td></tr>
<tr><td>9:00</td><td colspan="7">일기 쓰기</td></tr>
<tr><td>10:00</td><td colspan="7" rowspan="3">꿈나라</td></tr>
<tr><td>11:00</td></tr>
<tr><td>12:00</td></tr>
<tr><td>학습시간
사용 가능 시간</td><td></td><td></td><td></td><td></td><td></td><td></td><td></td></tr>
</table>

* 사용 가능 시간: 매일 정해져 있는 학교수업이나 학원, 과외 시간 등을 제외하고 자신이 자유롭게 사용할 수 있는 시간.

수정된 생활계획표의 예

	월	화	수	목	금	토 (놀토아님)	일
7:00	학교생활					학교생활	자유시간
8:00							
9:00							
10:00							
11:00							
12:00							
1:00						점심식사	
2:00	휴식					체험학습	
3:00	학교 숙제, 스스로 학습(영어단어 외우기)						
4:00	학원	독서	학원	독서	학원		
5:00		자전거타기		자전거타기			
6:00	TV 시청					휴식	학교숙제
7:00	저녁식사						
8:00	스스로 학습(국어, 수학)	스스로 학습(국어, 수학)	스스로 학습(국어, 수학)	스스로 학습(국어, 수학)	스스로 학습(국어, 수학)	TV 시청	독서
9:00	일기쓰기						
10:00	꿈나라						
11:00							
12:00							
학습시간 / 사용 가능 시간	2.5 / 15						

식으로 '골라잡기 공부'가 될 수 있다. '공부'라고 적어놓은 부분을 좀 더 구체적으로 적어놓자. 어떤 과목이든 가능한 구체적으로 적어놓는 것이 좋다.

주간 계획 실천 시 주의사항

①온 힘을 다해 실천할 것!

②계획을 변경해야 할 경우에는 상황에 맞게 조정할 것!

③한 주간의 계획표와 실제 생활을 비교하여 실천 정도를 점검하고 계획을 수정 보완할 것!

〈실천 점검표〉

* 주간 생활계획표를 바탕으로 매일 수정되어야 하는 부분은 수정하며 매일 계획을 다시 한 번 써보고 실천한 항목에 대해서는 O표시를 하도록 하자.

	월	화	수	목	금	토	일
오전 8:00	학교생활 O						
8:30							
9:00							
9:30							
10:00							
10:30							
11:00							
11:30							
오후 12:00							
12:30							
1:00							
1:30							
2:00	휴식 O						
2:30							
3:00	학교 숙제, 스스로 학습(영어단어 외우기)O						
3:30							
4:00	학원 O						
4:30							
5:00							
5:30							
6:00	TV 시청 O						
6:30							
7:00	저녁식사 O						
7:30							
8:00	스스로 학습(국어, 수학)O						
8:30							
9:00							
9:30	일기쓰기 O						
10:00	꿈나라 O						
10:30							
11:00							
11:30							
학습시간 / 사용 가능 시간	2.5 / 15						

학습계획표 만들기

주간 생활계획표를 작성했으면 이제 구체적인 학습계획표를 만들어보자.

자신이 가진 학습교재들을 적극적으로 활용해서 구체적인 학습계획을 수립하여야 한다.

학습계획표를 세우고 처음 실천할 때에는 각각의 학습계획을 실천할 때마다 걸린 시간을 체크해본다. 초등학생은 아직 시간 예측이 정확하지 않을 나이다. 그러므로 한 주 동안 계획을 한 번 실천해보고 난 뒤에, 다음 학습계획을 수립할 때엔 나에게 맞는 학습 분량을 조정하게 하는 것이 좋다.

6학년 ＊＊이의 학습 스케줄(2007년 8월)

일	월	화	수	목	금	토
			1	2	3	4
5	6 수학문제집 P.12-P.15 풀기 영어단어 5개 쓰면서 외우기(최소한 10번씩) 국어문제집 P.14-P.18 풀기	7 읽기 책 P.20-P.25 읽으면서 모르는 낱말에 ○ 표시 하고 국어사전 찾아 뜻 쓰기 수학문제집 P.16-P.20 풀기	8 사회탐구 교과서 P.25-P.28 요약하기 수학 문제집 P.21-P.25 풀기 독후감 한 편 쓰기	9 영어단어 5개 쓰면서 외우기(최소한 10번씩) 국어 문제집 P.19-P.22 풀기 과학문제집 P.15-P.20 풀기	10 수학문제집 P.26-P.30 풀기 사회문제집 P.20-P.25 풀기 읽기책 P.26-P.30 읽으면서 모르는 낱말에 ○표시 하고 국어사전 찾아 뜻 쓰기	11 *다음 주 학습계획 세워보기
12 *휴식	13	14	15	16	17	18
19	20	21	22	23	24	25
26	27	28	29	30	31	

EBS 60분 부모 03

공부법의 기본, 윤곽 잡고 되새기기!

초등학교 6학년 형택이. 형택이는 공부에 대한 열의도 높고 부모님의 적극적인 경제적, 정서적 지원 등 공부환경도 참 좋은 편이다. 부모님은 외아들인 형택이의 공부를 위해서 좋다고 소문난 학군을 찾아 큰맘 먹고 이사까지 했다. 형택이는 국어나 수학, 과학 같은 과목은 학교나 학원에서 반복해서 문제를 풀어서 그런지 시험을 보면 만족할 만한 점수가 나오는데, 이상하게도 사회 과목은 아무리 문제를 많이 풀어 봐도 자꾸만 배운 내용이 잘 생각이 나지 않는다. 특히 6학년이 되면서부터는 사회공부가 여간 어려운 것이 아니다. 중학생이 되면 배우는 과목도 많이 늘어나고 기억해야 하는 내용도 훨씬 많아진다는데 형택이는 벌써부터 걱정이 이만저만이 아니다.

요즘, 아이 문제집 한 권 사주러 나갔다가 당황해 하는 부모들이 적지 않다. 서점 한쪽에 쌓여 있는 각종 문제집, 그 종류가 어찌나 많던지 책과 책 사이에서 그만 길을 잃을 지경이다. 나날이 다양해지고 늘어만 가는 문제집들을 보면 지금의 초등 공부의 현주소를 보는 것 같아 안타깝기만 하다. 이상하게도 요즘 아이들은 문제풀이에 집착하는 경향이 있다. 중고등학생들도 그렇다. 수능시험을 앞둔 고3 수험생들의 공부 방법을 이야기할 때조차도, 전문가들은 개념 파악을 무시하고 문제풀이에 너무 치우치는 공부를 해서는 안 된다는 말을 누누이 강조하고 있을 지경이다. 이 말은, 개념 파악은 여전히 중요한 공부의 기본이라는 뜻이며 아울러 우리나라 학생들의 고질병(문제풀이 방식에 너무 치우쳐 공부하는 현상)을 꼬집는 메시지라고도 볼 수 있다.

큰 평가시험을 눈앞에 둔 수험생들한테도 여전히 개념파악이 중요하다고 하는데 하물며 초등학생이야 말해서 무얼 할까. 그런데도 불구하고 초등학생 때부터 워낙 많은 문제집을 풀도록 강요 아닌 강요를 당하다 보니 아이들은 공부해야 하는 내용 〈잘 읽는 과정〉을 뛰어넘고, 대뜸 문제집부터 풀어나가는 잘못된 습관을 들인 경우가 많다. 거듭 강조하지만, 공부의 기본은 문제풀이가 아니다. 초등 시절에는 특히나 교과서를 기본으로 하고 그 내용부터 찬찬히 공부해나가는 습관을 들여야 한다.

간혹, 내용부터 찬찬히 공부해 나가는 것이 잘 안 되기 때문에, 문제집을 풀면서 공부리듬을 찾는다고 이야기하는 아이도 있다. 그러나 이렇게 공부하는 아이 중에는 교과내용의 전체 개념을 끝내 이해하지 못한 채, 조각개념을 익히고 끝나는 경우도 적지 않다. 원칙적으로는 교과서나 참고서(전과)의 내용을 꼼꼼하게 잘 읽고 내용을 숙지하는 것에서부터 시작해야 공부를 더 잘할 수 있다.

다음에 소개하는 읽기과정은 전 세계적으로 그 효용성이 입증된 매우 효과적인 읽기 방법의 하나다.

초등학교 때부터 텍스트(기초자료/교과서… 등)를 잘 읽는 훈련을 시켜주면 평생 공부에 도움될 것이다.

1단계 윤곽 잡기

다음 글을 읽어보자.

신문지가 잡지보다는 더 좋다.

길거리보다는 해변이나 들판이 더 낫다.

어린아이라 할지라도 이것을 즐길 수 있다.

일단 성공하면 별다른 어려움이 없다….

돌이나 나무에 고정시킬 수 있다.

만약, 어떤 것이 떨어져 나가면 두 번 다시는 할 수 없다.

도대체 이게 무슨 글일까? 막막하기 그지없다.

그런데 이 글에다 제목을 붙이고 다시 읽어 보자 .

연날리기

신문지가 잡지보다는 더 좋다.

길거리보다는 해변이나 들판이 더 낫다.

어린아이라 할지라도 이것을 즐길 수 있다.

일단 성공하면 별다른 어려움이 없다….

돌이나 나무에 고정시킬 수 있다.

만약, 어떤 것이 떨어져 나가면 두 번 다시는 할 수 없다.

아하! 이제는 눈에 들어오고 머릿속에도 들어온다. 제목을 붙이고 읽어보니까 전체 글의 맥락이 눈에 들어오고 이해하기도 한결 쉬워졌다.

그렇다. 공부할 땐, 전체 내용의 윤곽을 잡는 작업부터 시작해야 한다. 윤곽을 잡고 내용을 이해하며 공부하는 아이와 윤곽 없이 무조건 달려들어 내용을 달달 암기하는 아이, 누가 더 공부를 잘할 수 있을까?

6학년 2학기 사회과 탐구 4페이지를 보자.

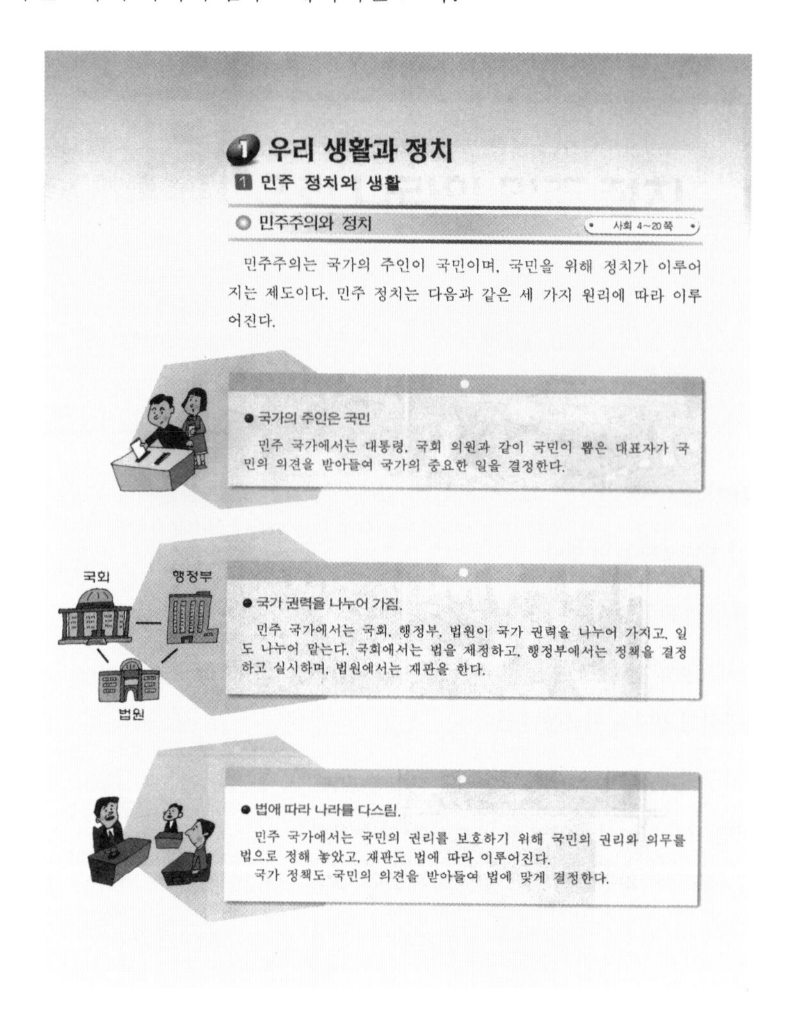

1 우리 생활과 정치

1 민주 정치와 생활

◎ 민주주의와 정치 (사회 4~20쪽)

민주주의는 국가의 주인이 국민이며, 국민을 위해 정치가 이루어지는 제도이다. 민주 정치는 다음과 같은 세 가지 원리에 따라 이루어진다.

● 국가의 주인은 국민

민주 국가에서는 대통령, 국회 의원과 같이 국민이 뽑은 대표자가 국민의 의견을 받아들여 국가의 중요한 일을 결정한다.

● 국가 권력을 나누어 가짐.

민주 국가에서는 국회, 행정부, 법원이 국가 권력을 나누어 가지고, 일도 나누어 맡는다. 국회에서는 법을 제정하고, 행정부에서는 정책을 결정하고 실시하며, 법원에서는 재판을 한다.

● 법에 따라 나라를 다스림.

민주 국가에서는 국민의 권리를 보호하기 위해 국민의 권리와 의무를 법으로 정해 놓았고, 재판도 법에 따라 이루어진다.
국가 정책도 국민의 의견을 받아들여 법에 맞게 결정한다.

1단계 윤곽 잡기

본격적인 읽기를 시작하기 전에 글의 전체적인 윤곽을 잡고자 전체 글을 한 번 쭉 훑어보는 과정이다. 글의 큰 제목, 작은 제목, 그림, 도표 등을 훑어보며 글의 전체 구성을 살피면 이미 머릿속에 자리 잡고 있었던 지식이 되살아나면서 워밍업을 하게 된다. 본문을 본격적으로 읽을 때 더 잘 받아들일 수 있는 준비를 하게 되는 것이다.

위에서 설명한 사항들에 유의하며 윤곽 잡기를 해보자. 먼저 위에서부터 순서대로 제목들을 읽어 내려가자. 이때 옆에 있는 그림들을 함께 보도록 한다.

제목과 그림들을 보면 관련 지식이 머릿속에서 쭉 스쳐 지나가게 될 것이다.

2단계 질문 만들어보기

윤곽 잡기를 하면서 자유롭게 질문을 만들어보자. 큰 제목, 작은 제목 등을 보면서 자유롭게 떠오르는 궁금한 점을 질문으로 만들어보기도 하고(종이에 적으면 좋고, 여의치 않으면 질문을 만들어서 머릿속에 담아두어도 좋다.) 곰곰이 생각해서 질문을 만들어보아도 좋다. 또한, 글의 윤곽을 잡으면서 이미 아는 지식과 관련시켜서 질문을 만들어보는 것도 글을 꼼꼼하게 읽을 수 있도록 도와준다. 질문을 만들어보는 것은 글을 꼼꼼하게 읽는 데에 도움이 될 뿐만 아니라 글을 비판적으로 읽는 출발점이 될 수 있다.

자, 이제 자유롭게 질문을 만들어보자. '우리 생활과 정치'라는 제목을 보고 '우리 생활과 정치는 무슨 관계가 있을까?'라는 식으로 질문을 자유롭게 만들 수 있다.

3단계 읽기

글의 윤곽을 만들고 질문도 만들어본 후, 이제 글을 본격적으로 읽기 시작하자. 이 과정은 질문에 대한 답을 찾는 과정이 되기도 하며 이탤릭체나 굵은 글씨체, 색있는 글씨체 등에 특히 주의를 기울이며 글을 꼼꼼하게 읽어야 한다. 글을 읽다가 어려운 단락이 나오면 글을 읽는 속도를 줄이고 곰곰이 따져가며 읽는 것이 중요하다. 글을 읽으며 핵심어, 중심어를 찾는 것이 중요하다.

4단계 쓰기

글의 윤곽을 잡고 질문을 만들고 본격적으로 글을 꼼꼼하게 읽은 후에는 읽은 내용을 한 번 정리해 보는 것이 도움된다. 단락별로 중요한 내용을 핵심어,

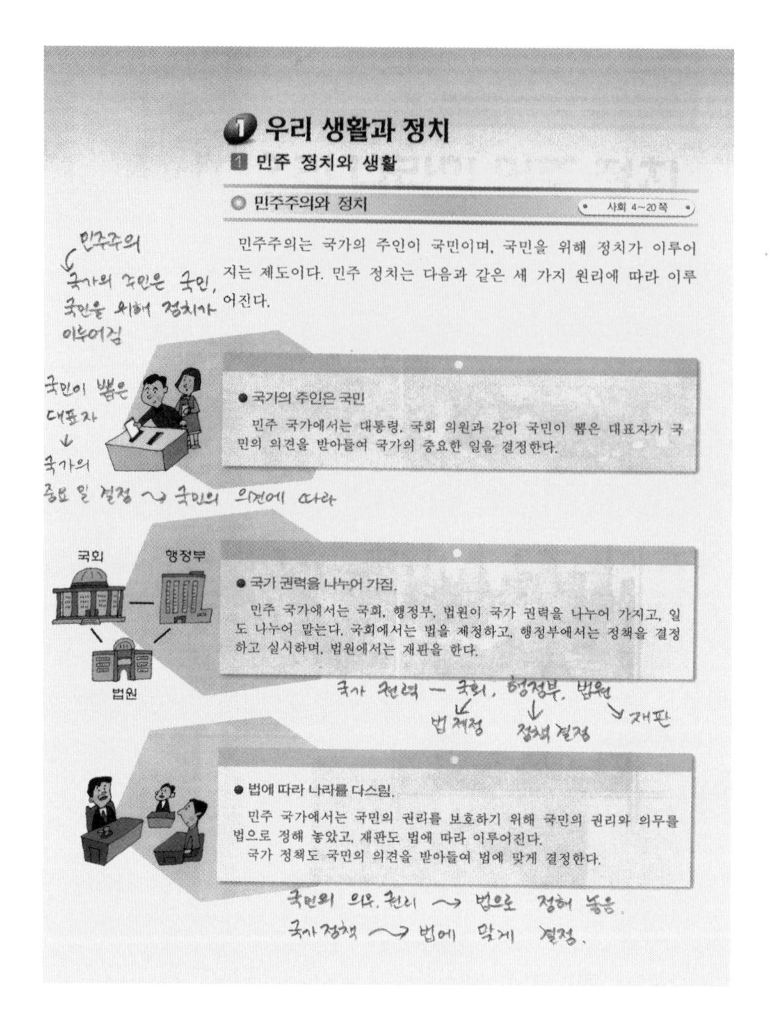

1 우리 생활과 정치

1 민주 정치와 생활

◎ 민주주의와 정치 (사회 4~20쪽)

민주주의는 국가의 주인이 국민이며, 국민을 위해 정치가 이루어지는 제도이다. 민주 정치는 다음과 같은 세 가지 원리에 따라 이루어진다.

● 국가의 주인은 국민

민주 국가에서는 대통령, 국회 의원과 같이 국민이 뽑은 대표자가 국민의 의견을 받아들여 국가의 중요한 일을 결정한다.

● 국가 권력을 나누어 가짐.

민주 국가에서는 국회, 행정부, 법원이 국가 권력을 나누어 가지고, 일도 나누어 맡는다. 국회에서는 법을 제정하고, 행정부에서는 정책을 결정하고 실시하며, 법원에서는 재판을 한다.

● 법에 따라 나라를 다스림.

민주 국가에서는 국민의 권리를 보호하기 위해 국민의 권리와 의무를 법으로 정해 놓았고, 재판도 법에 따라 이루어진다.

국가 정책도 국민의 의견을 받아들여 법에 맞게 결정한다.

중심어 중심으로 교과서나 참고서 글의 단락 옆에 남는 공간에 간단히 적어보면 글의 내용을 더 잘 이해할 수 있게 되고 간단하게나마 글이 체계적으로 정리되기 때문에 훨씬 기억에도 잘 남는다. 좀 더 구체적으로 정리해보려면 노트에 적어보도록 하자. 노트에 적는 방법에 대해서는 노트 필기법을 참고하자.

5단계 되뇌기

윤곽 잡기 → 질문 만들어보기 → 읽기 → 쓰기의 과정을 마친 후에는 읽은 내용을 소리 내서, 혹은 마음속으로 혹은 다시 한 번 써보면서 되뇌어보는 과정을 거치는 것이 중요하다. 되뇌어보는 과정을 통해서 다시 한 번 복습하게 되는 효과가 있으며 그만큼 읽은 내용을 꼼꼼하고 정교하게 공부하게 되는 효과가 있다.

누군가 옆에 있다고 생각하고 되뇌어보면 일종의 가르치는 효과가 있어서 학습효과가 배가된다(*엄마나 아빠 혹은 형제를 활용해보자. 내가 공부한 것을 그들에게 설명해준다고 생각해보자.).

이때 책에 나온 그대로 되뇌는 것이 아니라 자신의 말로 되풀이해 보는 것이 중요한 포인트이다.

6단계 다시 보기

글의 내용을 모두 읽고 되뇌어보는 과정까지 마친 후에는 읽는 과정에서 부족했던 부분은 없는지, 되뇌어보는 과정까지 읽기의 균형은 잘 맞췄는지, 잘못 이해한 부분은 없는지 빠트린 부분은 없는지 등에 주의하면서 마지막으로 다시 한 번 글을 읽으면서 읽기 과정을 마친다. 충분히 이해하지 못한 부분은 다시 보는 과정을 거치면서 충분히 이해하도록 하자.

이렇게 한 과정을 마치고, 시간차를 두고 다시 한 번 같은 글을 보면서 읽기, 쓰기, 되뇌기 과정을 반복하면 분산학습의 효과가 있어 학습효과가 더욱 크다.

아이에 따라서는 앞서 소개한 6단계 과정을 순서대로 하기가 번거롭다 해서 중간에 포기하는 때도 있다. 익숙해지기 전까지는 시간도 많이 걸리고 힘이 들지만 이 순서대로 여러 차례 시도하다 보면 차츰 습관이 되면서 점차 힘들이지 않고도 읽기과정을 효율적으로 밟을 수 있게 된다는 것이 많은 경험자의 말이기도 하다. 포기하지 말고 익숙해질 때까지 반복하여 연습하도록 하자.

참고로 전체 과정대로 따라하는 일에 익숙해지기 전까지는 〈4단계 쓰기〉 과정은 생략해도 무방하다. 또한, 가급적이면 단계를 지키는 것이 좋지만 상황에 따라서는 융통성 있게 순서를 바꾸는 것도 괜찮다.

04 EBS 60분 부모

세상에 하나밖에 없는 나만의 참고서 만들기, 노트 필기법

초등학교 고학년이 되면 노트 필기 요령도 가르쳐줄 필요가 있다. 사실 공부 잘하는 아이의 노트를 보면 뭐가 달라도 다르다. 예쁜 색 볼펜으로 가지런하게 정리가 잘되어 있는 노트일 수도 있지만 온갖 부호와 그림, 낙서 같은 기호들이 가득한 노트일 수도 있다. 아이가 자신이 정리한 내용을 잘 알고 있고 나름대로의 요령으로 적어놓은 것이라면 어떤 것이든 무방하다. 중요한 것은 각자 자기만의 고유한 노트 필기를 하게 되면 공부에 큰 도움이 된다는 점이다.

노트 필기와 공부 잘하기는 어떤 연관이 있을까?

우리가 맛있는 스테이크 요리를 먹고 싶어 할 때, 교과목이나 책은 소 한 마리에 비유될 수 있다. 선생님은 소 한 마리에서 고기 한 덩어리를 발라서 잘라 주신다. 그러면 나는 내 입에 맞는 형태와 두께 모양을 가진 스테이크 감으로 만들어 낼 수 있다. '소 한 마리에서 고기 한 덩어리로!' 여기까지는 교사의 몫이지만, 이것을 스테이크 감으로 최종 조리해내는 것은 나의 몫이다. 노트 필기가 바로 그 조리과정과도 같다. 이런 과정이 잘 진행된다면 시험이든 수행평가이든 큰 어려움이 없을 것이다.

수업시간에 노트 필기하기

수업시간에 노트 필기를 잘하는 아이로 키우려면 다음 세 가지를 꼭 가르쳐 주자.

첫 번째 약간의 예습이 필요하다.

아무것도 모르는 백지상태에서 선생님 수업을 노트 필기하려고 하면 그냥 부르는 대로 받아 적는 복사기 역할밖에 할 수 없다. 이번 시간에 뭘 배울 것이라는 점을 대략이라도 알고 들어가면 선생님 말씀을 들으면서 공감 가는 부분, 내 생각과 다른 부분, 미처 몰랐었는데 새로 알게 된 부분들이 귀에 쏙 들어오게 된다.

아이들이 수업에 집중 못 하는 이유는 무슨 이야기인지 하나도 알아들을 수 없어서일 가능성이 크다. 지나친 선행학습 탓에 너무 많은 걸 알고 들어와서 수업이 재미없어지는 거라는 이야기도 있지만 실제로 그보다는, 예습이나 준비학습 없이 무작정 수업시간에 임하면서 딴생각만 가득하는 아이들이 더 많다. 이러면 수업도 재미없고 노트 필기는 더더욱 불가능해진다.

제목과 취지만이라도 파악하는 예습을 하고, 수업시간에 내가 아는 내용과 선생님 말씀이 잘 연관되면서 몇 줄이라도 노트에 써보는 경험을 하고, 그렇게 적어온 내용이 시험과 연관된다는 걸 몇 번 경험하게 되면 아이는 예습과 노트 필기가 왜 중요한지, 터득할 수 있다.

이런 습관이 초등학교 시절부터 몸에 밴다면 중, 고등학교나 대학교 가서도 아이는 스스로 공부하고 정리하는 기쁨을 알게 될 것이다.

두 번째 당연히 노트와 필기도구를 잘 갖춰야 한다.

도구 없이 수업 시간에 들어가는 것은 그야말로 공부 안 하겠다고 하는 것과 똑같은 것이다. 요즘은 학교에서 교과내용이 잘 정리된 학습지를 많이 나눠준다. 하지만, 교과과정의 처음부터 끝까지 하나도 빼놓지 않고 단원마다 학습지가 전부 나오는 것은 아니다. 학교에서 특별한 다른 규칙이 없다면 자신에게 맞는 노트를 잘 골라서 쓰도록 하자.

공부에 관심 없는 아이는 가방 속에 노트도 준비되어 있지 않은 경우가 많다. 노트는 과목별로 챙겨주면 좋다. 그러나 우리 아이가 꼼꼼하거나 준비물을 잘 챙기는 성격의 소유자가 아니라면 두툼한 노트 한 권을 준비해주고 과목별로 노트 분량을 배분한 후, 각각의 분량마다 첫 장에 명렬표를 붙여주어 종합노트처럼 사용할 수 있게 해주자.

노트 필기의 핵심은 꾸미는 것에 지나치게 에너지를 낭비하지 말고 알아보기 쉽게 깔끔하게 적는다는 점이다! 노트 필기 대회에 나갈 것이 아니라면 노트는 자신을 위한 것이라는 점을 명심하자. 수업시간에 들은 것을 다 기억할 수 있다면 굳이 노트 필기를 하지 않아도 된다. 기억의 한계 때문에 노트 필기를 하는 것이므로, 아주 예쁘게 너무 깔끔하게 적느라고 이해를 해야 할 수업시간에 시간낭비를 하게 하지는 말자.

세 번째 약어 쓰는 법을 가르쳐주자.

노트 필기하는 시간을 절약하려면 기호나 줄임말을 적극적으로 사용한다!

중요한 것은 ☆표나 ※표, 생략하거나 말을 줄일 때엔 ->, -< 식으로 다섯 개 남짓한 자기만의 약어를 정해서 중요한 것과 중요하지 않은 것, 당장 찾아봐야 할 것과 나중에 찾아봐야 할 것 등을 표기하면서 노트 필기를 할 수 있도록 도와주자. 선생님께서 강조하시는 부분에는 반드시 특별하게 표시를 해둔다!

수업시간에 노트 필기를 할 때엔 나중에 수정하거나 보충해 넣을 공간을 충분히 남겨두는 일도 필요하다. 전체 노트 폭의 1/3을 오른편이나 왼편에 남겨두면 좋다.

수업시간 이후 노트 필기법

수업이 끝나고 난 후에도 수업시간 중에 잘못 기록한 부분은 없는지 확인하고 수정하면 좋다. 친구들의 노트와 비교하거나 교과서, 전과, 문제집 등과 비교해 보면서 내용을 확인하는 〈수정하기〉 과정이 필요하다고 가르쳐주자! 그리고 수업 중에 중요하다고 강조된 부분들을 중심으로 여러 가지 기호나 색으로 표시하면서 핵심을 찾고, 핵심단어들을 중심으로 그림이나 표로 한눈에 볼 수 있도록 정리하는 〈핵심찾기 & 체계화하기〉과정도 꼭 알려주자!

또한, 노트 필기란 수업 시간에 선생님이 말로 설명한 것을 받아 적거나 칠판에 쓴 내용을 노트에 적는 행동뿐만 아니라 교과서나 참고서를 읽고 필요하다고 생각하는 내용을 노트에 체계적으로 정리하는 것까지 포함된다.

노트 필기를 잘하게 되면 수업 시간에 들은 내용이나 혼자서 공부한 내용을 체계적으로 정리하여 오랫동안 기억하는 데 도움을 준다. 또한, 시험공부를 할 때 시간을 절약하며 효율적으로 복습하는 데에 매우 효과적이다. 꼼꼼하게 잘 정리한 노트는, 이 세상에 단 하나밖에 없는 나만의 참고서가 될 수 있다.

스스로 요약하기

앞 장에서 효과적인 읽기 방법을 소개하였다. 윤곽 잡기→질문 만들어보기→읽기→쓰기→되뇌기→다시보기 순서로 읽자고 하였는데, 스스로 요약하는 것은 이 과정 중의 하나인 쓰기 부분에서 실행하는 것이다.

다음은 실제로 수없이 많은 요약법을 지도하면서 일반적으로 효과적이라고 관찰되었던 노트법이다. 일반적으로 추천하고 싶은 노트법이지 반드시 이 형식대로 해야 한다는 것이 아니므로 다음의 노트 필기법을 참고하되 여러 번 반복해서 연습해보고 자신에게 효과적인 방법을 찾아나가도록 하자.

① 교과서를 먼저 기본으로 하여 정리한다. 중요하다고 생각된 부분, 모른다고 표시한 부분, 수업시간에 강조되었던 부분들을 중심으로 정리한다.
② 참고서나 문제집, 학습지, 수업시간 노트 등과 비교해서 보충 & 수정해야 하는 부분들을 적어 넣는다.

노트를 양면으로 펼친 모습

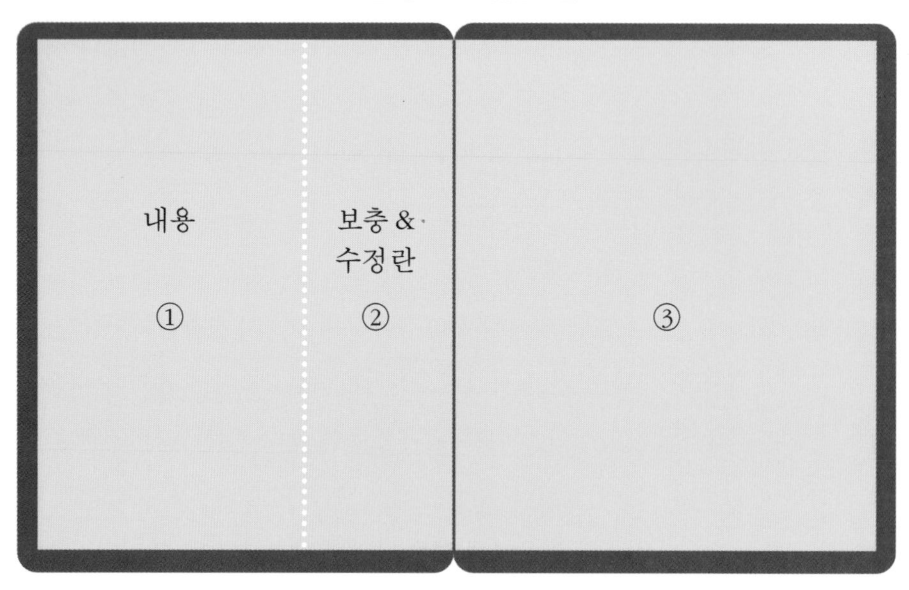

③ 노트 양쪽 중에 한쪽은 완전히 빈 공간으로 남겨둔다. 이 공간은 시험 공부할 때 왼쪽 페이지에 있는 내용을 공부한 후에 내용을 보지 않고 다시 한 번 요약해 보는 용도로 사용하면 시험대비에 매우 효과적이다.

6학년 2학기 사회과 탐구 4페이지를 위의 방법에 따라 요약해 보자.

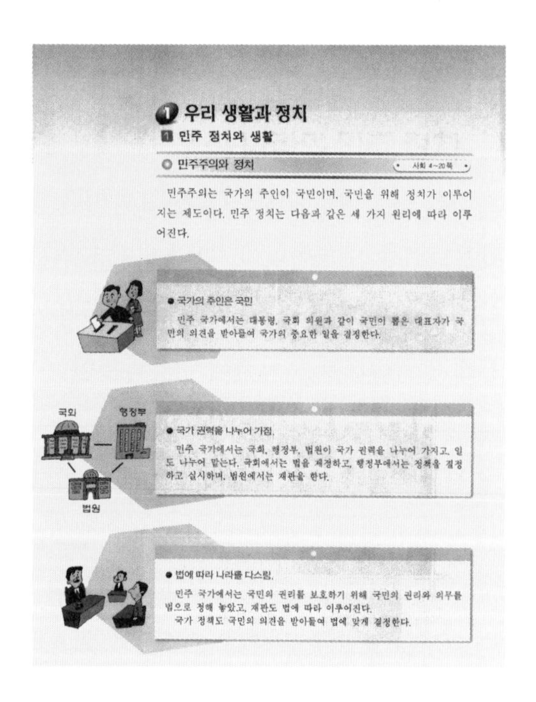

1 우리 생활과 정치

1 민주 정치와 생활

◎ 민주주의와 정치 (사회 4~20쪽)

민주주의는 국가의 주인이 국민이며, 국민을 위해 정치가 이루어지는 제도이다. 민주 정치는 다음과 같은 세 가지 원리에 따라 이루어진다.

● 국가의 주인은 국민

민주 국가에서는 대통령, 국회 의원과 같이 국민이 뽑은 대표자가 국민의 의견을 받아들여 국가의 중요한 일을 결정한다.

● 국가 권력을 나누어 가짐.

민주 국가에서는 국회, 행정부, 법원이 국가 권력을 나누어 가지고, 일도 나누어 맡는다. 국회에서는 법을 제정하고, 행정부에서는 정책을 결정하고 실시하며, 법원에서는 재판을 한다.

● 법에 따라 나라를 다스림.

민주 국가에서는 국민의 권리를 보호하기 위해 국민의 권리와 의무를 법으로 정해 놓았고, 재판도 법에 따라 이루어진다.

국가 정책도 국민의 의견을 받아들여 법에 맞게 결정한다.

내용	보충&수정란
사회과 탐구 p.4 우리 생활과 정치	
〈민주주의와 정치〉 **민주주의**: 국가의 주인은 국민, 국민을 위해 정치가 이루어지는 제도.	정치: 정당을 기반으로 하여 국가의 권력을 획득하고 유지하며 행사하려고 벌이는 여러 가지 활동.
〈민주주의의 세 가지 원리〉 **국가의 주인은 국민** →국민이 뽑은 대표자가 국민의 의견을 받아들여 국가의 중요한 일을 결정.	
국가권력을 나누어 가짐 →국회(법 제정), 행정부(정책결정 & 실시), 법원(재판). **법에 따라 나라를 다스림**	정책: 정치적 목적을 실현하고자 꾀하는 방법.

민주주의 국가–국가의 주인은 국민, 국민을 위해 정치가 이루어지고, 국민이 뽑은 대표자가 국가의 중요한 일을 결정함 → 대통령, 국회의원 등

민주주의의 원리
- 국가의 주인은 국민
- 국가권력을 나누어 가짐.
→ 국회–법 제정, 행정부–정책, 법원–재판.
- 법에 따라 나라를 다스림 → 국민의 의무와 권리, 국가 정책 등.

수학은 노트구성을 좀 달리할 필요가 있다.

어릴 때부터 남다른 노트 필기법으로 좋은 성적을 올려 왔던 심효선 양(연세대학교 재학 중)은 방송에 출연해 자신만의 특별한 노트 필기법을 소개했다. (〈60분 부모〉 2007년 1월 25일 〈이것이 노트 필기법의 핵심이다!〉 편). 효선 양은 수학에서 제일 중요한 것은 문제를 많이 풀어보는 것이지만 문제만 무조건 많이 푼다고 되는 게 아니라 자기가 푼 문제를 다시 점검하는 과정이 필요하다고 강조한다. 효선 양은 오답 노트를 따로 만들지 않고 번호를 매겨두어서 시험 때 활용했었다고 한다.

가령 1번은 아예 손도 대지 못하는 문제, 정말 아무리 풀어도 모르겠는 문제, 2번은 어느 정도는 풀리는데 막혀서 안 풀리는 문제, 3번은 어떻게 푸는지는 알았는데 계산 같은 것 때문에 틀리는 문제. 그다음 4번은 실수 때문에 틀려서 이번엔 틀렸지만 맞힐 수 있겠다 싶은 문제로 나누면 나중에 쉽게 알아볼 수 있다

고 한다. 이렇게 일목요연하게 문제들을 정리해 두면 나중에 점검할 때 1, 2번을 집중적으로 다시 풀면서 자신이 모르는 점을 더 보강할 수 있다고 한다.

사실 수학공부에서는 문제집을 풀어 가면서 틀린 문제를 잘 표시해두고 다시 풀어보는 것이 무엇보다 중요하다. 왜 틀렸는지, 문제에서 요구하는 개념들은 무엇인지를 제대로 알고 넘어가려면 틀린 문제를 주기적으로 다시 풀어 보아야 한다. 의미 없이 문제집만 반복적으로 풀고, 이미 아는 문제를 풀고 또 풀고 하는 식의 공부는 더이상 중요하지 않다.

모르는 문제, 틀린 문제를 효과적으로 풀어보는 노트 필기법, 〈수학노트 4분법〉을 활용해 보도록 하자.

수학 4분 노트법

① 모르는 문제, 틀린 문제를 정확하게 해결한 다음 여기에 즉시 문제까지 적고 다시 한 번 풀어본다.	② 앞서 ①번에서 푼 문제를 다음 날, 혹은 이삼일 후에 다시 한 번 풀어본다. (이때 문제를 굳이 적지 않아도 된다. 하지만, 문제를 적어보면서 풀이를 해보면 문제유형도 익힐 수 있어 더욱 좋다.)
③ 앞서 ②번에서 푼 문제를 일주일 정도 후에 다시 풀어본다.	④ ③번에서 문제를 풀어 본 후, 일주일 정도 지나 다시 풀어본다.

* 각 칸에 날짜를 적는다.

노트 필기는 대체로 남학생보다는 여학생이 더 잘하는 편이긴 하다. 그러나 남학생 여학생을 떠나서 성격이 꼼꼼하고 세밀한 아이일수록 더 잘할 수 있다.

개인적으로 언어능력이 뛰어난 아이는 꼼꼼하게 적지 않아도 몇 개의 단어와 간단한 문장만으로도 기억하는가 하면 그림이나 부호를 더 선호하는 아이는 글보다 그림이나 표로 노트 필기를 할 수 있도록 아이마다 개인차를 고려해서 자신의 성향을 반영하게끔 배려해주자.

위에서 소개한 노트법 이외에 가장 효과적인 노트법이라고 알려진 노트법 중 마인드맵 노트법과 코넬 노트법을 간단히 소개하도록 하겠다.

마인드맵 노트법

영국의 토니 부잔에 의해 개발된 노트법이다. 그림을 그리면서 정리하는 방법이기 때문에 좌뇌와 우뇌를 균형 있게 사용하는 방법이며, 공부한 내용을 한눈에 볼 수 있게 정리하며 복습하는 데에 효과적이다.

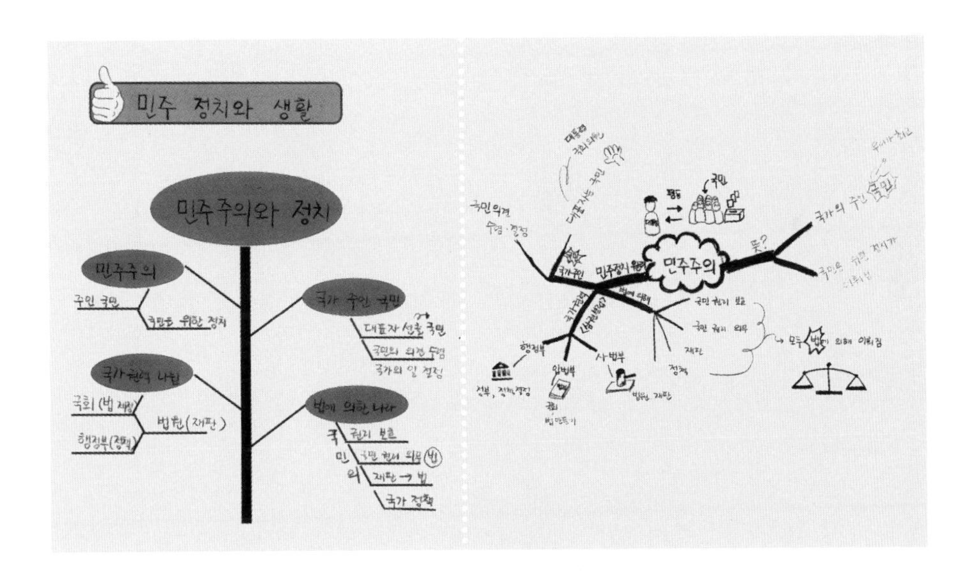

코넬 노트법

미국의 코넬대학교에서 개발한 노트법이다. 다음과 같이 칸을 만들고 수업 시간에 배우는 내용이나 스스로 교과서나 참고서를 읽으면서 공부한 내용을 정리해보자.

중심단어	내용
② 정리한 내용의 각 단락에서 중요한 핵심단어들을 뽑아서 단락 옆에 적는다.	① 수업시간에 배우는 내용이나 스스로 교과서나 참고서를 읽으면서 공부한 내용을 자세하게 정리한다.
	요약: ③ ①에 정리한 내용을 간단하게 요약해본다(5줄 정도).

* ①②③ 정리를 시간차를 두고 정리하면 복습의 효과가 뛰어나다.

중심단어	내용
	사회과 탐구 p.4 우리 생활과 정치
민주주의	〈민주주의와 정치〉 – 민주주의: 국가의 주인은 국민, 국민을 위해 정치가 이루어지는 제도.
국가의 주인–국민	〈민주주의의 세 가지 원리〉 – 국가의 주인은 국민 → 국민이 뽑은 대표자가 국민의 의견을 받아들여 국가의 중요한 일을 결정.
권력 나누어짐 –국회, 행정부, 법원.	– 국가권력을 나누어 가짐. → 국회(법 제정), 행정부(정책결정 & 실시), 법원(재판).
법으로 다스림.	– 법에 따라 나라를 다스림.
	요약: 민주주의 국가에서 국가의 주인은 국민, 국민을 위해 정치가 이루어지고, 국민이 뽑은 대표자가 국가의 중요한 일을 결정함. → 대통령, 국회의원 등 민주주의의 원리–국가의 주인은 국민, 국가권력을 나누어 가짐. → 국회–법 제정, 행정부–정책결정, 법원–재판. 법에 따라 나라를 다스림 → 국민의 의무와 권리, 국가 정책 등

기억력, 연습하면 좋아진다!

사진을 찍는 것처럼 한 번 본 것은 언제든 그대로 기억나게 하는 방법은 없을까? 한 번 들은 것은 녹음기처럼 언제든지 다 되살려내는 방법은 없을까?

누구나 한 번쯤은 이런 상상을 해봤을 것이다.

특히 시험공부를 할 때, 시간은 부족하고 공부할 과목은 산처럼 쌓여 있을 때엔 더욱 이런 생각이 간절해지곤 한다. 하지만, 인간은 타고난 기억용량에 한계가 있기 때문에 한 번 본 것을 100% 기억하기가 어렵다. 그래서 필요한 정보를 오래 기억하기 위해 따로 노력을 해야 한다. 반복 복습이 바로 그것이다.

학습 피라미드를 보자.

다음 페이지의 표를 보면 알 수 있듯이, 여러 가지 기억법 가운데 학습효과가 가장 적은 것은 바로 맨 윗부분, 강의 듣기다. 다른 사람이 가르치는 내용을 가만히 듣고 앉아있는 것은 효율이 5%에 불과하다. 학습효과가 가장 떨어지는 방법이다.

가장 학습효과가 좋은 것은 맨 아랫부분, 즉 타인에게 '가르치기' 이다. 가르

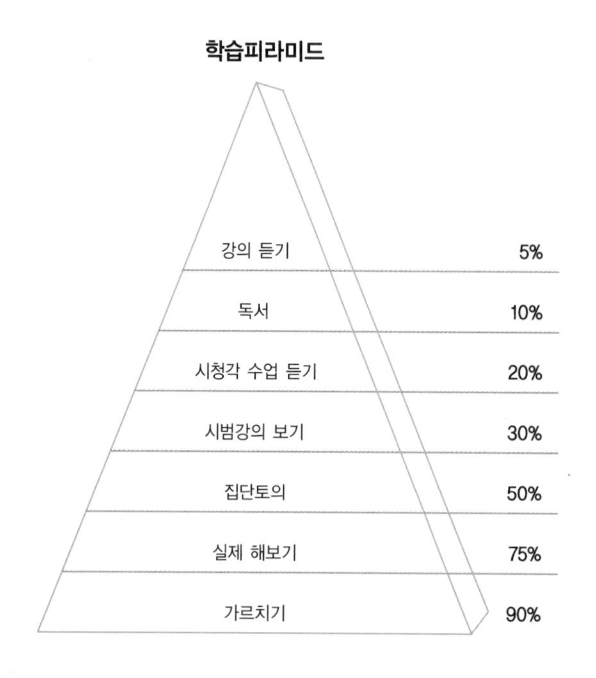

치기의 효율성은 무려 90%에 달한다. 가르치기의 효과는 부모들도 가끔 경험하는 일이다.

내가 누군가에게 전해들은 유머를 그냥 나 혼자 알고 있다 보면 금세 잊어버리는데 다른 누군가에게 전해주려고 하면 내용을 하나라도 놓칠까 봐 전체를 꼼꼼하게 기억하려고 노력하게 된다. 그리고 그 말을 다른 사람에게 전하고 나면 마치 원래 내 말이었던 것처럼 머릿속에 더 잘 각인되고 오래 기억에 남게 된다.

아이들도 마찬가지다.

다른 사람을 가르치려면 그만큼 내용을 잘 이해해야 하고 잘 이해하려면 꼼꼼하게 공부 자체에 에너지를 많이 써야 한다. 공부 자체에 에너지를 많이 쓴다는 것은 공부한 내용을 잘 조직화시킨다는 말과 같다. 어떤 내용을 잘 조직화시킬수록 기억에 잘 남는 법이다. 즉, 기억을 잘하려면 정보를 잘 조직화, 체계화시켜야 한다. 정보를 잘 조직화, 체계화시키려고 결국 복습도 하고 노트정리도 하는 것이다. 그렇다면, 기억력도 연습하기에 따라 좋아질 수 있을까? 뛰어난 기억력은 하늘에서 뚝 떨어지는, 타고나는 것이 아니라 수없이 많은 연습의 과정을 거쳐서 계발해 나갈 수 있다.

또 기억이란 잊혀지기 쉬워서 반복해서 보아야 하며, 기억력을 좋게 하려고 평소 훈련을 할 필요가 있다는 이야기를 아이에게 차근차근 들려주자. 아이의 기억력 훈련을 위해선 다음 방법들이 도움될 것이다.

기억력을 향상시키는 방법들

모둠별로 기억하기

기억해야 하는 내용을 모둠으로 묶어서 기억하는 방법이다.

예를 들어, '식빵, 우유, 오렌지 주스, 지우개, 오이, 노트, 당근, 사과, 참외, 단팥빵'을 기억해야 한다고 하자. 이 항목들을 그대로 기억하려고 하는 것보다 '빵-식빵, 단팥빵/ 마실 것-우유, 오렌지 주스/ 문구류-지우개, 노트/ 채소-오이, 당근,/ 과일-사과, 참외' 이런 식으로 모둠별로 묶어서 기억하는 것이 좋다.

머리글자를 따서 기억하기

우리가 이미 잘 아는 방법이다. 조선시대 왕을 기억하는 방법을 떠올려보자. '태조, 정조, 태종, 세종, 문종, 단종, 세조…'를 머리글자를 따서 '태정태세문단세…'로 기억하면 훨씬 기억이 잘 된다. 기억해야 하는 글자 수가 줄어들기 때문에 그만큼 기억이 잘 되는 것이다.

이야기로 기억하기

낱낱이 떨어진 단어를 외는 것보다는 그 단어들을 사용해서 이야기를 만들면 기억하기가 쉽다. 원숭이, 사과, 바나나, 기차, 비행기, 백두산을 기억하는 것과 원숭이 ○○는 빨개, 빨가면 사과 …로 기억하는 것과 어떤 경우가 더 기억이 잘 되는가?

심상법

기억해야 할 사항들을 그대로 암기하여 기억하는 것보다는 이미지를 떠올릴 수 있도록 해보자. 두뇌의 시각피질이 전체 피질의 1/4정도가 되고 그림으로 기억할 때 훨씬 기억이 잘되는 '그림 우월성 효과'가 있기 때문에 이미지를 떠올릴 수 있도록 하면 효과적으로 기억할 수 있다. 예를 들어 '엄마, 모자, 의자,

학교' 라는 단어를 기억해야 할 때 단어를 그대로 외우려고 하지 말고 '엄마가 모자를 쓰고 학교에 오셔서 의자에 앉았다.' 라고 이미지를 떠올리면서 기억하면 훨씬 기억이 잘 될 것이다.

문장 암기하기

공부한 내용을 잘 기억하려면 반복적으로 열심히 되뇌는 작업을 해야 한다.

평소에 놀이처럼 재밌게 기억하기 연습을 꾸준히 하면 공부를 할 때 '더 잘 기억할 수 있다.', '열심히 반복하면 기억할 수 있다.' 라는 마음이 생긴다.

교과서나 재밌는 책을 가져다 놓고 자유롭게 한 문장을 선택해서 그대로 외우는 활동을 해보자. 초시계로 기록을 재고 외운 글자 수와 걸린 시간을 적어 가며 매일 혹은 며칠에 한 번씩 주기적으로 연습해보자. 이렇게 집중적으로 되뇌는 연습을 하면, 기억하려고 자연스럽게 에너지를 쓰는 일이 가능해진다.

한 번 본 것은 절대 잊어버리지 않는 사람 S:

처음 본 사람의 얼굴에 있는 주름살 하나하나를 언제까지나 기억하지만 정작 그 사람이 누구인지는 기억하기 어려웠던 사람! 왜냐하면, 일주일 후 주름살, 머리카락의 위치 등등이 변화하는 것까지 다 똑같아야만 그 사람인 줄 알아볼 수 있으니까.
러시아의 심리학자 루리아가 소개하여 세상을 깜짝 놀라게 한 사람인 S는 한 번 본 것은 절대로 잊어버리지 않는 사람이다. 심지어 십 년 전에 본 것의 세세한 내용까지도 다 기억하고 있을 정도이다. 이 놀라운 기억력을 바탕으로 S의 고등학교 때까지의 학교 성적은 뛰어났다. 그러나 대학에 들어가자 뭔가 이상한 점이 나타나기 시작했다. 단순 암기는 뛰어났는데 암기한 것을 바탕으로 한 이해가 잘되지 않았고, 그것보다 더 심각한 문제는 기억한 양이 너무 많다 보니 기억들끼리 간섭과 충돌이 일어나서 보통사람들은 쉽게 기억하는 것을 도리어 기억하지 못하는 아이러니가 발생하게 되었다. 결국 신문기자였던 첫 직업은 오래가지 못했고, 서커스에서 기억시범을 보이는 일로 여생을 마감하게 되었다. 인간이 한 번 본 것, 들은 것을 그대로 기억하지 못하고 시간이 지나면서 잊어버리게 되는 것이 꼭 불행한 일만은 아니다.
필요한 정보는 연습해서 오래 기억하고 불필요한 것들은 잊어버리는 우리들의 평범한 능력이 오히려 더 낫지 않을까?

EBS 60분 부모 06

공부 잘하는 아이 집엔 특별한 것이 있다!

책상에만 앉으면 밖에 있는 엄마가 궁금해지는 초등학교 4학년 민주. 민주는 엄마가 부엌에서 뭘 하는지 거실에서 뭘 하는지 베란다에서 뭘 하는지 자꾸만 궁금하다. 물 마신다는 핑계, 화장실 간다는 핑계, 이 핑계 저 핑계를 대면서 들락날락. 공부는 왜 하는지도 모르겠고 공부를 하자니 도대체가 무슨 말인지 잘 모르겠다. 엄마가 옆에서 함께 있어 준다면 얼마나 좋을까?

스스로 공부하는 힘이 부족한 초등학생에게는 잘 꾸며진 공부방을 줘도 제대로 활용하지 못하는 경우가 많다. 이제 갓 열 살 넘은 아이라면 제 방에서 얌전히 공부하기보다는 자주 방 밖으로 나와 엄마 옆으로 다가오거나 온 집안 식구와 상대하고 싶어 하는 것이 어쩌면 당연할 수도 있다(이 경우 꼭 산만해서가 아니다!).

그러므로 집안 전체가 공부하기 좋은 분위기나 환경으로 꾸며지는 일이 공부방 꾸며 주기 못지않게 중요하다. 최근에는 거실을 서재로 꾸미고 TV는 없애거나 안방으로 몰아넣는 집 꾸미기 방식이 호응을 얻고 있는데 이 모든 것이 가정을 학습 공간, 커뮤니케이션의 공간으로 가져가려는 움직임으로 보여진다.

별이 잘 드는 쾌적한 공부방을 마련해 주면서 동시에 집안을 공부하기 좋은 환경으로 꾸미는 것도 고려해보자. 어떻게 하면 아이의 학습을 도와주는 집 꾸미기가 될까?

거실을 가족 공부방으로!

거실에 커다란 책상이나 테이블을 배치하고 벽면 책꽂이에는 온 가족의 읽을거리를 가득 채워서 가족서재로 삼는 집이 늘고 있다. 저녁 식사 후 가족은 가능한 한 함께 거실서재에 모여서 각자 좋아하는 책을 읽거나 조용히 공부하는 분위기를 마련해보자. 아이는 가끔 모르는 것을 부모에게 물어볼 수도 있고, 혹은 공부한 내용이나 읽은 책 내용을 가족들 앞에서 발표 형식으로 표현해볼 수도 있다. 이렇게 할 수 있다면 가족 문화가 한 차원 업그레이드 될 수 있을 뿐 아니라 자녀의 공부나 성적도 차츰 크게 오를 것이다. 아빠가 저녁 뉴스를 꼭 봐야 한다고 하면 다른 방에 마련된 TV 앞으로 가서 조용히 뉴스만 보고 나오는 것도 고려해보자. 심신이 피곤한 가장이 저녁 한때 관심 있는 TV 프로그램을 보는 정도는 가족들이 이해해주자. 다만, 엄마와 나머지 가족들이라도 거실 서재에 앉아 계속 읽던 책을 읽거나 조용히 자기 할 일을 할 수 있다면 아이들은 아빠의 잠깐의 부재에 크게 동요하지 않을 것이다.

만일 부모 양쪽이 적극적으로 나서서 이런 환경을 만들 수 있다면 더욱 좋다.

교육컨설턴트 김강일 씨 댁의 TV는 온 가족이 함께 보고 싶은 스포츠 이벤트나 의미 있는 다큐멘터리를 볼 때만 사용하도록 약속되어 있다고 한다. 평소에는 TV를 집안 깊숙한 곳에 숨겨놓다시피 해서, 어쩌다 한 번 TV를 보려면 어렵게 꺼내 와서 코드를 연결해야 하는 매우 귀찮은 과정을 거쳐야 한단다.

아이들에게 TV시청을 원천적으로 금할 수는 없다 해도, 온 가족의 공간인 거실 한복판에 TV 전원이 늘 꽂혀 있는 상태라면, 그래서 너나 할 것 없이 누구나 오가다가 쉽게 리모컨 버튼만 누르면 바로 TV를 켤 수 있는 환경이라면, TV 켜기 과정을 다소 어렵게 개선(?)할 필요가 있다.

공부방의 책상 위치

공부방을 마련해주고 공부방에서 주로 공부하게 되는 경우에는 하루의 많은 시간을 자신의 방에서 보내야 하는 아이 입장을 고려해서 방의 구조를 먼저 생각해보자.

가장 중요한 것은 책상의 위치와 책상 주변 물건들의 배치이다. 흔히 방문을 열고 들어서면 창문이 정면에 보이도록 배치가 되어 있는데, 이때 많은 가정에선 책상을 창문이 있는 쪽 벽으로 바짝 붙여서 결국 문을 등지는 구조로 되어 있다. 이렇게 문을 등지고 앉아있는 것은 심리적으로 좋지가 않다. 누군가 문을 열고 들어올 때 고개를 돌려서 문쪽을 바라봐야 하므로 불편하기도 할 뿐만 아니라 문쪽이 보이지 않기 때문에 불안한 마음이 들어서 집중을 더 잘하지 못하게 될 수도 있다. 문을 등지고 앉게 되는 책상 배치를 피하도록 하자.

책상 위의 유리와 조명

흔히 책상에 흠집을 내지 않으려고 유리를 깔아 놓는다. 밥을 먹는 식탁이야 여러 가지로 유리를 까는 것이 좋지만 공부를 하는 책상에 유리를 깔아 놓는 건 좋지 않다. 유리에 빛이 반사되어서 집중하는 데에 방해되기 때문이다. 유리를 없애고 보기 좋은 고무판 같은 것을 깔도록 하자. 전체 조명은 너무 밝지도 어둡지도 않은 것이 좋고, 책상 위 스텐드는 눈이 부시지 않을 정도의 것이 좋다.

회전의자

책상 의자를 보자. 좀 더 편안하게 사용하고자 바퀴가 달리고 회전이 되는 의자를 사용하는 경우가 많은데 물론 장점도 많이 있긴 하지만 아직 공부습관이 잘 들여지지 않은 경우에는 아이들이 의자에 앉아 뱅글뱅글 돌면서 산만해지는 경우가 많아서 공부습관이 잘 들여 있지 않았으면, 특히 집중력이 취약한 아이들은 바퀴 달린 회전의자를 사용하지 않도록 하자.

책상 주변의 물건들

우선 책상 위는 항상 깔끔하게 정리하도록 하자. 어떤 아이들은 책상 위가 정리되어 있지 않아야 공부가 잘된다고 하기도 하는데, 어떤 경우이든 정리가 잘되어 있지 않으면 점점 더 정리가 안 되어 시간이 갈수록 필요한 학습재료들을 찾기도 어려워지게 된다. 깔끔하게 정리된 책상을 보며 책상에 앉고 싶은 생각이 들도록 하자. 또한, 사진이나 그림 등은 책상 주변 벽에는 붙이지 말고 다른 쪽 벽에다 장식하도록 해서 너무 딱딱한 분위기가 되지 않도록 하는 것이 좋다.

학습재료 정리

공부할 때 필요한 교과서, 문제집, 사전, 필기구 등 학습재료들을 언제라도 쉽게 꺼내서 쓸 수 있도록 평소에 정리해 두는 것이 중요하다. 교과서, 문제집, 노트, 참고서 등 필수적으로 필요한 것들을 갖춰서 책꽂이에 분류해서 두도록 하고 가위, 풀, 자, 메모지 등 공부를 할 때 부수적으로 필요한 것들도 분류해서 정리해 놓아야 한다. 필요할 때 쉽게 찾지 못하면 시간을 버리게 될 뿐만 아니라 짜증이 나기 때문에 공부의 리듬이 깨지기 쉽다.

컴퓨터

요즘은 집집마다 컴퓨터 게임과의 전쟁을 겪는다. 학교숙제를 할 때도 평소 공부를 할 때도 컴퓨터 게임 생각이 아이들의 머릿속에서 온통 떠나지 않는다. 컴퓨터가 공부방에 있다는 것은 아직 자기주도적인 학습이 자리 잡혀 있지 않은 초등학생들에게는 떨칠 수 없는 큰 유혹이다. 공부방에 컴퓨터를 두지 않도록 하고 될 수 있는 대로 접근이 쉽지 않은 곳에 컴퓨터를 두도록 하자.

가족 모두의 공간인 거실로 옮기거나 그 밖의 여유 공간이 있으면 그곳을 활용하도록 하자.

휴대전화

공부를 할 때는 반드시 휴대전화의 전원을 꺼두고 꺼두기 어렵다면 공부방 밖에 두도록 해야 한다. 요즘 아이들은 상상하는 것 이상으로 문자메시지를 많이 주고받는다. 먼저 문자메시지를 보내지 않더라도 친구들에게 수시로 오는 문자메시지를 확인하다가 보면 공부의 리듬이 많이 깨진다. 휴대전화로 부모 자녀 간에 갈등이 매우 심해서 해결 방법이 없을 것처럼 보이지만 하나씩 규칙을 정하고 공부에 방해되지 않도록 구조를 만들어 가면 어느새 휴대전화의 굴레에서 벗어날 수 있게 된다. 조금 하다가 말겠지, 저러다가 말겠지 하지 말고 부모는 좀 더 적극적으로 휴대전화 단속을 해보자.

만화책이나 동화, 소설책은 가족문고로

공부하는 줄 알고 아이 방에 들어가 보았더니 아이가 놀라면서 황급하게 뭔가를 교과서 밑으로 숨긴다. 아이는 바로 만화책을 읽고 있었던 것이다. 공부방에는 만화책이나 동화책, 소설책 등 공부와 관련되지 않은 책들을 두지 말자. 견물생심이다. 옆에 있으면 보고 싶은 것이 만화책 등 교과와 관련 없는 책들이다. 의지만으로는 되지 않는 것들이 많다. 환경부터 제대로 잘 만들어주는 것이 중요하다.

아이가 좋아하는 책과 읽을거리는 서재나 거실 책장으로 옮겨서 아예 가족문고로 만들어 두자. 가족문고에는 아이들이 좋아하는 책뿐 아니라 부모가 즐겨 읽고 좋아하는 책들도 채워두자. 부모의 책은 자녀가 성장하면서 점차 자녀도 읽게 될 책들이다. 책을 물려받는 환경을 마련하는 일도 중요하다.

가족 갤러리

초등학교 자녀가 그린 그림, 만든 공작품, 상장 등을 전시하는 공간이 집안 한 곳에 정해지면 좋다. 부모의 취미생활이 표현된 것들도 좋다. 가족이 공유하는 공간에 가족 구성원의 마음과 솜씨가 담긴 물건들을 전시하는 것도 훌륭한 환경이 된다.

이밖에 부모가 좋아하는 글귀라든가, 자녀에게 보여주고 싶은 명화를 집안에 걸어두는 것도 문화적인 환경을 마련하고 가족 의사소통에 도움된다.

전형적인 구도에서 벗어나 보기

거실은 소파와 장식장, TV, 오디오 세트로 채우고, 안방에는 침대와 장롱, 작은 방은 아이들 공부방이라는 패턴이 이제까지의 전형적인 집안 꾸미기 방식이었다면 이제는 다분히 그 공식을 깨뜨려 볼 필요가 있다.

볕이 잘 들고 깔끔하게 꾸며진 공부방도 좋지만, 아이들은 어쩌면 그보다도 엄마가 저녁밥을 짓는 주방 탁자 위나 거실을 더 좋아하고 그곳에서 공부해야 마음이 안정된다고도 할 수 있다(저학년일수록 그럴 가능성이 크다.).

아이들의 이런 마음도 헤아려주자.

인테리어 잡지에서 갓 빠져나온 것 같은 예쁜 집도 좋지만 우리 가족의 커뮤니케이션과 학습을 증진하는 방향으로 좀 더 창의적인 공간배치를 해보는 것은 어떨까?

초등학생 자녀를 둔 집안이라면 이런 시도도 한번 해볼 만하지 않을까?

EBS 60분 부모 07

사춘기 아이를 바꾸는 비결, 마음읽기

초등 5학년 민석이, 언제부턴가 민석이는 자기 방에 들어가면 방문을 잠그고 방문 앞에다 가는 '들어오지 마시오.'라고 크게 써 붙였다. 엄마가 "우리 아들 학교 잘 다녀와." 하며 안아주면 그렇게 좋아하며 엄마한테 뽀뽀까지 해주던 민석이가 어느 날부터는 "엄마 왜 이러세요, 내가 애기에요?" 하며 엄마를 밀어낸다. 너무 당황하고 섭섭한 나머지 옆집 엄마를 붙들고 한참을 우는 민석이 엄마.

서로에게 독립적인 존재가 될 때 완성되는 사랑이 있다. 바로 부모 자식 간의 사랑이다. 자식에 대한 진정한 사랑은 자식을 떠나보내는 것, 독립하도록 도와주는 것이다. 자식은 언젠가는 자기 길을 찾아 떠나갈 존재다. 힘 약하고 능력 없고 부족한 것 많아 아직은 부모 밑에 있지만 궁극적으로는 자기 인생을 향해 부모와 이별하고 가야 할 존재이다. 부모인 우리가 그랬던 것처럼.

사춘기는 부모와 자녀가 심리적인 이별을 연습하는 시기이다. 아이는 어느 날 갑자기 어른이 되고 느닷없이 떠나가는 것이 아니다. 매일 매일 조금씩 부모를 떠나는 연습을 한다.

사춘기는 특히 그런 일이 집중적으로 많이 일어나는 시기다.

독립할 인격체가 되려고 아이가 주장도 많아지고 생각도 복잡해지는 시기가 바로 사춘기다. 독립하고 싶어서 반항을 하고, 독립하고 싶지만 자기 자신에 대한 확신이 부족하기 때문에 변덕을 부린다.

요즘은 성장이 빨라서 대부분 초등학교 고학년이면 사춘기를 맞이한다. 저학년 때는 그렇게 말 잘 듣던 착한 아이가 어느 날 갑자기 부모 말을 거스르거나 엇나가기 시작하면 슬슬 신호가 오는 것으로 생각해야 한다.

'아하! 아이가 이제 슬슬 독립운동을 시작하고 있는 것' 이라고 생각하자.

심리적으로는 반항과 변덕을 부리는 것이 사춘기의 시작이라면 신체적으로는 여자아이는 초경을 남자아이는 첫 몽정을 하는 때가 사춘기의 시작이다. 이와 더불어 아이가 잠자는 시간이 늦어지기 시작한다. 성호르몬에 의해 뇌 구조가 재편성되면서 낮과 밤을 조절하는 부분에도 변화가 오게 된다. 늦게 잠들고 늦게 일어나고 9시간 이상 자는 식으로 잠의 양이 급격하게 늘어나기 시작한다면 사춘기가 시작된 것이다.

기가 막힌 것은, 부모 눈에는 아직 서투르고 앞뒤도 안 맞고 중구난방인 그 아이가 마치 다 자란 성인이라도 되는 양 자기주장을 하고 고집을 피울 때이다.

책임도 못 질 거면서 일을 벌인다. 친구들과 놀겠다고 나가서는 연락이 끊어지는 일도 있고 휴대전화나 컴퓨터를 끼고 앉아 부모는 안전에도 없는 것처럼 무시하는 일이 잦아진다.

고학년이 되면 공부할 것도 점점 많아지고, 해야 할 일도 많은데 별 쓸모없는 일에서는 저 잘났다고 버티기나 하지, 실제로 본인이 해야 할 중요한 일은 부실하게 하지, 부모 속이 탈 수밖에 없다.

하지만, 부모가 이해해야 할 점이 있다. 그렇게나 괘씸한 그 아이가 사실은 내심 불안하다는 점, 겁도 나지만 그럼에도 자기 속 깊은 곳에서 자신을 부추기는 알 수 없는 힘을 누를 수가 없어서 그러는 것이라는 사실을. 키가 크고 몸무게가 늘듯 아이의 존재감이 아이 속에서 그런 식으로 팽창하고 있는 것이다.

엄마 말은 '중얼중얼'

"공부해라." "똑바로 앉아라." "학습지 했니? 발 씻어야지…."
온종일 아이와 나누는 말은 대체로 지시하거나 훈계하는 말이기 쉽다.
하루 정도 날을 잡아서 내가 '공부해라.' 소리를 몇 번이나 했는지 체크해 보자. 엄마는 열 번 말했는데 아이는 두 번 그 말을 따랐다면 앞으로는 딱 두 번만 말하는 것이 좋다. 나머지 여덟 번은 부모에게는 훈계지만 아이에게는 의미 없는 잔소리다. 아이에게는 하나도 의미 없고 무슨 소리인지 알아듣기도 어려운 '중얼중얼' 에 불과한 것이다.
초등학생은, 부모는 자녀와의 대화에서 가르치거나 지시하거나 지적하는 훈계와 교육용 메시지를 전체 대화의 20~30% 정도로만 주는 것이 좋다. 나머지 부분은 아이의 감정을 헤아려주고 아이의 고충을 들어주고 때로는 부모 자신의 감정을 표현하는 정서적 대화로 채우는 것이 좋다. 설령 부모가 대화의 100%를 아름다운 훈계로 가득 채웠다 해도 아이들은 20~30%만 받아들였을 거로 생각하는 것이 낫다. 나머지 70~80%는 무슨 뜻인지도 알 수 없는 엄마의 중얼거림, 혹은 지겨운 잔소리에 지나지 않는다.
잔소리를 줄이기까지는 물론 시간이 필요하다. 아이에게 변화될 시간이 필요하듯 엄마에게도 이제까지의 잔소리를 줄이려면 일정시간이 필요하다. 엄마로서는 그동안의 잔소리가 독이었다는 충고를 듣고 나면 대부분 갑자기 입을 다물어버리는 경우가 많다.
혹은 잔소리를 줄이려고 해도 잘 안 되어서 죄책감을 가질 수도 있다. 아이와 마찬가지로 어른에게도 시간이 필요하다.
처음부터 잘 안 되어도 포기하지 말고, 죄책감도 느끼지 말고, 꾸준히 차츰차츰 줄여나가도록 노력하면 그것만으로도 아이와의 관계가 한결 좋아진다.

부모도 대화 기술을 익혀야 한다

"다른 애들은 너처럼 안 그러더라." "너 바보야?" "엉뚱한 소리 좀 그만해." "입 다물지 못해!" "정신이 있는 거야, 없는 거야?"

초등학교 고학년이 되면 적어도 이런 말은 삼가자.

아이의 자존심을 상하게 하면 아이는 마음의 문을 닫아버린다. 고학년이 되면 허술한 논리나 궤변으로 무조건 자기 입장을 정당화해서 말하려는 경향이 있다. 이럴 때 부모와 자녀 사이에서 자칫하면 말싸움이 생기기 쉽다. 사춘기 아이를 키우면서 어찌 말싸움 한두 번 안 할 수 있을까?

중요한 것은 일단 말싸움이 시작되었다 해도 말싸움으로만 끝을 맺어서는 안 되겠다는 점이다. 아이가 말도 안 되는 소리를 해서 부모 염장을 지르면 일단 위엄 있는 표정으로 목소리를 낮추고 "내가 지금 마음이 너무 불편해서 대화를 하기 어렵구나." 하고 싸움을 일단 멈추는 것이 낫다. 계속해봤자 소득도 없고 서로 감정만 다친다.

사춘기 자녀와 대화할 때는 "너 왜 그러니?"라는 〈너-대화법〉보다는 "네가 이러저러하게 하니까 엄마 마음이 참 섭섭하네."라는 〈나-대화법〉을 사용하도록 해보자. 잘못을 하면 "너는 왜 그 모양이니?" 하는 것보다 "그 일은 네가 잘못 생각하고 잘못 행동한 거야."라고 하자. 아이 전체가 아니라 아이의 잘못된 행동 그 자체를 혼내야 한다.

TV프로라든가, 만화책이라든가 요즘 뜨는 UCC라든가, 게임, 연예인이라도 좋다. 아이와 세상을 재미있게 이야기해 보는 시간을 갖자. 이렇게 하면 아이 눈에 엄마가 달라 보일 것이고, 가끔은 이렇게 의외의 친근한 모습으로 아이에게 다가갈 필요도 있다. 아이 어릴 때 사진을 함께 들여다보면서, 태어나서 지금까지 아이가 자라면서 기억에 남는 일 즐거웠던 일을 추억해보는 시간도 가져보자. 너무 많이 커버려서 서먹서먹했던 아이와의 관계에 은은한 친밀감이 들 수 있을 것이다.

함께 할 수 있는 프로그램을 만들어 즐기자

고구려연구회 서길수 회장(서경대 교수) 부부는 젊은 부모들에게 평소 이런 이야기를 한다.

부모 사춘기가 되면 아이가 막 반항을 하잖아요?

서 교수 부부 반항이 아니라 제 목소리를 내기 시작하는 것입니다.

부모 다 키워놓으면 저 혼자 큰 것처럼 막 제멋대로 굴잖아요?

서 교수 부부 다 컸으니까 이제 제 길을 가겠다는 거죠.

서길수 교수는 널리 알려진 것처럼 20여 년 동안 고구려 유적 답사를 다니면서 수많은 자료를 찾아가며 고구려사를 연구하고 있다. 서 교수는 자녀가 사춘기가 되었을 무렵부터 힘들지 않은 현장은 데리고 다니기도 하고 고구려사를 공부하는 일에 아이가 할 수 있는 만큼 참여시켰다고 한다. 부모가 노력하고 추구하는 '작업'에 자녀도 동참시킴으로써 교육과 양육을 세련되게 접목했던 것이다. 서 교수의 두 아들은 비록 전공은 다르지만 성인이 된 후에도 '고구려연구회'라는 모임을 이끄는 부모 일을 존경과 사랑으로 바라보고 가끔은 돕기도 한다.

서 교수의 경우처럼 거창하고 큰일은 아니라 해도 자녀가 고학년이 되면 부모는 자녀와 함께 즐기거나 함께 공부할 수 있는 어떤 프로그램을 찾아서 함께 할 필요가 있다. 낚시나 등산도 좋고, 로봇 만들기나 배드민턴 같은 운동도 좋다. 부모와 자녀가 함께 즐겁게 참여할 수 있는 무엇인가를 만들어, 일주일에 한 번, 혹은 한 달에 두어 번 정기적으로 함께 무엇인가를 하는 것만으로도 사춘기 자녀와의 유대는 끈끈하게 계속 이어질 수 있을 것이다.

아이는 이제 제법 많이 컸다. '부모가 너를 사랑한다.'라는 마음을 굳이 말로 전할 필요 없이 가족 프로그램을 만들어 두고, 정기적으로 즐기면서 '우리가 함께하는 이 시간이 소중하고 행복하다는 것, 너는 우리의 중요한 가족 구성원이라는 점'을 마음으로 자연스럽게 느끼게 해주자. 부모의 신뢰와 세심한 사랑이 있는 한 아이는 사춘기를 혼란스럽게 겪지 않고 안정적으로 성숙해갈 수 있을 것이다.

부모와 자녀가 설사 감정이 상해서 크게 싸운 적이 여러 차례 있다 해도, 앞서 소개한 여러 가지 방법들을 다 못 지킨다 해도, 어제는 잘하지 못했지만 오늘은 다시 시작해본다는 마음으로 꾸준히 노력해보자. 어느새 당신도 자녀의 마음을 읽는 부모가 되어 있을 것이다.

TIP

사춘기 아이와 긍정적인 대화를 할 때

사춘기 아이들을 칭찬할 때는 불분명한 의도나 다른 목적을 가지고 하지 말자. 이 시기의 아이들은 다른 사람의 마음속에 어떤 의도가 어떤 과정을 통해서 표현되는지에 관한 마음 모델이 거의 완성되어 있다. 의도가 불순해 보이면 아이는 겉으로 보기에는 칭찬이라도 심하게 저항을 한다. 의도가 불분명하면 받아들일 가치가 없는 것으로 판단하여 효과가 거의 없게 된다. 사춘기 아이들이 주요 의사 결정은 흑백논리로 이루어진다. 칭찬이면 진정한 칭찬이어야 하고 진정한 칭찬이 아니라면 그것은 칭찬이 아니다. 대체로 칭찬이라거나 나름대로 칭찬이라는 것은 존재하기 어렵다.

사춘기 아이와 부정적인 대화를 할 때

사춘기 아이들은 부모가 꾸중할 때 건성으로 듣거나 말꼬리를 잡거나 하는 경우가 많다. 건성으로 들을 때는 소귀에 경 읽기를 하지 말고, 문자메시지나 편지 등으로 불편한 마음을 전달해보자. 인지적이나 정서적으로 추상적 정보처리가 가능한 나이인 이때는 감각적 자극으로 꾸중하는 것보다는 문자정보를 사용하는 것이 효과적이다.
말꼬리를 잡을 때의 아이는 부모에게 싸움을 걸고 싶은 것이거나 혹은 싸움에 걸려드나 걸려들지 않나 시험하는 중이다. 이때 아이와 말싸움은 백전백패하기 쉽다. 아이는 나름대로 논리로 무장한 후 부모의 심기를 건드리는 단어를 사용한다. 많은 부모가 이런 싸움 끝에 후회하곤 하는 이유 중의 하나가 아이의 말이 논리적으로는 맞는다는 것을 인정해야 하기 때문이다. 말꼬리를 잡으면 잠시 '쉬고' 나중에 이야기하자고 하자. 아이도 쉬고 나면 자신의 논리를 포장한 '날카로움'을 거둬들이게 된다.

EBS 60분 부모 08

공부하는 이유와 목표를 세우게 하라

아이들에게 공부를 왜 하냐고 물어보면 처음에는 머뭇거리다가 이내 장난스럽게 말한다. "훌륭한 사람 되려고요!" "유명한 사람 되려고요!" 왜 훌륭한 사람, 유명한 사람이 되고 싶냐고 물어보면 또 잠시 머뭇거리다가 말한다. "돈 많이 벌 수 있으니까요!" "이름을 떨칠 수 있으니까요!" 공부하는 이유를 물어보면 아이들은 이렇듯 막연하고 추상적인 이유를 대곤 한다.

그런데 잘 생각해보자. 공부란 어렵고 힘든 시간을 견디는 일이다. 훌륭하다, 유명하다, 돈 많이 번다, 이름을 떨친다는 이유만으로 아이들이 어렵고 힘든 공부를 줄곧 견딜 수 있을까?

초등학교 고학년이 되면, 하기 싫어도 조금은 참고 견딜 수 있는 능력이 생긴다. 그러나 능력이 생겼다고 해서 쉽게 할 수 있다는 얘기는 아니다. 일단 힘들고 어려운 것은 피하고 싶고 안 하고 싶은 것이 인간의 본능이기 때문에 아이들은 여전히 공부를 힘들어한다. 그런데 이런 아이가 공부하는 이유와 목표를 알고 나면 힘들고 어려운 공부를 제법 참고 견디어 낸다. 나중을 위해 지금을 참고 견디어야 한다는 이치를 깨닫게 되는 것이다.

이때, 공부하는 이유나 목표를 부모 생각대로 만들어 주거나 함부로 밀어붙이면 곤란하다. 이러면 아이는 하고 싶지도 않고 관심도 없으며, 하기 어려운 공부를 해야 하는 이중고를 겪게 된다. 공부는커녕 결국 우울증에 걸리기 쉽다. 공부 목표나 이유는 될 수 있으면 아이 스스로 찾게 해야 한다.

공부 목표나 이유는 어떻게 찾게 해주어야 할까?

초등학교 4학년 선영이가 '공부를 왜 하는가?' 라는 주제로 엄마와 나눈 대화 내용을 보면 부모 자녀 간에 공부 이유와 목표를 주제로 어떻게 대화를 나누면 좋을지 참고가 될 것이다.

엄마 선영이는 왜 공부를 하는 거지? 목표가 뭘까?

선영 음, 부자가 돼서 돈을 많이 벌고 싶어요.

엄마 부자가 되고 싶어서 공부하는 거야? 그러면 부자도 여러 종류가 있는데 어떤 부자가 되고 싶을까?

선영 세계에서 제일 큰 부자가 되고 싶어요.

엄마 세계에서 제일 큰 부자가 누구인지 아니? 인터넷 가서 한번 찾아봐. 그리고 그 사람 재산이 얼마인지도 알아봐.

선영 (찾아보고 와서) 빌 게이츠네요. 재산이 ○○○○나 된대요!

엄마 (그 돈을 우리나라 돈으로 계산해주면서) 와! 정말 많은 돈이구나. 이 돈을 벌면 그래, 뭐할래?

선영 음, 저… (미처 생각해보지 못한 질문이라 고민하다가) 맛있는 것을 많이 사먹을래요!

엄마 네가 먹고 싶은 음식이 무엇인데?

선영 예, 스파게티요. 치킨도 좋아요. 피자도 좋고요.

엄마 그럼 그 음식값을 모두 합해서 하루 세 끼 곱하고, 일 년 365일을 곱하고, 네가 앞으로 80년 이상 더 살 거로 생각하고 80년, 아니다 넉넉하게 100년치를 곱해봐. 얼마가 나오니?

선영 (계산하고) ○○○인데요.

엄마 그 돈을 전 재산에서 빼 보렴. 그래도 많이 남지? 남은 돈을 그럼 어떻게 쓸래?

선영 예쁜 옷을 사 입고 싶어요.

엄마 그럼 인터넷 가서 네가 입고 싶은 옷값을 전부 계산해봐.

선영이와 엄마는 그날 꽤 오랜 시간을 대화하면서 선영이가 갖고 싶은 것, 하고 싶은 일, 심지어는 큰 집과 고급 자동차 가격까지 인터넷에서 찾아가면서 돈 쓰는 일을 탐구해 나갔다. 하지만, 아무리 돈을 써도 전 재산에서 그 돈을 빼고 나면 항상 거액의 돈이 남아 있곤 했다. 선영이 입에서는 결국 이런 말이 나왔다. "엄마 내가 뭘 잘못 생각한 것 같아…." 아이는 그날 자기의 꿈이 얼마나 추상적이고 막연했는가를 깨달았다. 또한, 돈을 버는 것만 중요한 게 아니라 쓰임새도 고민해야 한다는 것도 알게 되었다.

선영이는 그래도 나은 편이다.

공부 방법을 배우고 싶어 하는 아이들에게 '공부를 왜 할까?' 물어보면 초롱초롱한 눈동자로 자신이 왜 공부하는지를 명확하게 얘기하는 아이들은 거의 없다. 왜 공부를 하느냐고 묻는 순간 아이들은 슬슬 고개를 숙이며 눈 마주침을 피하기 시작한다. 공부를 왜 하는지 생각해 보지도 못하고 무작정 공부를 하는 건 왜 뛰는지도 모르고 무작정 사람들이 뛰어가는 방향으로 뛰어가는 것과도 같다.

아이와 대화를 나누면서 공부 목표를 생각해보게 하자.

우선, 최종목표부터 시작해서 점점 세부적으로 구체적인 목표를 세워나가도록 한다.

예를 들어 ①공부의 최종적인 목표는 행복하게 사는 것이고 ②행복하게 살려면 하고 싶은 일을 해야 하고 ③그렇다면 내가 하고 싶은 일은 무엇인지 생각해야 하고 ④그 일을 하려면 어떤 것들이 필요한가(예를 들어 어느 대학의 무슨 과에 입학해야 할까?)를 ⑤그렇게 하려면 지금 어느 정도의 성적을 받아야 하는가? ⑥그 성적을 받으려면 지금 무엇을 어떻게 얼마나 공부해야 하는가를 차근차근 알려주자.

그렇게 하면 지금 당장 이번 주 학습계획표를 세울 수 있는 단계에 이르게 된다. (3장의 〈공부법의 기본이자 출발점, 시간 관리법〉 참고)

인생의 꿈을 설계하기에는 비교적 간단한 과정이지만, 초등학교에서는 이 정도만 대화해도 아이들이 막연한 꿈이 아니라 더욱 구체적인 꿈을 꿀 수 있게 된다. 공부하는 방법을 아무리 잘 알고 있어도 실천하지 않으면 소용이 없고 실천을 하려면 동기가 있어야 한다. 왜 공부 하는지를 알고, 공부를 해서 이루고 싶은 꿈은 무엇인지 분명하게 정해지면 아이는 시키지 않아도 공부를 시작하는 아이가 될 것이다.

하지만, 이것만으로는 대화 재료가 여전히 부족하다.

아이가 꿈 설계를 좀 더 잘할 수 있도록 부모는 다음 사항을 유념하자.

직업 탐색하기

아이들에게 장래희망을 물어볼 때마다 학교에서든 가정에서든 사회에서든 직업정보에 대한 안내가 잘 이뤄지지 않고 있다는 것을 알게 된다.

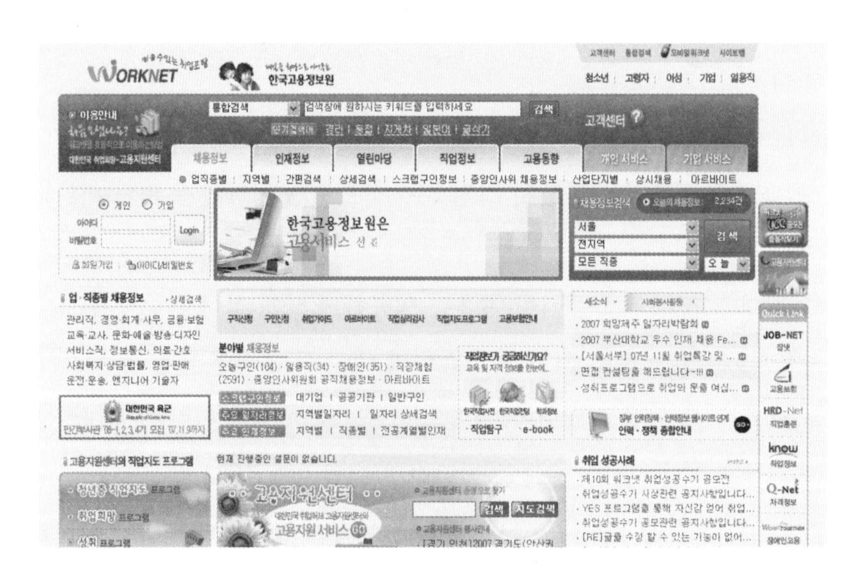

이 세상에 어떤 직업들이 있고 그 직업을 갖게 되면 어떤 일을 하는 것인지에 대해 알아야 장래희망, 목표를 정할 수 있지 않을까? 고학년이 돼서는 주말마다 한 번씩 엄마와 함께 직업의 세계에 빠져보는 것도 매우 즐겁고 유익한 일일 것이다. 노동부 관련 홈페이지에 가면 현재 우리나라에 있는 직업 몇 만 개가 명시되어 있다. 직업의 숫자가 많은데 놀랄 것이고 그 직업이 무슨 일을 하는 직업인지 몰라서 놀랄 것이다. 예를 들어 컴퓨터 관련 직업만도 150여 개가 있다. 아이와 함께 직업 이름 알아맞히기, 이름만 보고 그 직업이 무슨 일을 하는지 알아맞히기 등을 하면서 직업의 세계를 탐색해보자.

위인전 읽기

아이들이 읽는 위인전을 보면서 어릴 때 좀 더 위인전을 많이 읽어두었으면 좋았겠다고 말하는 부모를 만나곤 한다. 어릴 때 위인전을 더 많이 읽었더라면 뭐든지 열심히 하지 않았을까 하는 생각이 들었다는 것이다.

위인전은 어린 시절, 특히 초등 시절에 꼭 필요한 책이다. 아이에게 위인전을 많이 읽도록 권하자.

부모가 자녀의 온전한 모델이 되기엔 아무래도 역부족이다. 아이는 부모가 미처 갖지 못한 부분도 다른 사람의 삶을 통해 봐야 하고, 알 수 있어야 한다. 위인전 하면 고리타분하다고 생각하는 아이들이 있다. 그럴 때는 먼 과거의 위인이 아니라 아이들이 매스컴에서 쉽게 접할 수 있는 존경할만한 사람들을 소개하는 것도 한 방법이다. 컴퓨터를 좋아하는 아이에게는 빌 게이츠나 스티브 잡스의 이야기를, 농구를 좋아하는 아이를 위해서는 마이클 조던을, 성악을 좋아하는 아이를 위해서는 조수미를, 골프의 박세리, 설치작가인 백남준, 노벨상을 받은 김대중 전 대통령 등 찾아보면 소개해줄 인물들이 참으로 많다.

위에 열거한 사람들은 각 분야에서 뛰어날 뿐만 아니라 뛰어나기 위해 수많은 시련과 좌절을 극복한 사람들이다. 대학 중퇴자에서 세계 최고 부자가 된

공부 이유와 목표 적어보기

공부하는 이유와 목표가 생기면 잘 정리해서 책상 앞이나 공부방 문에 붙여놓게 하자.
자주 보면서 마음을 다잡을 수 있도록 눈에 잘 띄는 곳에 붙여 둔다.

내가 공부하는 이유
1. 빌게이츠처럼 되고 싶어서
2. 엄마가 좋아하니까
3. 친구들한테 잘 보이고 싶어서
4.
5.

공부를 해야 하는 이유	공부를 하면 좋은 점
1. 직업을 갖기 위해서	사람들이 나를 존경한다.
2. 아는 것이 많아진다.	돈을 많이 벌 수 있다.
3. 다른 사람들과 정보를 나누기 위해서	아는 것이 많아져서 자신감이 생긴다.
4.	
5.	

위의 항목들을 채울 때 꼭 5가지를 모두 채울 필요는 없다. 또 10가지, 15가지라도 괜찮다. 아이가 진지하게 생각해 볼 수만 있도록 지도하자.

공부의 목표

1. 최종목표

행복한 삶

2. 최종목표를 이루지는데 필요한 것은?

원하는 직업을 갖는다 → 로봇공학자

3. 필요한 것들을 얻고자 거쳐야 할 과정들은?

대학에 들어간다 → 공학관련학과에 들어간다

4. 최종목표를 이루고자 거쳐야 할 과정들을 위해 공부는 어떻게 해야 할까?

원하는 대학에 들어가려면 어느 정도 성적을 얻어야 하는지 알아보고 목표성적을 세우고 열심히 공부한다.

5. 성적은 어느 정도가 나와야 할까?

평균 90점 이상

공부를 하는 이유와 목표가 분명하게 정해지지 않는다고 해서 "너는 왜 꿈도 없고 목표도 없니?" 하는 식으로 비난해서는 절대 안 된다. 어른들도 무엇인가를 할 때 분명하고 명확한 이유와 목표를 정하는 것이 힘든 법인데 아이들은 두말할 나위 없다. 아이가 공부하는 이유와 목표가 지금 당장 분명하지 않아도 걱정하지 말자. 지속적으로 꾸준하게 공부하는 이유를 생각하고 목표를 정해 나가도록 부모가 레이더를 켜고 기회가 있을 때마다 생각해보게 하는 것도 필요한 일이다. 한 번에 목표나 이유를 말하지 못한다고 해서 걱정하지 말자. 그게 바로 현재의 내 아이다. 천천히 가르쳐주고 이끌어주면 된다. 초등학생 때 꿈을 갖지 못했다고 해서 영영 그러지 못하란 법은 없다.
지금 아이의 모습에 연연해 하지 말고 천천히 여유를 갖고 기다려주면서 목표와 이유를 설계하게 하자.

빌 게이츠나 뒷골목 아이에서 농구의 황제가 된 조던을 읽으며 아이들은 지금 현재 공부의 지루함을 극복하게 될 것이다. 감동적인 인물의 삶을 보면서 '나도 저 사람처럼 되고 싶다!' 하는 마음이 들기 시작하면 자연스럽게 공부목표나 이유도 생길 수 있다.

봉사와 여행하기

고학년이 되면 자원봉사나 견문을 넓히는 여행을 꼭 시킬 필요가 있다. 세상을 배우고 다양한 사람들을 만나면서 아이는 다양한 삶의 모델을 만날 수 있다. 인생의 모델은 책 안에만 있는 것은 아니다. 봉사와 여행은 아이를 넓게 만들고 겸손하게 만들며 성숙시켜주는 훌륭한 경험이다.

09 EBS 60분 부모

친구 관계도 학습을 돕는다!

5학년 성훈이. 수업태도도 좋고 공부도 썩 잘한다. 그림도 아주 잘 그리는 전형적인 모범생.

그런데 딱 하나, 성훈이는 운동을 잘 못한다. 그래서 남자 친구들의 놀이에 잘 끼지 못하고 쉬는 시간에 혼자 겉도는 일이 많다. 그러다 운동회 날, 남들은 손꼽아 기다리는데 성훈이는 장애물 달리기에 학급 전원이 참여해야 한다는 선생님 말씀이 부담스러워 결국 꾀병을 부리고 결석까지 했다. 성훈이는 친구 사이에 끼지 못하면서 점차로 학교생활 전반에 흥미를 잃어가는 중이다. 성훈이 부모에 따르면 아이는 저학년 때부터 몸을 움직여 노는데 별 흥미를 느끼지 못했었다고 한다. 아이가 좀 별나구나, 그냥 특성이겠지 하면서 넘겼는데 그게 이렇게 아이의 의욕을 전반적으로 떨어뜨리는 일이 될 줄은 몰랐던 것이다.

구의 초등학교 김애경 교사에 따르면 초등학교 고학년은, 아이들의 교우관계가 남학생 여학생에게서 조금은 다르게 나타난다고 한다. 여학생들은 친구를 많이 넓게 사귀기보다 주로 단짝 친구나 몇몇 마음에 맞는 친구들끼리 그룹을 지어 깊게 사귀는 편이다.

남학생은 좀 다르다. 남학생은 대체로 친구를 넓게 사귀는 경향이 있다. 남학생들은 놀이나 게임 위주로 친구를 사귀는 편이어서, 축구 좋아하는 아이들끼리 어울리거나 게임 좋아하는 아이들끼리 어울리는 경향이 있으며 때로는 그런 구분조차도 없이 대충 어울려 지내는 경우가 많다.

교우관계에서 여학생들은 '누구냐?' 가 중요하고, 남학생들은 '뭘 할거냐?' 가 중요한 변수가 된다는 것이다.

5학년쯤 되면 친구들과 약속을 정하고, 엄마의 잔소리를 피해 어떻게든 계획을 세워 놀아보려고 하는 것이 정상이다. 집에서 컴퓨터나 하면서 혼자 놀고, 평소 어울리는 친구들이 없어 보이면 아이의 인생에 주의 경보가 울렸다고 봐야 한다.

이제는 혼자 하는 공부가 아니라 함께 하는 공부가 됐다!

부모들은 교우관계가 학습하고 별개의 일이라고 생각을 하는 경우가 많다.

그러나 사실은 교우관계가 학습과도 밀접한 관계가 있다.

성격이 적극적이냐 소극적이냐의 문제를 떠나서 요즘은 공부하는 방식이 가만히 앉아서 수동적으로 선생님의 설명을 듣던 예전과는 달리 모둠 활동 위주로 펼쳐지는 경우가 많고 토의나 토론 학습을 하는 경우가 많다. 특히 고학년으로 올라갈수록 더더욱 그렇다. 친구들과 함께 어울려 자료 조사를 하고 의견을 나누어 가면서 결과를 도출해가는 과정에서 원만한 교우관계는 빛을 발하게 되어 있다.

교우관계가 학습과 연관되는 이유가 또 있다.

초등학생의 자신감은 또래 사이에서의 인기나 주목과 관계가 깊다. 하지만, 부모들은 이 점을 종종 간과하거나 무시하는 경향이 있다.

그러나 좋은 친구는 함께 공부 속으로 들어가는 동반자 역할도 해 준다.

그런데 마음을 잘 열지 않고, 친구가 다가와도 적당한 거리를 두는 아이가 있다. 이러면 부모가 친구 관계를 형성하는 과정을 도와주어서 또래에 동화할 수 있도록 도울 필요가 있다.

고독한 아이는 학습에서도 손해를 보지만 발육과 발달에서도 악영향을 받을 우려가 있다. 아이들은 발산을 통해 에너지를 소모해야 하고 에너지를 많이 소모할수록 음식물 섭취도 많이 하게 되며 이래야 신진대사가 활발하게 이루어져 발육이 촉진된다. 친구관계도 신체적 성장패턴이 그러하듯 또래 사이에서 자신을 마음껏 드러내면서 서로서로 발산과 수렴을 통해 관계를 배워나가게 된다.

지난 1년 동안, 학습문제로 심리학습클리닉을 찾았던 사례 중에 80% 이상은 친구사이에서 외톨이 경향을 보이거나 혹은 친구와의 교류를 활발하게 하지 않는 아이들이었다. 이 아이들을 심리검사 해보면 친구를 사귀고 싶은데 어떻게 사귀어야 좋을지 몰라 어려워하는 경우가 많았다. 지능도 높고 다른 인지능력도 뛰어난 편인데도 이런 아이들은 의욕도 없고 학습 동기도 낮은 편이었다. 학습문제로 찾아왔던 부모들에게 이 사실을 알려주면 하나같이 아이가 그렇게 고독한 줄은 몰랐다고 당황해 했다. 고독한 아이는 공부 의욕도 떨어져 있는 것이다.

처음을 도와주자!

평소 친구와 잘 어울리지 못하고 혼자서 책만 보던 초등학교 4학년 민서. 친구관계가 중요하다고 해서 아이가 어느 날 갑자기 또래 사이로 다이빙하듯 뛰어들어갈 순 없는 노릇, 우리는 민서 엄마에게 친구들과의 교류를 도와줄 것을 제안했다. 엄마는 공부방 친구와 형 누나들을 데리고 모처럼 현장체험학습을 시도했다. 또래 사이로 선뜻 뛰어들지 못하는 민서를 위해 체험학습을 핑계 삼아 관계의 '처음'을 슬쩍 도와준 것이다. 요즘은 너나 할 것 없이 아이들이 모두 바쁘므로 집으로 초대해서 파티를 여는 것보다는 이럴 때, 다 같이 체험학습을 떠나는 것이 좋다. 민서가 평소에 관심을 두었거나 비교적 친근하게 생각하는 2~3명을 모아서 주말을 이용해 함께 떠나는 것도 좋다.

친구관계가 어려운 아이는 이처럼 엄마가 인솔해서 관계 트기를 도와줄 필요가 있다. 함께 버스 타고 여행하면서 어려운 일도 겪으면 친밀감을 느끼게 된다. 그러므로 자동차를 이용해서 목적지까지 쉽게 한 번에 가는 방법보다는 약간은 수고스러운 방법을 선택하는 것도 좋다. 가능하면 놀기 좋은 곳이 아니라 교과서에 나오는 곳으로 가면 사진도 찍고 나중에 기행문도 쓰고 스크랩도 해둘 수 있을 것이다(아마 친구 부모들도 좋아할 것이다!).

엄마가 친구들을 데리고 체험학습에 데려가 주거나 혹은 집을 놀이터나 공부방으로 개방해서 맛있는 음식을 해주면 아이의 자신감이 커지는데 도움이 될 수 있다. 하지만, 거기까지에서 만족해야 한다. 친구관계를 맺는 방법이 미숙하다고 해서 모든 단계를 다 엄마가 도와주려고 하지 말아야 한다. 아이들 관계의 세세한 부분까지 들어가는 것은 오히려 역효과를 줄 수 있다. 그저 관계 맺기의 처음을 살짝 도와주고 집 현관문을 어느 정도 열어주어 자유 시간에 친구들이 드나들 수 있도록 해주는 것이 좋다. 친구들과의 놀이가 끝난 다음에는 미숙한 부분에 대해서는 주의를 주기보다는 대안을 제시하고 엄마와 함께 역할 놀이를 해보는 것도 추천할 만한 방법이다.

우리 아이와 어울리는 친구그룹의 리더를 보자!

반대도 있다, 초등학교 6학년 준성이.

친구를 어찌나 좋아하는지 부모도 형제도 모두 뒷전이다. 아이는 친구와의 휴대전화 연락에만 온통 정신이 팔려서 공부할 때에도 도무지 집중을 못 할 정도다. 문제를 풀다가 휴대전화를 하고 다시 문제풀이로 돌아오는 일은 주의력을 분산시켜 다시 집중하는 데까지 대략 5분 이상이 소요되게 만든다. 예를 들어 문자메시지 하나를 보내거나 받고 다시 문제풀이를 시작할 때까지 약 5분의 준비

시간, 책상에 10분 이상 앉아 있었다 하더라도 집중적으로 공부한 것이 아니라 준비만 한 것이다.

이메일이나 휴대전화는 공부에 얼마나 방해가 될까?

일을 하는 도중에 이메일이나 휴대전화 신호가 울려서 내용을 확인하는 순간, 주의가 전환되고 바로 그 시점에서 지능지수 검사를 하면 점수가 10점이나 떨어진다. 이 정도의 점수 저하는 하룻밤을 꼬박 샌 후의 지적 수준 저하와 같은 정도이거나 대마초를 피워서 지능이 잠시 떨어진 상태의 2배와 같은 정도이다. 왜 이렇게 많은 지적 수준 저하가 일어날까? 순간적인 주의 전환은 생존을 위하였을 때 주로 사용되는 기제로서 에너지 소비를 매우 많이 요구하는 과정이다. 길을 가다가 호랑이를 만났다고 생각해보라. 이 얼룩덜룩한 무늬가 호랑이인지 나무무늬인지 고민하는 사이에 잡혀먹히고 말 것이다. 일단 '호랑이다.' 하고 생각하는 것이 생존에 유리하다. 순간적 주의 전환이 된 것이다. 순간적 주의 전환 바로 뒤에는 싸울 것인가? 도망갈 것인가를 무의식적으로 재빠르게 결정하여야 한다. 이것도 고민하다가는 호랑이의 밥이 되고 말 것이다.
이메일이나 메시지를 확인하는 것은 책상에 앉아서 호랑이를 만나는 일과 같다. 호랑이와 싸우느라 에너지를 순간적으로 폭발적으로 사용하고 난 후에는 다시 몸과 마음을 추슬러야 한다. 그 시간이 5분에서 10분 정도인데 그 사이에 다시 전자 메시지를 확인하게 되면, 연속해서 두 번이나 호랑이와 맞닥트린 것이다. 머리를 사용하는 공부는 물 건너간 것이다.

학교나 학원에서는 거의 선생님들이 관리하기 때문에 크게 문제가 되지 않는데 그 밖의 시간에는 휴대전화 때문에 어느 하나에 집중하는 데에 심각하게 방해를 받는 경우가 많다. 공부하는 시간이나 잠자는 시간에는 휴대전화를 꺼놓도록 하는 약속을 하고 필요하다면 행동계약서를 써서 약속을 좀 더 공식화시켜놓는 것도 좋다. (*초등 저학년 학습법 〈잔소리 대신 행동계약서를 쓰자!〉 참고) 공부할 때나 잠잘 때만은 문자를 주고받거나 통화를 하느라고 귀중한 시간의 리듬을 깨지 않도록 지도하자.

친구관계가 준성이 정도라면 학습에 오히려 방해가 될 뿐 아니라, 자칫하면 나쁜 영향을 받을 수도 있다. 아이의 친구관계가 부잡스러워 보이거나 걱정스러운 점이 보이면 먼저 우리 아이가 같이 다니는 친구 그룹의 리더 역할을 하는 아이부터 살펴보자. 그 아이가 어떤 아이인지에 따라 우리 아이가 속한 그룹의 성격을 엿볼 수 있다. 이런 과정을 생략한 채 잘 알아보지도 않고 다짜고짜 아이를 닦아세우며 같이 다니지 말라고 해봤자 부모 자식 간에 마음만 상하지, 아무 소용없다.

앞서 말한 고독한 아이의 경우가 아니라면, 초등 고학년 시절 대부분의 아이는 부모나 가족보다 친구가 더 소중한 때이다. 아이의 친구를 이겨 먹으려 해봤자 이겨지지도 않는다. 친한 친구에 대해 부정적인 이야기를 꺼내면 아이는 부모를 배척하기도 한다. 아이 친구가 심각한 비행을 저지르는 경우가 아니라면 아이의 친구에 대해 사사건건 신경을 곤두세우기보다는 관대하게 봐주고 넘어갈 필요도 있다.

성진이와 민준이의 예를 보면 부모가 아이의 친구를 섣불리 속단해선 안 된다는 점을 잘 알 수 있다. 초등학교 내내 공부와는 담을 쌓고 지내던 성진이, 엄마는 성진이가 공부에 관심을 두지 않는 이유가 친구 민준이 때문이라고 생각되었다. 민준이는 성진이보다 호기심이나 장난기가 2배는 더 많은 아이였고 날마다 성진이를 불러내곤 했던 것이다. 부모 눈에는 거슬렸지만 성진이와 민준이의 우정은 그 옛날 도원결의를 한 영웅들의 우정 이상으로 깊고 뜨거웠다. 성진이 엄마 보기에 민준이는 장난기가 많고 노는 걸 좋아하는 것 말고는 그렇게 나쁜 아이 같아 보이지 않았다. 민준이 때문에 성진이 학습스케줄이 종종 피해를 보긴 했지만 그럼에도 성진이 엄마는 민준이가 계속 집을 들락거리는 것을 이해해 주었다. 성진이에게 민준이가 그만큼 소중한 존재인 것을 인정한 것이다. 그런데 중학교에 들어간 후, 친구 민준이가 달라졌다. 어느 날 마음을 다잡아 먹더니 무섭게 공부를 파기 시작한 것이다. 성진이도 그런 민준이의 변화를 보면서 당연히 영향을 받았다. 공부에 대해서 아무 준비도, 동기도 없었던 성진이었지만 민준이의 공부가 충분한 동기가 되었던 것이다. 초등 시절의 우정을 바탕으로 두 아이는 서로 앞서니 뒤서니 하면서 진지한 공부친구가 되었고, 마침내는 나란히 특목고에 진학했으며 국내 최고의 명문대학에 똑같이 입학했다.

만일 성진이 엄마가 초등 시절 민준이와의 우정에 문제를 제기하고 나섰다면 어떻게 됐을까?

엄마가 아이의 친구관계를 바라볼 때엔, 아이의 인생 전반을 두고 판단할 일이지, 현재의 성적이나 결과에 급급해서 친구를 사귀라 마라 할 일은 적어도 아니다. 초등 고학년이 된 아이, 친구와 함께 위험하거나 비도덕적인 행동을 하는 것이 아닌 이상은 그 관계에 대해 살짝 모르는 척 눈 감아 주자. 고학년 자녀를 키우는 것은 최소한 5할 이상이 친구다.

TIP

교우관계에 대해 선생님께 물어보기

우리 아이가 친구관계가 별로 없거나 고독해 보일 경우, 학교 담임교사와도 아이의 문제에 대해 서로 이야기하는 것이 필요하다. 선생님은 우리 아이를 객관적으로 판단하여 이야기해줄 수 있는 가장 적당한 사람 중 하나이기 때문이다. 그런데 이때 선생님이 어떤 분이냐에 따라 상담 방식이 다를 수 있다.

예를 들어 기혼자면 같은 부모의 입장일 경우가 대부분이므로 쉽게 대화를 풀어 갈 수 있으므로 솔직하고 명료하게 아이의 문제에 대해 이야기하고 조언을 구하는 것이 좋다.

만약 선생님이 미혼자라면 대화를 풀어 가기가 매끄럽지 않을 수 있지만, 아이와 세대차이가 크게 나지 않는 의견을 들을 수 있다. 이 경우에는 자꾸 찾아가는 것보다는 이메일이나 문자로 연락을 취하고 상담하는 것이 더 좋을 수 있다.

EBS 60분 부모 10

행복한 잠을 자게 하자!

초등학교 6학년 성훈이는 식당을 운영하는 부모님이 밤늦게 집에 돌아오시기 때문에 혼자서 잠자리에 드는 일이 많았다. 11시쯤 엄마는 전화를 걸어 성훈이가 잠자리에 든 것을 확인하곤 했다. 전화가 오면 성훈이는 졸린 목소리로 조금 전 잠자리에 들었다고 둘러대곤 했다. 하지만, 실제로 성훈이는 잠자리에 들지 않았다. 새벽 1~2시경 부모님이 돌아오시기 직전까지 컴퓨터 게임을 한 것이다. 성훈이는 이내 컴퓨터 게임 중독에 이르게 되었고 뒤늦게 놀란 엄마 손에 이끌려 상담실을 찾았다. 성훈이에게 내려진 최초의 처방은 일주일 동안 게임을 한 총시간을 적어보는 것, 그다음 매일 밤 잠자리에 드는 시간을 일정하게 지키는 것! 잠드는 시간, 잠에서 일어나는 시간을 일정하게 잡는 것이야말로 하루 생활을 알차게 꾸리는 첫 걸음이기 때문이다.

수면관리는 수험생들만의 이야기가 아니다.

컴퓨터게임과 인터넷, 휴대전화, 밤늦은 TV 시청 등은 휴식과 안정을 침해하는 것은 물론이고 잠까지도 위협하는 수준에 달하게 된 것이다.

초등학생 고학년이라면 우리 아이가 평소에 몇 시에 잠자리에 들고 총 몇 시간을 자는지, 또 쾌적한 잠을 자는지에 관심을 두어야 할 때다. 아이는 사춘기에 접어드는 시기라 생리적으로 수면 패턴에 변화를 겪게 된다. 여기에 더해 컴퓨터나 휴대전화 때문에 평소 수면리듬을 불규칙하게 갖게 되면 일상생활에 크게 방해를 받을 수밖에 없다.

잠은 낮 동안 우리 뇌가 보고 듣고 학습한 것들을 정리하고 재편해주는 역할을 한다. 또 집중력도 높여준다. 피곤하고 힘들 때 잘 잔 잠 한 시간이 집중력을 약 25% 높여준다는 연구결과도 있다. 좋은 수면은 기억력과 창의력도 높여준다. 잠을 충분히 자지 않으면 뇌기능이 당연히 떨어질 수밖에 없다.

초등학교 시절, 공부습관만 가르쳐줄 것이 아니라 그에 못지않게 수면의 중요성도 일러주자. 어릴 때부터 자신의 수면을 소중하게 생각하고 관리할 줄 아는 감각을 길러주면 장차 인생을 관리할 줄 아는 아이가 될 것이다.

수면, 양보다 질이 더 중요하다!

사람마다 평균 수면 시간이 크게 다르고 잠을 자는 패턴도 다르다. 흔히, 일찍 자고 일찍 일어나는 종달새 형이 있는가 하면 늦게 자고 늦게 일어나는 올빼미 형이 있다. 수면을 통해서 신체적, 정서적 에너지를 재충전하게 되기 때문에 '잠이 보약' 이라는 말도 있다. 잘 자는 것은 그처럼 매우 중요하다.

그런데 짧은 시간 잠을 자고도 개운한 몸 상태와 상쾌한 마음으로 하루를 보내는가 하면 10시간을 자고도 피곤한 상태로 온종일을 보내게 되는 때도 있다.

왜 그럴까? 수면의 구조를 먼저 살펴보도록 하자.

수면은 다음의 5단계로 구성된다.

1단계: 잠이 막 든 상태. 외부 자극이 조금만 주어져도 잠이 깬다.

2단계: 1단계를 벗어난 얕은수면 상태이다. 외부 소음을 잘 듣지 못하고 호흡이

잔잔해지는 상태이다.

3단계: 전체 근육의 긴장이 사라지는 본격적인 깊은 잠으로 외부 자극이 있어도 깨어나기 어려운 상태이다.

4단계: 흔들어 깨우고 들쳐 엎고 가도 모를 만큼 깊은 잠을 자는 상태이다.

5단계: REM(렘) 수면상태라고 하는데, 안구가 빙글빙글 돌며 호흡수도 증가하고 얼굴 근육과 손도 움직이는 등 뇌는 깨어 있을 때처럼 활동하지만 매우 깊이 잠들어 있는 상태이다.

1단계에서 5단계까지의 수면 시간을 모두 합치면 사람마다 개인차가 있지만 대략 1시간 30분에서 2시간 정도가 된다. 그리고 대개는 하룻밤에 이러한 단계가 4번 정도 반복된다. 개운한 상태로 잠이 깨려면 REM(렘) 수면이 끝난 직후에 일어나는 것이 가장 좋다. 또한, 성장을 위한 호르몬 분비가 가장 왕성하다는 밤 10시~새벽 2시에는 꼭 잠자리에 들어 있도록 수면관리를 해주자.

나만의 수면리듬

몇 시간을 자는 게 좋다더라 하는 얘기를 듣고 무작정 잠자는 시간을 맞추면 자신의 수면리듬과 맞지 않아서 늘 피곤한 상태가 되기 쉽다. 평균적으로 몇 시에 자서 몇 시에 일어나는 것이 가장 개운한지를 체크해 보자.

규칙적인 수면

수면리듬이 불규칙하면 신체리듬이 깨지기 때문에 일상생활에 지장을 많이 받는다. 매일 일정한 시간에 잠자리에 들고 일정한 시간에 잠을 깨는 것이 좋다. 일정한 시간에 잠드는 것이 어렵다면 적어도 일어나는 시간만이라도 일정하게 해야 한다. 일어나는 시간부터 정신과 신체가 함께 리듬을 타고 움직이기

	10/1	10/2	10/3	10/4	10/5	10/6	10/7
자기 전에 먹은 음식	라면, 김치 (잠자기 30분 전)	미역국, 밥, 소시지, 김, 명란젓 (잠자기 4시간 전)					
잠들 때의 기분이나 생각	배가 부르다.	포근하다, 내일 학교에 빨리 가고 싶다.					
잠든 시각	12시	11시					
일어난 시각	7시 30분	11시					
일어났을 때의 느낌	졸리다	말똥말똥					

시작한다. 어쩌다가 낮잠을 자게 되거나 불규칙하게 낮잠을 자게 되면 밤에 잠을 잘못 자게 되어 생활의 리듬이 흐트러지게 된다. 주말에 평소와 달리 늦게 자고 늦게 일어나는 것도 수면리듬을 깨는 것이기 때문에 좋지 않다. 불규칙하게 잠을 자고 하루 일과를 망친 경험을 한 번쯤은 해봤을 것이다. 불규칙한 수면은 시차변경증후군과 유사한 증상을 보인다. 생각해보라. 비행기를 타고 낮과 밤이 뒤바뀐 곳으로 가게 되면 그곳의 시간에 적응하기까지 많이 졸리고 무기력하고 기운도 없고 시간만 나면 잠자고 싶은 생각밖에 들지 않는다. 불규칙한 수면은 먼 곳으로 여행을 떠난 것이 아닌데도 불구하고, 일상적인 공간에서

매일 시차를 겪는 것과 유사하다.

잠을 자는 환경

외부 소음이 들리지 않고 빛이 들어오지 않도록 하여 조용하고 아늑한 상태로 잠을 자도록 해야 한다. 또한, 편안한 옷과 쾌적한 온도는 필수! 최대한 몸을 죄지 않는 편안한 옷을 입도록 하고 너무 덥거나 춥지 않도록 하여 잠자기에 쾌적한 자신만의 온도를 찾도록 하자. 열대야를 떠올려보면 상상만 해도 몸이 축 처진다. 실내온도 몇 도 정도에서 방해받지 않고 잘 자는지 체크해보자.

음식과 운동

잠자리에 들기 전에 콜라, 녹차와 같은 카페인이 든 음료수는 마시지 않도록 하자. 카페인의 각성효과 때문에 잠이 잘 오지 않아서 수면리듬을 깰 수 있다. 또한, 잠자기 전에 과식하는 것은 좋지 않다. 소화를 위해 몇 시간이 소요되므로 수면을 방해할 수 있다. 운동을 규칙적으로 하면 잠을 잘 자는 데에 도움이 되지만, 잠자기 2시간 전에 심한 운동을 하게 되면 오히려 잠을 잘 자는 데에 방해된다.

편안한 마음

잠들기 전에 긴장, 각성이 되는 생각들을 피하고 편안한 마음을 갖도록 하자. 잠들기 전에 편안한 음악을 듣는다든가 따뜻한 물로 목욕한다든가 하여 몸과 마음을 편안한 상태가 되도록 하는 것이 잠을 잘 자는 데에 도움된다. 아이가 원한다면 책 읽어주는 엄마의 목소리를 들으면서 잠들게 해주거나 엄마의 팔베개를 해주는 것도 좋은 방법이다.

4장

EBS 60분 부모

심리학습클리닉

_비틀거리기 단계

매일 학습지가 밀려요!

1학년 재민이 이야기

엄마의 고민일기

안녕하세요?

초등학교에 입학할 아이를 둔 부모입니다.

집에서 학습지(국어, 수학, 한자)를 하고 있는데 매일 매일 하는 분량을 미루다가 선생님 오시기 전날 하루에 왕창 해버립니다. 물론 제대로 하는 것도 아니지요. 제가 챙겨주면 곧잘 하다가 '이제 스스로 해야지.' 싶어 그냥 두면 어김없이 몰아서 하네요. 옆에 앉아서 아이가 공부하는 것을 보면 한숨만 나옵니다. 하나하나 짚어가면서 설명할 때는 딴 짓 하다가 혼자 해보라고 하면 어떻게 하는 거냐고 되묻고, 산만한 건지 공부가 재미없어서 그러는지 통 알 수가 없습니다.

13개월짜리 동생이 있어서 매일 봐 줄 수 없어 혼자 하고 나중에 검사하자고 하면 어느새 세 과목을 후딱 해치워버립니다.

1월생이라 또래보다 빨리 입학하는 경우여서 제 마음은 더욱더 불안합니다. 공부할 때 딴 짓 하면 학교 선생님께 혼난다고 겁도 주고, 공부 못하면 학교

안 보낸다고도 했지만 소용이 없습니다. 엄마인 저한테도 문제가 있겠죠? 학습과 관련된 부분만큼은 저한테 너무나 어렵습니다. 제가 아이에게 항상 하는 말이 있습니다. 공부 잘하는 것도 중요하지만, 친구들과 사이좋게 지내고 남을 생각할 줄 아는 아이가 더 좋은 거라고. 아이한테는 너그럽게 얘기해놓고 엄마인 제 마음은 공부를 잘하는 게 더 좋은 거로 생각하고 있으니. 오늘도 아이 공부하기 전에 마음을 다스렸다가 막상 시작하면 아이를 또 잡겠죠? 제 아이에게 어떤 방법의 학습이 도움될까요? 가르쳐주세요.

전문가 인터뷰

다 했어요, 땡!

동그랗고 큰 눈에 귀여운 외모인 재민이. 스스럼없이 검사실에 들어와 묻지도 않았는데 이야기를 풀어놓기 시작했다. "싫은 친구가 하나 있는데 자꾸 성질을 내서 혼내주고 싶어요."라며 다소 흥분된 상태로 말을 했다. 학교에 가면(*검사가 입학 직전에 이루어짐) 어떨지를 묻자, "선생님이 또 나만 따돌릴까 봐 걱정 돼요. 그래도 학교에 가는 게 좋아요. 왠지 알아요? 학교는 1시에 오잖아요. 유치원은 3시에 끝나서 오는 게 진짜 싫어요."라고 한다. 검사를 진행하는 동안 수행속도는 전반적으로 빠른 편이었고 한 번의 수행을 끝마칠 때마다 "다 했어요. 땡."이라고 급하게 말해놓고는 "아니구나!" 번복하는 경우가 종종 있었고 수행을 하면서 혼잣말도 많이 했다.
가족 그림을 그려보라고 하자, "나 못 그리는데. 아무 거나요?"라고 물어 그렇게 하라고 하자 "밥 먹는 거 그려야지."라고 말하더니 사촌형, 동생과 함께 노는 모습을 그렸다. 사람 그림에서는 "여자 그려도 돼요? 그럼 남자 그려야지…. 우는 거 그려도 돼요? 윙크 하는 거 그려야지…. 돼지 코 그릴래. 이빨, 혀…. 치마 입은 거 그려야지…."식으로 이 말 했다 저 말 했다 하기도 하고 말을 많이 하면서 그림을 그리는 행동도 관찰되었다. 지능검사에서는 모르는 문제에서 '모른다. 생각 안 난다.' 와 같은 말은 거의 하지 않았으며 어떻게든지 답을 만들어서 이야기하는 모습이 두드러졌다.

분석결과

이해는 빠른데 행동이 느린 아이

1. 시작은 괜찮은데 끈기가 떨어진다

재민이는 언어이해와 관련된 지능이 전반적으로 높게 나타났다. 말귀를 빨리 알아듣고 이해도 빠른 편이다. 그런데 입력된 정보를 머릿속에서 잘 정리하고 필요할 때 적절하게 빼서 쓰는 것과 관계된 지능들이 상대적으로 낮게 나타났다. 재민이는 특히 지속적으로 집중하는 일에 어려움이 있는 것으로 분석됐다.

재민이는 환경에서 어떤 변화가 있는지를 알아채는 능력, 즉 선택적 주의와 선택적 주의에 따른 단기 집중력은 뛰어나나 그 이후에 필요한 지속적 주의에 어려움이 있는 것으로 분석됐다.(아래 박스 참고) 이런 이유 때문에 아이는 원래 가진 능력을 충분히 발휘하지 못한 것이다.

선택적 주의와 지속적 주의

선택적 주의 : 수없이 많은 정보 중에서 필요한 정보에만 주의를 두는 것을 말한다. 예를 들어, 학교 수업시간에 운동장에서 공사하는 소리와 자동차 지나가는 소리가 끊임없이 들릴 때 이런 소리는 무시하면서 선생님의 말씀에만 주의를 두는 것이 바로 선택적 주의이다.

지속적 주의 : 특정한 과제에 대해서 오랜 시간에 걸쳐 주의를 지속하는 것을 말한다. 지속적 주의력이 취약하면 반복적인 연습을 통해 숙달되어야 하는 수학에서의 연산문제, 언어에서의 맞춤법 공부에 어려움을 겪게 된다.

2. 화가 많다

재민이는 이제 고작 7살. 그런데 집안에서는 13개월짜리 동생을 가진 의젓

재민이가 그린 자화상

머리가 크고 전체적 균형이 안 맞고, 이가 뾰족뾰족 다 나왔다. 화가 났다는 뜻. 바지를 그려 놓고 그 위에 치마를 입힌 것은 아이의 혼란스러운 감정을 상징함.

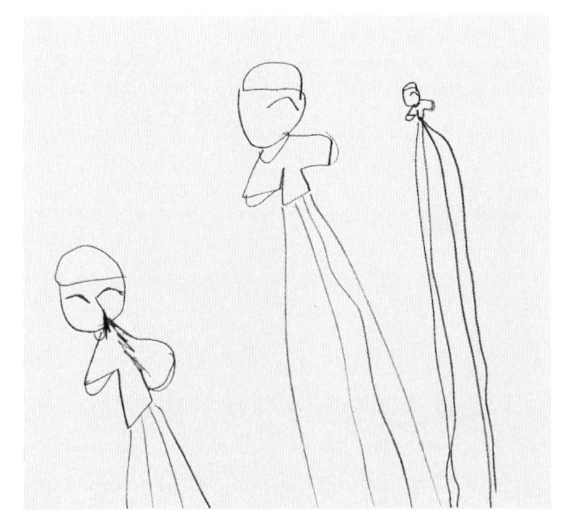

재민이가 그린 사촌형과 동생, 그리고 나

재미있는 상황을 그리라고 했더니 사촌형과 중앙의 자신, 그리고 동생을 그림. 전체적인 배치를 보면 사촌형은 자신으로부터 가깝게 동생은 멀게 그렸다. 동생은 코피 터진 모습을 그렸는데 아이는 겉으로 떼를 쓰지 않는 착한 아이이기 때문에 동생에 대한 미움을 코피 터지는 그림을 통해 풀어놓은 것임.

한 형이어야 했다. 엄마는 매우 활동적이고 외향적이며 약간은 다혈질적 측면이 있어서 화가 나면 바로 화를 내다가 이내 또 풀리는 성격이다. 그래서 7살 아이의 감정을 충분히 읽어내지 못하고 있었다. 그리고 그 나이 또래 아이들의 특성이 어떤지도 잘 알지 못했다.

첫아이를, 그것도 생일이 빨라 7살에 입학시키는 엄마답게 이런저런 불안도 많은 반면 큰아들에 대한 기대 또한 남달랐다. 엄마는 아들이 장래에 의사가 되기를 바란다. 엄마 자신의 꿈이기도 했던 의사가 되려면 어릴 때부터 공부를 잘 해주어야 할 텐데 지금의 재민이를 보면 답답하기만 해서 자주 화가 났다. 재민이 입장에서는 이런 엄마가 힘들고 어려운 상대일 수밖에 없다.

자신의 감정도 잘 읽어주지 않고 공부 이야기만 나오면 쌀쌀 맞게 구는 엄마, 게다가 늦둥이 동생은 놀이 상대로 잘 어울릴 수 없으면서 부모의 사랑을 독차지한다. 정서적으로 지지받을 곳이 마땅치 않은 가운데 매일 학습지로 엄마에게 공부 추궁을 당하면서 아이는 불편한 감정과 설명할 수 없는 화(우울감)를 가진 상태였다. 부정적인 감정이 있는 상황에서는 공부가 잘될 수가 없다. 따라서 엄마는 재민이를 정서적으로 보듬어 주면서 학습문제를 풀어나가도록 해야 한다.

3. 학습문제

동생이 태어나기 전까지만 해도 엄마는 재민이 공부를 봐주는데 별 어려움이 없었다. 그런데 동생이 태어나면서부터는 아기가 잘 때를 틈타서 학습지도를 하고 아기가 깨어나면 더 해줄 수 없는 상황이 자주 발생하다 보니 재민이는 재민이대로 편안하게 공부할 수 없었고 엄마는 엄마대로 초조한 마음에 아이를 전보다 더 다그치게 되었다.

재민이는 국어, 수학, 한자를 학습지로 하고 있었다. 엄마는 어떠한 교육방침이나 소신을 갖고 학습지를 선택한 것이 아니라 아무것도 안 하고 있으면 불안하기 때문에 학습지를 선택하게 된 것이라고 한다. 대부분의 학습지는 원리나 개념을 익히기보다 공부한 내용을 평가하기에 좋은 도구이다. 반복적인 계산 연습은 실수가 많은 아이에게는 좋은 방법이지만 재민이처럼 지속적인 집중력이 약한 어린이에겐 개념이나 원리를 공부하기에 적합한 교육방법은 아니었다. 예를 들어 수학은, 학습지 문제를 풀기보다는 원리이해를 위해 직접 자르고 붙이고 돌려보고 하는 과정이 재민이에게는 더 필요한 공부 방법이다.

그런데도 엄마가 학습지를 과제로 내밀자, 아이는 아무런 재미도 못 느낀 채 매일 반복적으로 학습지를 풀어야 했다. 재민이는 마치 회사에 출근해서 하기 싫은 일을 억지로 하듯 학습지를 풀어왔던 것이다. 엄마는 사장님이었고, 학습지는 일감이었던 셈. 아이는 매일 '학습지 하나 끝냈다.' 라는 식으로 일처럼 공부를 대하여 왔다.

유감스럽게도 학습지는 재민이 상태에서는 아이를 더욱더 산만하게 만드는 한 역할을 해왔던 것으로 보인다. 다행히도 아이는 이제 막 1학년이 되었다. 학습지를 시작한 것도 6개월이 채 안 되었다고 한다. 아직 공부 자체를 혐오스럽게 생각하고 있는 단계는 아니므로 학습지 문제를 해결해주고 엄마가 태도만 바꾸어 주면 학습에서 겪는 어려움이 줄어들 수 있다.

재민이에게 공부란 재미도 없고 엄마와의 사이만 나쁘게 하는 것이라는 선입견을 빨리 털어버리는 것이 급선무이다.

해결방법

다그치지 말고 천천히 공부습관 들이기

1. 친절한 엄마씨 되기

재민이가 공부할 때마다 유난히 지겨워하고 집중을 잘 못했던 이유 중의 하나는 엄마의 냉랭하고 무서운 태도 때문이기도 하다. 재민이는 그런 엄마를 어떻게 대해야 좋을지 몰라 쩔쩔매고 있는 상태였다. 엄마가 공부를 가르치다가 답답한 마음에 머리를 올리려고 손을 올리자, 재민이가 움찔하며 손으로 얼굴을 가리는 일도 있었다. 그 일이 있은 후 엄마도 자신이 공부만 가르치려고 하면 언성이 높아지고 재민이를 몰아붙이고 있다는 사실을 깨달았다고 한다.

재민이는 고작 1학년이다. 늦은 게 아니라 이제 시작이다.

이해는 빠르되 행동이 느린 재민이의 특성을 마음 깊이 이해하고, 답을 찾고 말할 때까지 친절하게 설명해주고 기다려주어야 한다. 엄마 자신의 화를 다스리기 어렵다면 공부를 가르칠 때만이라도 엄마는 얼굴 가득 미소 짓는 표정을 연습해 둘 필요가 있다. 억지로라도 미소를 지으려고 노력하고 있으면 속으론 답답해도 화의 강도가 조금은 중화될 수 있다.

2. 공부에 대해 부정적인 말 하지 않기

재민이 엄마는 "공부를 못하면 학교에 못 간다."라고 여러 차례 겁을 주었는데, 이것은 마치 엄마들이 아이들이 어렸을 때 "뚝 안 그치면 경찰 아저씨 오신다." 하고 겁을 주는 것과 같다. 공부를 못하면 학교에 못 간다고 하는 것은 아이에게 '공부를 못하는 것' 에 대한 두려움과 불안만 괜히 더 강하게 느끼게 한다. 이런 말을 듣고 '공부를 열심히 해야겠다.' 라고 결심하는 아이는 거의 없다. 괜히 공부에 대한 거부감만 더 생긴다.

3. 학습지에서 교과관련 활동학습으로 공부 방법 바꾸기

학습지를 하더라도 그것 자체에 목적을 두지 말고 재미있게 공부할 수 있도록 도와주어야 한다. 처음부터 혼자 하라고 하지는 말자. 공부하는 과정 속에서 흥미를 느끼고 성취감을 맛볼 수 있도록 처음 일정 기간에는 엄마가 곁에서 같이 봐 주다가 나중에 서서히 손을 떼는 방식이 필요하다.

재민이는 학습의 보조기능으로 학습지를 활용할 것을 권한다. 원리와 개념은 교과서를 통해 익히고 학습지로는 공부한 것을 확인하고 체크하자. 교과서를 공부할 때도 처음 한동안은 교과와 관련한 활동학습을 더 많이 하도록 해주자.

재민이에게 지금 당장 필요한 것은 머리로 하는 공부보다 몸으로 하는 공부다. 예를 들면 슬기로운 생활 1단원 '재미있는 놀이터' 와 관련해서는 학교에 있는 놀이터에 직접 가서 시설물을 재민이가 직접 사진으로 찍어오게 한 뒤, 사진을 프린트해서 일기장에 붙여놓고 시설에 대한 설명글 쓰기를 시도해보게 한다. 설명글이라고 해서 대단한 글을 쓰게 하는 것은 아니다. '놀이터에서 지켜야 할 것' 에 대해 엄마랑 먼저 이야기를 나누고 그 내용을 일기에 쓰게 하면 된다. 이때 주의할 것은 국어나 슬기로운 생활의 문제까지 미리 풀지 말라는 점이다. 문제까지 샅샅이 풀고 학교에 가면 오히려 수업시간에 집중도가 떨어질 수 있다. 아이는 이미 알고 있다고 생각하기 때문에 건성으로 들을 수 있고, 그러면 또 '주의 집중력' 문제라는 굴레를 쓰게 된다. 그러면 또 엄마의 잔소리가 시작될 것이고 그래서 아이는 당연히 학교 가는 것이 싫어지게 되는 악순환이 생길 수도 있다.

학습지보다 교과서 공부 따라잡기를 권하는 가장 큰 이유는 교과서 속 이론을 머리로 공부시키라는 뜻이 아니다. 몸으로 배우는 체험학습을 해야 재민이는 자기주도적인 학습을 할 수 있게 되고, 이런 방법을 통해 주의 집중력 향상을 기대해 보려는 뜻이다. 재미있게 교과서 속 현장과 연관된 활동을 하게 하면 집중력도 한결 좋아지고, 경험을 통한 이해력도 좋아질 것이다. 이것이 지금 재민이에게 필요한 공부방법이다.

4. 일기 쓰기를 습관화하기

초등학교에 들어가면 가장 먼저 맞닥뜨리는 문제가 받아쓰기와 일기 쓰기다. 그런데 아이들은 일기를 어떻게 써야 하는지 모르니까 별로 쓸 말이 없다. 체험활동을 많이 하고 충분히 느낌을 말로 이야기한 다음에 일기를 자주 쓰도록 지도하면 점점 쓸 이야기도 많아지고 글쓰기에 자신감이 생긴다.

1학년 동안에는 맞춤법, 띄어쓰기에 지나치게 중점을 두지 말자. 자기의 생각이나 느낌을 자유롭게 풀어놓으면 그것으로 충분하다. 그림을 먼저 그리고 그것을 설명하는 방식으로 일기를 쓰게 하는 것도 초기에는 좋다. (초등 저학년 학습법 〈오늘은 또 뭐라고 일기를 써야 하나〉 참고)

5. 하루 한 권 책 읽어주기

명작, 전래, 창작 동화 중에서 의성어, 의태어가 많이 나오는 책을 중심으로 읽어준다. 학령기를 전후하여 뇌 발달의 많은 부분은 청각정보, 특히 언어적 의미를 담은 청각정보에 의해 발달한다. 따라서 글을 눈으로 보는 것보다는 귀로 듣는 것이 발달에 도움된다.

책을 읽어주는 것은 엄마가 줄 수 있는 가장 아름다운 언어의 선물이며 엄마 마음과 아이 마음을 아름답게 이어주는 정서적 끈이 된다. 공부할 때마다 쌀쌀맞아지는 엄마 때문에 정서적으로 힘들었던 재민이에게 하루 한 권 재미있게 책읽기를 권한다. (초등 저학년 학습법 〈하루 30분 아이와 책을 읽자!〉 참고)

6. 수 개념을 돕는 학습놀이 "나는 몇 개일까요?"

바둑알을 사용해서 수와 양, 덧셈과 뺄셈의 정확한 개념을 익히는 놀이이다.

감각적으로 양을 파악하면서 수의 개념이 더욱더 자리 잡을 수 있다. 또 바둑알을 여러 모둠으로 다양하게 나누고 다시 모아보는 활동을 통해 수의 분해와 합성, 덧셈과 뺄셈의 개념을 잘 익혀 나갈 수 있다.

수와 양의 개념을 익히는 학습 놀이

① 바둑알 15개 정도를 자유롭게 늘어놓는다.

② 서로 자유롭게 손에 잡히는 대로 한 번에 바둑알을 가지고 손에 쥐고 있다.

③ 번갈아가면서 각자 손을 펴자마자 바둑알의 개수를 어림하여 말한 후 어림한 수가 맞는지 바둑알의 개수를 세어본다. 자신이 가져간 바둑알의 개수에 가장 가깝게 말한 사람이 이기게 된다.

덧셈과 뺄셈의 개념을 익히는 학습 놀이

① 바둑알 10개를 자유롭게 늘어놓는다.

② 자녀에게 10개의 바둑알을 2-3개의 모둠으로 자유롭게 나눠보자고 하면서 시범을 보인다.

③ 각 모둠에 있는 바둑알을 세도록 한 후, 자유롭게 두 모둠을 합치도록 한다. 그런 다음 자녀가 합쳐진 바둑알의 개수를 세도록 한다.

④ 자녀가 힘들지 않을 때까지 표정을 잘 살피며 ②, ③번을 여러 번 반복한다.

7. 표현력을 기르는 학습놀이 '그림 늘어놓고 이야기하기'

다양한 그림들을 보며 그림 속 상황이나 느낌에 대해 이야기해 본다. 이야기를 전개하는 활동을 통해 사고력과 표현력을 기를 수 있다. 사진을 이용해도 좋은 학습놀이가 되는데 최근에는 연속사진도 쉽게 찍을 수 있으므로 여러 장의 사진을 순서대로 늘어놓게 하고 이야기를 전개하도록 하자. 집중력도 기르고 맥락파악 연습도 하게 되는 효과가 있다. 자녀가 술술 이야기하기 어려워하고 무슨 애기를 할지 어려워하면 중간마다 팁을 준다. "이건 지금 뭐한 걸까?",

"여긴 어딜까?", "이땐 무슨 생각을 하고 있었어?" 등 이야기를 꺼낼 수 있는 단서를 주는 것이 좋다. 자녀와 번갈아 가면서 이야기해 보는 것도 좋다. 이야기하는 것을 들으며 자녀는 표현하는 방법을 배우고 이야기할 단서들을 찾을 수 있게 된다.

1학년을 위한 공부 방법 총정리!

공부를 머리보다는 몸으로, 일보다는 놀이로 시작하게 한다.

공부가 어려운 것은 '이해'가 잘 안 되기 때문인데, 다양한 경험을 몸으로 직접 반복해 겪다 보면 이해력도 차츰 좋아진다. 그러므로 교과서와 관련된 체험학습을 가능한 한 많이 시켜주자.

학교 수업의 성공, 학습지도 성공의 열쇠이다!

초등 저학년 학생에게 가장 중요한 포인트는 '수업태도'이다. 수업태도를 확인하는 방법은? GPS 장치나 감시카메라가 아니라 바로 학교생활에 대한 자녀의 이야기를 들어보는 것이다. 학교생활을 여러 가지 채널(자녀, 선생님, 친구 등)을 통해 수시로 확인하자.

책을 읽어주면 언어능력이 향상된다!

한글을 안다고 내용을 다 이해하는 것은 아니다. 처음 배운 한글은 아이에게 아직 암호문과 다를 바 없다. 문자언어보다 소리언어가 먼저다. 조기 뇌 발달은 청각을 이용한 자극이 가장 좋다(일본 히로세유치원 발표).

태아기에도 감각기관 중 가장 먼저 발달하는 것은 청각, 3개월부터 12세까지는 청각에 의한 학습능력이 가장 높으며 풍부한 청각 자극을 주는 것은 어릴수록 좋다고 한다. 학교 들어가기 전의 청각자극은 다양한 자연의 소리가 좋다면 초등 저학년 시기에는 책을 읽어주는 등의 언어적 자극을 청각으로 주는 것이 좋다. 이 시기에 제대로 책을 읽어주면 언어능력, 사고능력, 학습능력이 좋아진다.

선생님, 친구들과의 관계에 관심을 둔다!

학교생활 만족도의 상당부분은 선생님, 친구들과의 관계에 따라 달라진다. 관계에 잘 적응할 수 있도록 배려하라(특히 '친구' 관계).

EBS 60분 부모 02

책상 앞에 앉는 걸 힘들어해요!

2학년 지영이 이야기

엄마의 고민일기

우리 지영이는 한글을 생후 36개월에 익혔고 책도 곧잘 보는가 하면 말도 또렷하게 하는 영특한 아이입니다. 그런데 학교 들어가면서부터 이상하게 공부하기를 너무나 싫어하네요.

아이는 매사에 행동이 느려서 제 속을 터지게 하는데요, 공부할 때는 특히 더 심합니다. 공부 좀 하라고 하면 이 핑계 저 핑계 대기 바쁘고 책상 앞에 앉기까지 한참 뜸을 들이죠. 또 공부가 조금만 어려워지면 무조건 안 하려고 합니다. 7살 때 수학 방문 학습지를 했는데 어찌나 하기 싫어하던지 하루는 학습지 선생님께 직접 오지 말라고 이야기를 해서 어른들을 깜짝 놀라게 한 적도 있습니다. 피아노도 1년 정도 개인 레슨을 받았는데 그때도 어렵다고 투정을 부려서 결국 그만두고 말았죠. 문제가 어렵거나 양이 많으면 보기에 너무하다 싶을 정도로 짜증을 내고 도통 문제를 풀려고 안 합니다.

지금도 자기 수준의 문제를 풀어보라고 하면 하기 싫어하고 그러다 갑자기 7살 동생 학습지 문제를 풀겠다는 엉뚱한 말이나 하고. 책을 읽고 나서 엄마와 독서퀴즈라도 해보자고 하면 신경질만 부려서 결국 화만 내고 아이를 야단치게 됩니다.
지금 2학년인데 벌써 학교 공부에 취미를 붙이지 못하니 이를 어찌해야 좋을지 모르겠습니다. 지영이는 왜 그렇게 공부하기를 어려워하고 공부할 때마다 짜증이 많은 걸까요? 어떻게 하면 공부를 참고 잘하는 아이로 변화시킬 수 있을까요?

전문가 인터뷰

뒷골이 당겨요!

차분하면서도 영특해 보이는 지영이는 쓰기만 빼고 모든 것을 왼손으로 한다고 했다. 원래 왼손잡이지만 엄마가 글쓰기만은 오른손을 사용해야 한다고 해서 노력하는 중이란다. 검사가 진행되는 동안 대체로 묻는 말에 빠르게 반응했는데 간혹 쉬운 문제는 틀리고 어려운 문제는 맞히는 행동을 보였다. 가족 그림을 그리라고 하자 "힘들겠다."라는 말을 하며 그림을 그려나갔던 지영이. 학급임원이 되고 처음에는 부모님께 칭찬을 받아 좋았지만 요즘은 점심 먹고 나서 떠드는 친구들 이름을 적어야 하기 때문에 혼자 책 읽을 시간이 많이 없어져서 조금 힘들다고 한다. 그리고 남자 애들이 장난을 치거나 짓궂게 행동을 하면 때려 줄 수도 없고 어떻게 할 수가 없어 그럴 때는 '뒷골이 당기는 것 같다.' 라고 말했다.

분석결과

우수하지만 의욕이 없는 아이

1. 끈기 빼고 대체로 우수하다

지영이는 지능이 우수 수준이고 잠재 지능은 최우수 수준으로 추정될 정도로 지적 자원이 매우 우수한 아이다. 지적 자극에 대한 관심과 흥미도 높으며, 다양한 방면으로 독서도 잘해온 아이.

그런데 시험을 치르는 등 어떤 평가를 받을 때 긴장을 많이 하고 지나치게 불안해한다. 특히 어려운 과제를 해결할 때 온갖 참견은 다하면서 부잡스럽게 구느라 과제를 착실하게 끝까지 해내지 못하는, 끈기가 약간 부족한 편으로 나타났다. 바로 이러한 점 때문에 무언가를 수행할 때 시간이 오래 걸리고 지체하는 일이 많은가 하면 사소한 실수를 해서 엄마 화를 돋우는 일이 종종 일어나는 것이다.

지영이는 또, 비교적 단순하고 명료한 상황에서조차 "힘들어요. 설명 안 하면 안 돼요?" 하면서 의욕을 보이지 않았다. 잘하다가도 쉬운 문제에서 이런 반응을 보이는 이유는 기본적으로 사회적 기술이나 재주가 부족한 탓도 있지만 또 한편으로는 다소 우울한 정서 탓에 또래나 타인에 대한 관심과 흥미가 낮은 것으로도 해석할 수 있다.

그러나 이런 몇 가지 점들을 제외하곤 지영이는 언어적 이해 능력과 표현력도 우수하며 개념형성 능력과 같은 고차적인 사고 기능도 우수하게 발달한 아이다.

2. 엄마의 '화' 때문에 공부가 혐오자극이 되다

이렇게 우수한 능력을 갖추고 있는데도 불구하고 지영이는 왜 매사 의욕을 안 보이고 공부하는 것을 힘들어 했던 것일까?

지영이의 이런 모습은 엄마의 화와 관계가 깊다. 엄마는 아이의 감정이나 정서를 감싸주고 받아주기보다 매사에 학업을 강요하는 경향이 있었다. 또 학업과 관련해서 유독 화를 많이 내는 편이었다.

엄마는 왜 그랬을까?

엄마는 자신이 여자라는 사실, 또 능력이 별로 없다는 사실 때문에 결혼 전 직장생활에서 여러 가지 어려움을 겪었다고 생각했다. 그래서 딸만큼은 자신이 겪은 어려움을 겪지 않고 능력 있는 멋진 여성이 되기를 바랐다. 그렇게 되려면 어릴 때부터 학교에서 '빛나는 학생'이 되어야 하고 능력 있는 소녀의 모습을 가져야 한다고 생각했다. 엄마는 첫딸을 남보란 듯이 잘 키워내고 싶어 좋다는 교육은 다 시켰지만 아이가 기대만큼 따라오지 않으면 화가 났다.

공부란 사실 지영이뿐만 아니라 모든 어린 아이에게 벅차고 힘겨운 일일 수밖에 없다. 공부를 잘하게 하려면 아이를 달래고 어르고 꼬드기면서, 때론 잘한다고 칭찬해주어 자긍심도 갖게 해주고(나는 멋진 사람이기 때문에 이렇게 어려운 공부도 잘해 나갈 수 있어!) 주저앉으려고 하면 일으켜 세워주는 따뜻한 격려도 하면서 처음 한동안 어른이 옆에서 잘 도와주어야 한다.

지영이 공부에는 엄마의 이런 격려와 지지보다는 질책과 화가 더 많았다.

지속적으로 이런 상태를 겪게 되면 아이에게는 학습과 관련된 모든 자극들이 혐오자극으로 인식된다. 공부가 혐오자극이 되면, 초기에 아이는 엄마의 잔소리를 차단하는 것으로 외부자극에 대한 차단을 시작하지만 이러한 양상이 지속적으로 반복되면 아이는 성장해 나가는 데 꼭 필요한 정보들까지 모두 차단하게 되어 버린다. 이렇게 되면 좁게는 학습부진, 넓게는 일상생활에서 일어나는 모든 사회적 상호작용까지 어렵게 만들 가능성이 커진다.

다행히 지영이는 아직 2학년, 돌이키기 어려운 상황까지 간 것은 아니다. 엄마가 자기 자신의 화를 달래는 일에 적극적으로 나서고, 지영이의 공부행동과 화를 자동으로 연결하지 않도록 노력할수록 지영이도 차츰 좋아질 것이다.

3. 학습 문제

엄마는 아침에 일어나서 수학문제를 풀고 학교에 가기를 원했다. 하지만, 지영이는 아주 쉬운 문제 몇 문제를 가지고도 힘들어한다. 수학은 아침에 잠깐 공부를 하기보다는 충분한 시간을 가지고 하는 것이 좋겠다. 특히 지영이처럼 끈기가 약한 아이에게 짧은 아침 시간에 문제를 풀어내라고 하는 것은 적합하지 않다. 남들에게 좋다고 해서 내 아이에게도 반드시 좋은 방법이라고 할 수 없다.

지영이는 공부하라고 하면 일곱 살 동생의 학습지를 풀겠다고 떼를 쓰곤 한다. 얄미운 동생 앞에서 잘난 척하고 싶어 하는 언니의 자존심을 존중하여 공부를 힘들어 할 때는 가끔 쉬운 문제를 풀도록 해서 자신감을 느끼게 하는 것도 좋다.

유아 시절부터 엄마는 지영이에게 좋다는 교육 방법을 다 시켜보려고 노력해 왔다. 지영이가 우수한 지적 자원이 있는 것도 엄마의 그런 노력과 무관하지 않다. 다만, 이제까지는 뚜렷한 계획이나 작정 없이 이것저것 해왔다면 앞으로는 부모가 적절한 교육관을 가지고 지영이의 특성에 맞게 잘 계획해서 집중과 선택을 할 필요가 있다.

이밖에도 지영이는 몇 가지 어려움을 보이고 있다. 학교에서 돌아와 학교숙제, 준비물 챙기기 등을 할 때 한 번 하려면 시간이 오래 걸려 엄마의 화를 돋운다(옷을 걸고 손을 씻는 등의 일상적인 행동도 너무 많이 지연된다.). 수학문제집 2장(10분 내에 해결할 만한 분량)을 푸는데도 1시간 이상 걸린다. 전 과목 학습지를 하고 있는데 하루 분량을 다 못하는 날이 많다.

지영이는 책은 만화책 위주로 읽고 일기도 이틀에 한 번 앞뒤 문장이 안 맞게 쓰고 있었다. 공부한 내용이 간단한 것이어도 질문하면 대답을 잘하지 않고 전반적으로 학습에 관한 대화가 원만하게 이루어지지 않는데, 이유는 엄마가 공부 이야기를 하면 짜증부터 내기 때문이었다.

바깥활동을 거의 안 하고 평상시에도 집 밖에 나가기를 싫어했다. 아이는 하루 대부분의 시간을 학원에 가는 일과 집에서 공부하는 시간 위주로 보내고 있었다. 의욕도 없고 공부라고 하면 지긋지긋하기만 하고.

지적 자원이 많은 아이가 왜 이러는 걸까? 바로 공부를 혐오자극으로 만들어 가는 중이었기 때문이다

해결방법

학습놀이와 엄마의 사랑이 약 !

1. 학습놀이

혐오자극인 공부를 바꿔주려면 우선은 학습놀이를 통해서 재미있는 공부를 하게 할 필요가 있다.

교과학습을 시작하기 전에 먼저 지영이를 위해서 고안된 특별한 학습놀이로 준비체조를 하게 하자. 아이의 부담과 불안감이 다소 완화될 수 있다. 우울하고 불안정한 아이에게 책상 앞에 앉아 무조건 공부를 하라고 하면 머릿속에서 정보 처리 속도가 느려져 효율성이 떨어질 수밖에 없다. 아이의 기분을 밝게 해주는 일이 우선 필요하다.

카드 뒤집기

같은 그림이 2장씩 있는 카드를 8~10쌍 정도 준비한다. 준비한 카드 전체를 펼쳐 놓은 후에 하나씩 뒤집으면서 같은 카드를 찾는 학습놀이이다. 이때 초시계를 사용해서 카드 짝을 다 찾을 때까지의 시간을 재고서 기록을 재어서 앞 기록을 깨면 스티커 2개, 기록을 못 깨었어도 포기하지 않고 끝까지 하면 스티커 1개를 제공하도록 하자. 그러면 아이는 어느새 게임에 흥미를 보인다. 기억력도 좋아지고 집중력도 좋아진다.

학습놀이 순서

① 카드들을 잘 섞어서 4장(가로)×4장(세로), 4장(가로)×5장(세로)와 같은 형식으로 앞면이 보이지 않도록 늘어놓는다.

② 한 번 뒤집어본 카드는 다른 카드를 뒤집어보기 전에 반드시 원래대로 해놓아야 한다고 설명해준다(이 방법을 너무 어려워하는 경우에는 두 개의 카드를 뒤집어 본 후 원래대로 해 놓아도 됨.).

③ "시작!"을 외치며 초시계로 기록을 잰다.

④ 같은 그림의 카드를 모두 찾으면 노트에 날짜와 걸린 시간을 기록해 둔다.

종 치기 게임

카드(총 50개 정도)를 같은 개수만큼 나눠서 각자 하나씩 카드를 뒤집으며 뒤집어져있는 카드에서 같은 모양의 합이 5(다른 수여도 좋다.)이면 종을 먼저 쳐서 뒤집혀 있는 카드를 모두 가져가는 학습놀이이다.

게임에서 이기려면 계산을 빨리해야 하기 때문에 계산력 향상에 도움되고 집중력을 기를 수 있는 놀이이다.

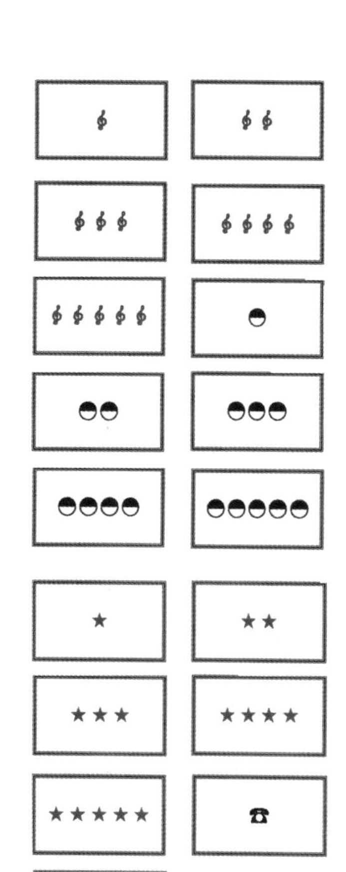

학습놀이 순서

① 종을 참가자들의 가운데에 놓고 서로 같은 수의 카드를 나눠 가진다.

② 가위, 바위, 보 등을 하여 순서를 정하고 종을 쳐야 하는 같은 모양의 합의 수를 정한다.

③ 정해진 순서대로 돌아가며 자신이 가진 카드를 바깥쪽(자신이 미리 보면 안 됨.)을 향하여 한 장씩 뒤집는다.

④ 뒤집힌 카드들의 같은 모양의 합이 미리 정한 숫자가 되면 종을 먼저 치는 사람이 나와 있는 카드를 모두 가져간다. 종을 잘못 쳤을 때는 다른 사람들에게 자신이 가지고 있는 카드를 한 장씩 준다.

⑤ 한 사람이 카드를 모두 가져가면 놀이가 끝난다.

쓰기 속도 측정

교과서나 일반도서(만화책 포함)에 나와 있는 문장을 그대로 쓰게 하여 속도를 측정하는 학습놀이이다. 쓰기 활동을 싫어하는 아이들에게 쓰기 자체가 아닌 "기록측정"에 관심을 두게 하면 쓰기 활동을 지루하지 않게 훈련할 수 있다.

처음에는 단어 단위로 읽고 쓰고, 다음에는 어절 단위로, 그다음에는 문장 단위로 단위크기를 옮겨가면서 쓰게 하자. 끈기와 기억력이 좋아진다.

학습놀이 순서

① 교과서나 아이가 좋아하는 책, 노트, 필기 도구, 초시계를 준비한다.

② 100글자 정도(보통 공책 5줄~7줄)가 되도록 써야 할 범위를 지정해준다.

③ 아이에게 무조건 빨리 쓰면 안 되고 책에 나와 있는 대로 띄어쓰기와 맞춤법에 주의하면서 공책에 그대로 옮겨 쓰도록 규칙을 말해주고, "시작!"을 외치며 초시계로 기록을 잰다.

④ 쓰기가 모두 끝나면 끝까지 잘했다고 칭찬해주고 아이가 공책에 쓴 것과 책에 쓰여 있는 것을 스스로 비교해보도록 하여 틀리게 쓴 부분을 고치도록 한다.

*주의 고쳐 쓰는 활동을 거부하면 반드시 할 필요는 없다. 다른 날 학습놀이를 할 때 지속적으로 시도해 보면 된다. 싫어하는 활동을 억지로 시키면 학습놀이를 하는 의미가 없다.

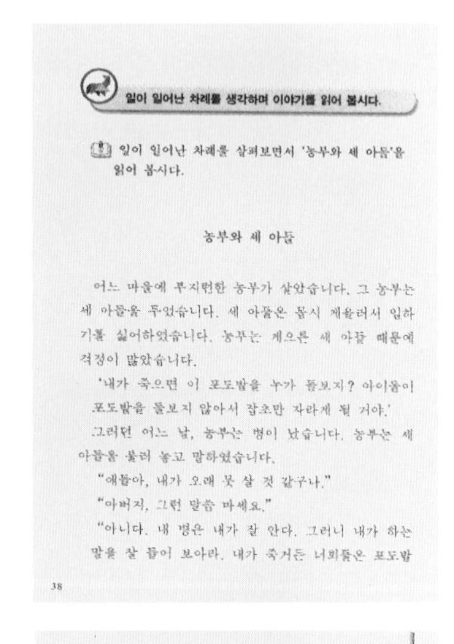

일이 일어난 차례를 생각하며 이야기를 읽어 봅시다.

일이 일어난 차례를 살펴보면서 '농부와 세 아들'을 읽어 봅시다.

농부와 세 아들

어느 마을에 부지런한 농부가 살았습니다. 그 농부는 세 아들을 두었습니다. 세 아들은 몹시 게을러서 일하기를 싫어하였습니다. 농부는 게으른 세 아들 때문에 걱정이 많았습니다.

'내가 죽으면 이 포도밭을 누가 돌보지? 아이들이 포도밭을 돌보지 않아서 잡초만 자라게 될 거야.'

그러던 어느 날, 농부는 병이 났습니다. 농부는 세 아들을 불러 놓고 말하였습니다.

"얘들아, 내가 오래 못 살 것 같구나."

"아버지, 그런 말씀 마세요."

"아니다. 내 병은 내가 잘 안다. 그러니 내가 하는 말을 잘 들어 보아라. 내가 죽거든 너희들은 포도밭

38

농부와 세 아들

어느 마을에 부지런한 농부가 살았습니다. 그 농부는 세 아들을 두었습니다. 세 아들은 몹시 게을러서 일하기를 싫어하였습니다. 농부는 게으른 세 아들 때문에 걱정이 많았습니다.

'내가 죽으면 이 포도밭을 누가 돌보지? 아이들이 포도밭을

2007년 10월 15일

기록 : 6분 42초

2. 쉬운 과제부터 주기

학습놀이를 통해 기분을 좋게 한 후, 좋은 기분이 그대로 교과 학습으로 이어지게 한다. 교과 학습으로 이어질 때 중요한 것은 아이가 공부에서 성공경험을 맛볼 수 있도록 배려해주는 것이다. 그러려면 아이 수준에서 해결하기 쉬운 과제부터 시작하는 것이 좋다.

그리고 과제를 잘 해결했을 때 진심 어린 칭찬을 아끼지 말아야 한다. 과제를 잘 해결하면 미리 약속한 칭찬 스티커를 주는 것도 학습 동기 향상에 많은 도움이 될 것이다. 아이가 자신감을 보이고 기분이 좋아질 때, 조금씩 난이도를 높여가면서 "틀려도 괜찮아. 열심히 노력하면 되는 거야."라며 실패에 대한 두려움을 완화해 나갈 수 있도록 해준다. 설령 아이가 과제해결을 잘못했을지라도 열심히 노력하는 모습을 보이면 역시 칭찬 스티커를 주는 것이 좋다.

3. 관심일기 쓰기

공부를 혐오자극에서 즐겁고 재미있는 자극으로 바꾸어가기까지 엄마의 많은 노력이 필요하다. 엄마도 노력하자면 여러모로 힘들 수 있기 때문에 엄마 자신을 위한 보상도 필요하다. 양육일기를 약간 변형해서 "관심일기"를 써보자.

매일 매일 아이에게 칭찬과 관심을 보이고 그것을 구체적으로 적는다. 이런 기록을 하다 보면 엄마 기분도 좋아지고 새로운 칭찬거리가 눈에 띈다. 적을 거리가 몇 가지 되지 않는다고 회의적이던 엄마들도 막상 적기 시작하면 우리 아이가 이렇게 칭찬거리가 많은 아이였구나 하면서 놀라는 반응을 보이곤 한다. 아이에게 스티커를 준 다음에는 엄마도 자신을 향해 칭찬 몇 번, 관심 몇 번에 선물(화장품, 티셔츠) 하나 식으로 보상을 정해주자. 엄마 스스로 칭찬을 하게 되어서 엄마도 좋고 아이에게도 좋은 일거양득의 효과가 있다.

초등교육에서 부모는 어떤 교육관을 가지면 좋을까?

1. 교육이 백화점에서 물건 고르듯 구매하는 상품의 하나가 되어 버려서는 안 된다.

교육의 명품을 사면 아이에게 큰 도움이 될 것이라 기대하지만 그것도 상품의 하나이기 때문에 내 아이에게 꼭 맞는 것이 아닐 수도 있다.
내 아이에게 맞는 교육은 결코 상품이 될 수 없다. 작품이어야 한다. 작품은 사는 것이 아니라 빚는 것이다. 작품을 빚는 예술가는 누가 뭐래도 부모이다. 그래서 부모가 교육에 대한 철학을 가지고 있어야 한다.

2. 초등교육에서 가장 중요한 중심 교육은 언어, 예능, 산수, 도덕성이다.

우선 언어능력의 향상을 위해 책 읽어주기, 고르게 책 읽도록 하기 등과 같은 단계별 독서지도 전략이 필요하다.
일인일기(一人一技)를 위해서 서예, 서화, 그림, 피아노, 바이올린 등과 같은 것을 찾아주고 훈련하는 예능지도전략이 필요하다.
셈에 대해 거의 감각적으로 이루어지는 숙련이 필요한데 숙련도 되기 전에 단계만 올려버리면 기초공사 없이 건물을 짓는 것과 같다.
도덕성 교육은 어리면 어릴수록 효과가 좋다. 중3 정도면 이미 머리는 벽돌과 같은 상태. 올바른 가치관을 정립시켜주기에는 너무 힘이 든다. 지적인 능력과 똑같이 중요한 것은 가치를 판단할 수 있는 도덕 능력이다.

EBS 60분 부모 03

수학 계산 문제를 싫어해요!

3학년 주희 이야기

엄마의 고민일기

수학 문제를 풀 때마다 딸과 저는 한바탕 전쟁을 치릅니다.
주희는 계산 문제를 얼마나 싫어하는지, 문제를 풀면서 화를 내고 짜증을 냅니다. 아이를 달래다가 결국은 서로 싫은 소리가 오가게 되고 그러다 감정이 상하면 아예 문제집 자체를 덮어버리는 일도 생기곤 하죠.
엄마인 저도 수학을 못하고 싫어했는데 저를 닮아 이러는 것은 아닌가 걱정되기도 해요. 수학에 대한 콤플렉스가 있다 보니 딸 아이만큼은 미리 잘 가르쳐 주어야겠다는 생각에서 6살 때 수학학습지를 시작했습니다. 처음 6개월 동안은 그런대로 잘했는데 연산문제가 반복되니까 싫어하더라고요.
'나 수학 말고 다른 것 먼저 하면 안 돼?' 하면서 꾀를 부리더니 결국 수학을 싫어하면서 안 하려고 하네요. 어릴 때부터 지속적으로 문제를 풀게 해서 아이가 질린 것일까요? 아니면 엄마를 닮아 정말 수학을 체질적으로 싫어하는 것일까요?
엄마처럼 수학 때문에 고전하면 안 될 텐데, 벌써 이러니 정말 걱정입니다.

긴장돼요!

귀여운 인상에 단정한 옷차림, 주희는 자신이 아는 점을 이야기할 때에도 요점을 잘 구분하면서 조리 있게 표현하는 아이였다. 검사할 때에도 대체로 무난하게 잘 수행했지만 자신이 평가되는 상황에서는 긴장하는 모습이 두드러졌다. 정답을 모를 경우에는 '모른다.'라는 표현을 하지 않고 그냥 가만히 있는 경우가 많았다. 검사가 끝나자 검사 도구 챙기는 것을 자발적으로 도와주는 싹싹하고 착한 아이였다. 보기에 참 예쁜 아이다. 검사시간 동안 내내 긴장하는 모습이 안쓰러웠던 것 빼고는.

분석결과

긴장을 많이 해서 생각하는 것이 힘든 아이

1. 긴장을 많이 한다

내가 가장 싫어하는 사람은 없다.
나의 나쁜 점은 없다.
나를 괴롭히는 것은 없다.

주희의 문장완성검사 결과이다. 주희는 매사를 긍정적으로 생각하고 싶어 하는 아이이다.

아이는 싫어하는 사람도 없고 괴롭히는 사람도 없다고 한다. 실제로 그렇다기보다 아예 그런 생각은 하고 싶지 않다는 뜻이다. 긍정적인 측면만 표현하고 부정적인 표현은 아예 하지 않으려 하는 경향이 있다.

주희는 또 모두에게 사랑받는 사람이 되고 싶어 한다. 매사에 주변의 인정을 받고 싶어 하는 아이다. 사랑받고 싶고 인정받고 싶으니 늘 긴장하고 있어야 한다. 실수하면 안 되고 뭘 놓쳐서도 안 된다. 그러다 보니 아이는 항상 지나치게 각성하여 있는 상태이다. 실제로 주희는 과제를 수행할 때 매우 많이 긴장했고 아니나 다를까 검사 결과에서도 또래보다 유난히 긴장도가 높은 것으로 나타났다.

주희의 이런 점이 수학 공부와 무슨 상관이 있을까?

일반적으로 긴장을 많이 하는 아이는 짧은 시간 동안에는 어떻게든 버틸 수 있지만 오랜 시간을 지속하려면 에너지가 너무 많이 들어 쉽게 지치고 만다. 이런 아이는 복잡하고 머리 많이 쓰는 일은 하기 싫어한다. 그렇지 않아도 긴장을 많이 하고 있는데, 여기에 더해 머리까지 쓰고 복잡하게 따지고 생각해야 하는 일은 힘에 부친다. 수학 문제, 특히 연산 문제를 오랜 시간 풀어야 하는 일은 그렇지 않아도 평소 긴장도가 높은 주희한테는 힘겨운 작업이 아닐 수 없다.

2. 수학 공부 방법에도 문제가 있었다

주희는 어릴 때부터 엄마가 책을 많이 읽어줘서 사실적 지식, 언어적 개념형성, 추상적 사고력, 시공간적 과제의 구성과 조직화 능력, 계열적 처리능력과 같은 인지 기능은 양호한 편이다. 똘똘한 주희가 유독 연산에서는 자릿수 올림을 할 때 실수가 잦은 편이었는데 특히 십의 자리에서 실수를 많이 하고 있다. 일의 자리에서 올라온 수를 표기는 하지만 실제 계산에서 누락시키는 경우가 많은 것이다. 또 문장제 문제를 대하면 일단 어렵다고 생각하고 달려들어 풀려고 하지 않는다.

왜 이럴까?

주희가 이러는 것은 수와 양에 대한 개념이 정립되기 전에 연산훈련을 시켰기 때문이다. 주희가 수학 학습지를 시작한 것은 6세부터였다고 한다. 5~6세 때는 많고 적음, 크고 작음, 길고 짧음, 무겁고 가벼움 등과 같은 '양'의 개념이 먼저 정립되고 그다음에 하나, 둘, 셋… 열, 백, 천 등과 같은 언어적인 개념으로 수와 양을 비교하는 것이 필요하다. 즉 많고 적은 것은 물건을 직접 손으로 세어보고,

길고 짧은 것은 대보고, 무겁고 가벼운 것은 들어보고 하는, 몸으로 느껴서 알아가는, '체득' 과정이 꼭 필요하다는 말이다. 이 과정이 생략되면 숫자는 외워야 하는 무수히 많은 기호 중의 하나가 된다. 이런 상태에서 하는 연산문제 풀기는, 극단적으로 말해 원리는 잘 이해하지 못하고 수만 가지의 패턴을 암기하기만 하는 부담스러운 작업이 되어 버리고 만다. 원리이해가 전혀 안 된 상태에서는 계산 자체가 매우 하기 어려운데도 불구하고 기계식 연산이 반복됐다. 이런 일이 반복되면 아이로서는 당연히 수학공부가 지겨울 수도 있다. 수학이 싫다는 것은 '머리를 쓰는 것' 이 싫다는 것이고 이것은 곧 '사고' 를 싫어한다는 것인데 '사고' 의 과정은 그게 왜 그런 것인지 '이해' 가 전제되지 않고는 불가능한 작업이다. 주희는 이러한 이해의 과정 없이 패턴 암기식의 의미 없는 반복만 해왔던 것이다.

주희는 게다가 '개인별, 능력별, 계통학습 위주의 학습지' 를 해오다가 그것을 너무 지겨워해서 '학교 교과 위주의 학습지' 로 전환했다고 한다. 이 과정에서 혼란을 겪은 점도 주희가 연산을 싫어하게 된 요인 중의 하나이다.

3. 수학은 단계별 학습, 전 단계의 개념이 취약하다

주희는 최근 들어 연산 문제가 나오면 아예 안 하려고 한다. 매우 귀찮아하고 특히 뺄셈을 싫어한다. 2학년 때부터 연산에 흥미를 잃었다고 하니 두 자리 수의 덧셈과 뺄셈에서 싫증을 느낀 것으로 보인다. 2학년 2학기가 되면 세 자리 수 범위에서 덧셈과 뺄셈을 하게 되는데 이때부터는 싫어하는 정도가 아니라 아예 거부감을 보였다고 한다.

익숙하지 않고, 긴장되고(그렇지 않아도 늘 긴장하고 있는 편인 아이가 수학문제를 앞에 두면 더욱 긴장하게 되어 쉽게 지친다.), 자꾸 틀리니까 아이는 아예 수학을 거부하려고 하는 것이다.

주희는 아마도 한 자리 수의 덧셈에서도 빠르고 정확한 계산이 안 되어 있었던 것 같다. 이 부분에서도 취약했기 때문에 이후 과정과 단계들이 계속 어려워진 것이다. 수학은 단계와 단계가 고리처럼 연결된 일종의 고리학습이다. 앞 단계를 정확하게 이해 못 하고 넘어가면 다음 단계가 잘 안 되는 구조를 가진 학문이다.

해결방법

수학과 화해하기

1. 수학을 잘하기보다 좋아하게 만들기

수학 점수가 목표가 아니라 수학을 좋아하도록 하는 것이 당분간 목표가 되어야겠다. 원리를 이해하기 위한 활동을 반드시 하고 넘어간다. 그러려면 주희의 수학 교재를 원리해설 위주의 책으로 바꾼다.

또 엄마는 주희와 생활 속에서 수학에 대한 느낌과 생각을 자연스럽고 부담되지 않도록 많이 이야기 나누도록 한다. 이때, 수학 수준을 엄마의 수준에서 보지 말고 철저하게 아이의 처지에서 바라보자.

집에 있는 가재도구와 수학 교구를 최대한 활용해서 구체적인 활동을 많이 해본다. 예를 들면 '도형 옮기기' 에서는 투명종이를 사서 책에 있는 내용을 옮겨 그린 뒤에 뒤집어보고 돌려보는 것을 해본다. '평면도형' 에서는 삼각자와 모눈종이를 구해서 책에 나오는 대로 조금씩 전부 해본다. '분수' 를 배울 때는 과일을 여러 쪽으로 나누어보고 먹어가면서 개념을 자연스럽게 터득하게 한다. 그렇다고 해서 매순간 너무 열심히 가르치고 공부시키면 아이는 과일마저 먹기 싫어할 수도 있다. 자연스럽게 분위기 보아 가면서 기분 좋게 놀이하듯 이야기해 주자. 돈가스를 동생하고 네 등분으로 나눠 먹을 때, 피자를 여덟 등분해서 접시에 덜어줄 때 등 생활 속의 다양한 기회들을 적절하게 활용하자.

2. 수학을 빨리 풀게 하기보다 정확하게 풀게 하기

현재 주희에게는 수학을 열심히 하면 뭔가 기쁜 일이 있을 것이라는 기대감이 있어야 한다. 문제를 생각하는 일에 끝까지 도전하도록 동기를 유발하기 위해서 보상 제도를 사용할 필요가 있다. 답을 맞혔을 때뿐 아니라 답을 찾아가는 과정

중에서 한 단계 한 단계 문제를 풀어가는 과정마다 스티커를 주는 방식도 고려해 보자.

끊임없이 연산을 해서 정답을 쏟아내야 하는 단순연산학습지 공부는 긴장도가 높은 주희의 특성을 고려할 때 좋지 않은 영향을 미친다. 6세 때부터 이런 방법으로 수학공부를 질리도록 한 것이 주희가 수학공부를 더 싫어하게 된 계기가 되었다. 정확한 계산을 위해서 연산공부는 해야 하지만 지겹도록 하는 공부가 아닌 매일 아주 조금씩, 혹은 이틀에 한 번씩 규칙적으로 꾸준히 할 수 있는 공부가 되어야 한다. 주희와 잘 상의해서 주기를 정하고 한 번 할 때마다 연산 공부량을 정해서 하도록 하자. 하루 5문제 정도씩 꾸준히, 혹은 이틀에 한 번 10문제 정도 하는 것을 권한다.

또 이런 식으로 문제집 한 단원을 다 풀었을 때 'OK 싸인', 문제집 한 권을 모르는 문제없이 다 해결했을 때 '퍼펙트 싸인'을 주고, 스티커가 다 모이면 주희가 가지고 싶어하는 것들을 선물로 주되 한 번쯤은 주희가 예상하지 못했던 선물로 즐거운 보상을 해주자.

3. 생각을 유도하는 질문하기

엄마가 평소 생활 속에서 질문을 많이 해서 주희의 생각을 끌어내는 연습을 많이 한다. 주희와 함께 하루 30분 정도 책을 읽고 내용에 대한 질문을 많이 하자. 일방적인 설명보다는 토론 형식으로 해서, 자꾸 아이를 대화의 주체로 끌어들여야 한다. 책을 읽으면 집중력도 향상된다(초등 저학년 학습법〈하루 30분 아이와 책을 읽자〉 참고). 토론을 많이 하면 의식의 확장이 이루어지고 사고도 유연해진다. 창의적이고 깊이 있는 사고는 유연성에서부터 출발한다.

그리고 일상생활에서도 단순한 지시나 명령보다는 구체적으로 설명해 주도록 한다. 예를 들어 '슈퍼에 가서 간장 좀 사와라.' 보다는 '국을 끓이는데 간을 맞춰야 하네. 간장 좀 사올래?' 처럼 왜 그런 심부름을 해야 하는지 이유를 알도록 구체적으로 이야기해 주는 것도 좋다. 언제까지나 그래야 하는 것은 아니고 주희가 생각의 물꼬를 트는 조짐을 보일 때까지만 당분간 집중적으로 이렇게 도와주도록 하자.

4. 집중에 방해되는 환경 개선하기

아이가 공부할 때 엄마가 다른 행동을 하면 착한 주희는 엄마를 돕고 싶은 마음이 든다. 실제로 공부하다 말고 엄마가 찾는 반짇고리를 찾아주거나, 동생 돌보아 주기, 엄마 전화내용 듣기를 하느라 주희는 공부에 집중이 잘 안 되고 있다.

즐겁지 않은 수학공부를 혼자 하도록 내버려두면 졸게 마련이다. 그래서 주희가 공부할 때 엄마가 옆에서 책이나 신문을 읽는 것도 좋다. 혹은 주희와 동생이 같이할 수 있는 활동을 찾아본다. 예를 들어 주희가 수학을 할 때는 동생도 동생 수준에 적절한 수학을 하도록 한다.

5. 응석과 떼를 가려서 받아주기

엄마는 주희에게 문제가 나타나면 그것은 모두 엄마 탓이라고 자책하는 경향이 있다. 아이의 감정을 들어주지 않고 공부만 몰아치는 것도 문제가 있지만 모든 것을 허용하기만 하고 받아주기만 하는 것도 아이를 위해 바람직하지 않다. 주희처럼 늘 부모의 인정을 받고 싶어 하고 사랑을 요구하는 아이에게 중립적인 태도를 유지하기란 쉬운 일은 아닐 것이다. 그러나 집안에서 받아주는 응석이 밖에 나가서까지 통하지는 않는다. 주희도 매사에 인정받으려고 지나치게 긴장하고 있는 상태이므로 인정받지 못하는 상황도 자연스럽게 받아들일 수 있게 되려면 무엇이 옳고 그른지, 또 사람은 인정받을 때와 그렇지 못할 때가 있다는 것을 골고루 가르쳐주어야 한다. 경우와 사리 판단을 가르쳐 주지 않으면 아이는 나중에 더 큰 실망과 어려움을 겪을 수 있다.

엄마는 필요할 땐 다정한 친구일 수 있지만, 언제나 늘 친구이기만 해서는 곤란하다. 애정과 통제를 적절하게 발휘하지 못하면 오히려 아이의 삶을 더 어렵게 만들 수도 있다. 대부분 엄마들이 공부에 대해서는 아이를 몰아치는 것과는 반대로 주희 엄마는 매사에, 공부에까지 허용적인 태도를 보여 왔다. 주희에게 적합한 공부 방법을 적절하게 가르쳐 주면서도 아울러 통제하고 인내해야 할 때는 그런 행동을 결단력 있게 행하는, 당근과 채찍을 잘 활용하는 양육태도가 필요하다.

수학연산에서 정확도를 높이기 위한 학습 놀이

수학은 답이 하나다. 과정이 어떠했든 결과가 틀리면 틀린 것이 되어버린다.

연산문제를 풀 때, 정답이 나오지 않으면 완전히 틀린 문제로 채점되기 때문에 아이들은 문제가 어렵다고 예상되면 처음부터 포기하거나 끝까지 온 힘을 다하지 않을 가능성이 크다. 연산문제를 푸는 공부를 할 때 기존의 채점방식에 변화를 줘보자.

한 문제 내에서 바르게 구한 숫자의 개수(올림 수, 내림 수, 계산하여 나온 수 등)대로 스티커를 받고 칭찬을 받게 되면 성공 경험이 늘어나는 효과가 있어서 연산문제 해결에 거부감이 있는 아이들의 스트레스를 최소화시켜 준다. 연산문제를 제시하고 해결하도록 한 다음 한 문제 내에서 바르게 구한 숫자의 개수대로 스티커를 모아가도록 하고, 목표스티커 개수를 다 모으면 칭찬선물을 받을 수 있도록 하자(하루 5문제씩 푼다고 가정했을 때 일주일 동안 받을 수 있는 총 스티커 개수의 80% 정도를 달성하면 선물을 받을 수 있도록 하는 것이 좋다.).

학습놀이 순서

① 필요에 따라 교과서, 문제집 혹은 엄마가 직접 만든 연산문제와 공책, 필기도구를 준비한다.

② 아이에게 답을 맞히면 동그라미로 채점하는 것이 아니라 올림 수, 내림 수, 계산한 수 등의 숫자들을 맞힌 개수대로 동그라미를 치고 동그라미 개수에 따라 스티커를 받을 수 있

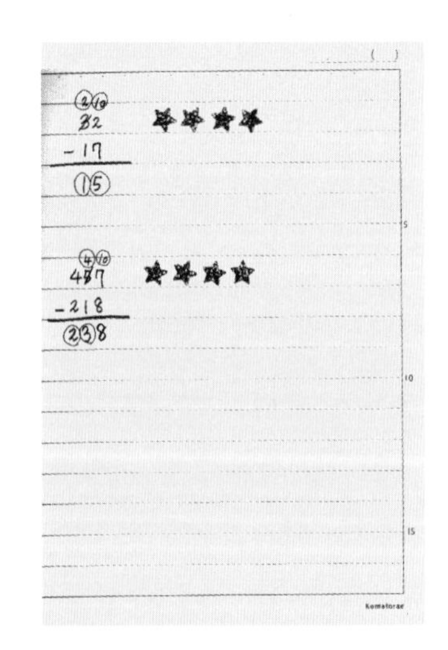

음을 설명하고 계산하도록 한다.

③ 답지를 보고(엄마 표 문제에는 미리 답지를 만들어 놓음) 아이가 직접 채점을 하도록 한다.

④ 정확하게 계산한 것에 대해 전폭적인 칭찬과 함께 스티커를 준다.

⑤ 스티커를 받고 기분이 좋아진 상태에서 틀리게 푼 부분을 아이와 함께 고쳐 본다.

04 EBS 60분 부모

숙제하기 싫어해요!

4학년 상우 이야기

엄마의 고민일기

미루고 미루다가 마지못해 숙제하는 아이

내 아들이긴 하지만 상우는 참 해도 너무하다 싶을 때가 많습니다. 아들하고 매일 숙제 때문에 실랑이 벌이는 일이 이젠 정말 지겹습니다.

초등학교 4학년이면 이제 숙제쯤은 엄마가 지적하지 않아도 알아서 해야 하지 않을까요? 그런데 상우는 강 건너 불 보듯 숙제를 남의 일처럼 생각합니다. 숙제를 빼먹지 않고 하려면 알림장을 제대로 적어 와야 하는데 알림장을 잘 적어오지 않는 것도 문제입니다. 상우는 1~2개밖에 적어오지 않는데 다른 엄마들의 이야기를 들으면 알림장 내용이 많다고 하더군요. 한번은 문방구 앞을 지나다가 내일 4학년 준비물이 뭐다 하는 소리를 듣고 준비물을 챙겨준 일도 있을 정도입니다. 안 챙겨주면 아이가 속해 있는 모둠에 피해를 줄까 싶어 제가 알아서 챙겨 주다 보니 이제 숙제나 알림장 내용을 챙기는 일은 아예 자기 일이 아니라 엄마 일이 되어버렸습니다. 제가 챙겨주면 잘했느니 못했느니 평가도 합니다. 나 원 참!

이런 문제를 조용조용 지적하면 들은 척도 안 하고, 화가 나서 큰소리로 꾸짖으면 고개를 푹 숙이고 기가 팍 죽으니 도무지 어떻게 아이를 대해야 좋을지 모르겠습니다.

성실하지 않고 주변 정리도 잘 못하고, 자기 관리를 전혀 안 하려고 하는 아들이 알미워 자꾸 칭찬은 인색해지고 혼만 내게 됩니다.

우리 아이, 왜 이렇게 숙제를 미루려고 하는 걸까요?

전문가 인터뷰

검사하다가 주머니에서 과자를 꺼내먹다

똘똘해 보이는 인상, 무슨 말을 하든 재빨리 "네."라고 대답하는 상우는 붙임성도 있어 보였고 호기심도 많았다. 그런데 종합심리검사를 받는 도중에 뜻밖의 행동을 보였다. 검사가 한참 진행되는 동안 갑자기 의자에서 일어나더니, 주머니에 들어 있던 과자를 꺼내 먹으면서 대답을 하는 모습을 보인 것이다.

상우는 검사 도구를 성급하게 만지거나 문제를 주의 깊게 듣지 않고 있다가 "뭐라고요?" 하면서 재차 질문하고 심지어는 문제를 다 주지도 않았는데 "뭐라고요?" 하고 묻는 등 오랜 검사시간을 지겨워하는 듯한 모습을 보였다.

처음에는 재빨리 "네."라고 대답하는 아이의 모습이 경쾌해 보였지만 자세히 보면 "네."라고 대답할 상황이 아닌 데서도 습관적으로 "네."라고 답하는 모습을 보이고 있었다.

말하는 속도도 빨라서 발음이 부정확하게 들리는 일도 있었다.

상식을 묻는 말에서 문제에 답하는 아이의 방식은 여느 아이들과 다르게 매우 독특했다.

검사자 거북선을 만든 사람은 누굴까?

상 우 누가 만들었는지는 몰라요. 하지만 만들라고 부탁한 사람은 알아요. 노량해전에서 돌아가신 이순신 장군님이에요. 아이디어는 아마 이순신 장군이 낸 것 같고 만든 건 목수였겠죠!

매우 독창적이고 영특한 대답이 아닐 수 없다. 그러나 세상에는 이런 대답을 불편하게 생각하는 사람들도 더러 있다. 그들에게는 글쎄, 이런 대답이 어떻게 보일까?

분석결과

똑똑하지만 끈기가 없고 우울하다

1. 지능은 우수하나 자기 관리가 잘 안 되는 아이

상우의 지능은 상당히 높은 편이며 특히 상식 점수는 만점 바로 전 단계에 해당할 정도로 뛰어나다. 상우는 〈언어성 지능〉 부분은 평균보다 월등하게 우수한 양상을 보이고 있지만 〈동작성 지능〉 부분은 다른 항목에 비해 뒤떨어지는 양상을 보이고 있다.

상우처럼 언어성 지능이 평균보다 월등하게 높은데 동작성 지능은 상대적으로 뒤처지는 경우, 특히나 〈차례 맞추기〉나 〈토막 짜기〉가 잘 안 될 땐 오래 참지 못하고 상황에 맞게 처신하는 감각이 다소 부족할 수 있다. 숙제를 하기 싫어하는 것은 바로 이러한 상우의 성향과 관계가 있다.

상우처럼 지적 호기심도 많고 전체적으로 지능이 우수하지만 자기 관리를 잘 못하고 충동적인 아이는 자신이 흥미가 있는 일에만 관심을 보이기 쉽다. 남이 시키는 일에 대해선 영 흥미를 보이지 않는 경우가 많다.

이런 아이에게 숙제란 너무나도 하기 어려운 일이다. 숙제는 시간도 많이 걸릴뿐더러 대체로 재미도 없으며 또 내가 하고 싶어 하는 일이 아니라 강제로 해야 하는 일이다. 그나마 끈기 있는 아이는 '억지로라도' 하지만 상우처럼 다소 충동적이고 끈기가 부족한 아이에게 너무나 힘겨운 작업일 수밖에 없다.

언어성 지능이란 자동차로 비유하자면 배기량이라고 할 수 있다. 타고난 것과 후천적으로 배우고 익힌 것을 포함한 지식구조라고 할까.
동작성 지능이란 그 자동차를 운전하고 가는 솜씨, 즉 어떠한 일을 계획하고 관리하고 실행하는 능력으로서 지식구조를 적재적소에 사용하는 힘을 말한다.

2. 우울하다

숙제하기 싫어하는 것 말고도 상우에겐 부모가 미처 몰랐던 다른 어려움이 있다. 바로 우울하다는 점이다.

우리 엄마는 무섭다. / 우리 엄마 아빠는 무섭다.

문장완성검사에서 상우는 부모님의 양육방식을 한마디로 '무섭다.' 라고 느끼고 있었다.

엄마의 말에 의하면 상우의 성향을 잘 이해하지 못하고 성실하지 않은 점을 나무라며 자주 혼냈다고 한다. 칭찬할 일이 있어도 교만해질까 봐 칭찬을 자제하고 격려에도 인색했다고 한다. 이런 엄마의 태도 앞에서 상우는 많이 섭섭했고 좌절감도 많이 느꼈던 것 같다.

아버지는 왜 무섭다고 했을까?

아버지는 직업관계로 자주 근무처를 옮기게 되었는데 평균 2년에 한 번 꼴로 잦은 이사를 했다고 한다. 아버지는 새로 옮겨간 사무실 분위기에 매번 적응해야 해서 긴장감이 높을 수밖에 없고 스트레스도 자연히 높았기 때문에 가족에게 상냥하게 대할 여유가 없었다.

어머니는 스트레스가 많은 남편을 대하는 일도 쉽지 않은데다가 큰아들인 상우와 날마다 숙제나 알림장 문제로 실랑이를 벌이면서 지쳐가고 있었다.

상우는 독창적이고 주도적이고 고집도 세기 때문에 엄마 처지에서 볼 때 마냥 예뻐 보이기 어려운 면이 있고 다루기도 쉽지 않다. 게다가 아들이 자만할까 봐 칭찬에 인색했다고 하니 상우에겐 '피곤하고 지친 아버지'나 '우울하고 냉담한 엄마'가 '무섭다.'라는 한마디로 표현되었던 것이다.

상우는 무서운 부모를 거스르기 어려우니까 무슨 지시를 하면 습관처럼 '네, 네.' 했다. 무서운 부모로부터 즉각적인 꾸지람을 받지 않으려고 일단 '네.'라고 반응한 것이기 때문에 지시 내용을 쉽게 잊어버리게 되고 결국은 끈기가 없거나 임기응변식의 거짓말을 하는 아이로 자리매김하게 되었다. 이런 일들이 악순환처럼 반복되다 보니 부모의 불신은 더욱 높아가고 혼나는 일은 반복되고 있었다.

내가 가장 행복할 때는 온종일 놀 때다.

내가 좀 더 어렸다면 날마다 논다.

내가 제일 걱정하는 것은 노는 시간이 줄어드는 것.

대부분 사람들은 놀기를 좋아한다.

상우는 놀지 못해 큰일 난 아이처럼 거의 모든 답변에서 놀이를 자주 언급했다.

실제로 공부는 잠깐밖에 하지 않고 있지만 엄마가 계속 '공부했냐?'라고 물어보고, 매일 학교숙제나 공부와 관련해서 자주 지적을 받다 보니 상우의 머릿속은 공부하지 않으면 혼난다는 생각으로 꽉 차있어서 항상 공부에 짓눌려 있는 상태이다. 그래서 '공부'의 '공' 자만 들어도 지겹고, 자신은 온통 놀지 못해 큰일 난 아이처럼 생각하고 행동하고 있는 것이다.

3. 학습 문제

상우의 이런 마음상태가 학습에는 어떤 영향을 미치고 있을까?

거북선 만든 이는 목수, 아이디어는 이순신 장군이 주었다고 답변한 상우! 상우는 창의성이 뛰어나고 독립적이며 지적 호기심도 매우 높은 아이이다. 그런데 자

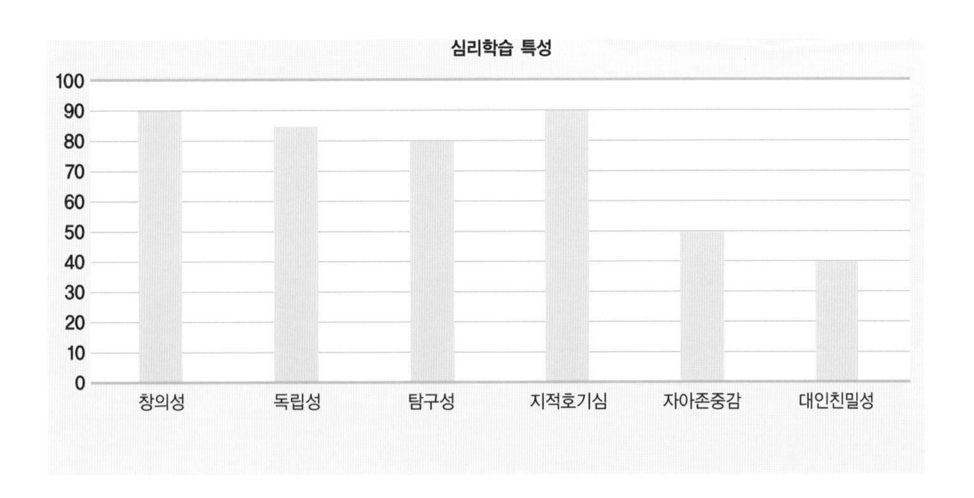

아존중감과 대인 친밀성은 매우 낮게 나타났다. 자신에 대해 자신감이 없고 친구들과도 잘 지내지 못하는 것이다.

나의 좋은 점은 없다. / 나의 나쁜 점은 많다.

초등학교 4학년밖에 되지 않은 아이가 자신의 좋은 점은 하나도 없고 나쁜 점은 많다고 답변할 정도로 자긍심을 가지고 있지 못하다.

상우는 아버지를 따라 자주 이사를 하다보니 친구를 진득하게 사귈 수도 없었다. 친구 사귈 틈도 없는데다 보통 아이들보다 똑똑하지, 눈치는 없지, 그러다 보니 친구들 앞에서 자기 자신도 모르게 잘난 척할 때가 잦았다. 친구들 사이에서 사랑받기가 당연히 어려웠고, 친구를 마음 터놓고 잘 사귈 수 없어서 점점 외톨이가 되어가고 있었던 것이다.

상우는 모든 게 우울하고 답답할 수밖에 없다. 부모는 잘한다고 칭찬해주는 것도 별로 없고, 학교 가면 친구들 사이에서도 마음 붙이지 못하고, 아이는 결국 심리적으로 위축될 수밖에 없었다.

지금은 4학년이니까 이런 심리가 성적에 영향을 크게 미치지는 않고 있지만 계속해서 이렇게 우울하면 공부를 해도 머릿속에 잘 저장되지 않는다. 머릿속에 억지로 지식을 채워 넣어도 지식이 적재적소에 가서 쓰일 수가 없다. 우울하거나 스트레스가 있으면 뇌 활동이 전반적으로 위축되기 때문이다.

초등학교 4학년, 상우가 가진 총체적인 어려움은 매일 벌어지는 숙제 실랑이로 집중되어 나타나고 있었던 것이다.

해결방법

자긍심을 높여주면 끈기도 생기고 자기 관리도 잘할 수 있다!

1. 긍정적인 말 많이 해주기

상우에게 자긍심과 자부심을 높여줄 수 있는 엄마의 세심한 관심과 구체적인 칭찬이 필요하다. 똑똑한 아이이므로 헛된 칭찬이나 과장된 관심을 보이지 말고 상우가 진짜 잘한 일을 찾아 구체적으로 칭찬해주자.

스티커나 행동계약서 등을 활용해서 오래 참고 인내해야 하는 일을 독려하고, 잘해냈을 때는 아낌없이 즉석에서 칭찬하고 격려해 주자. (초등 저학년 학습법 〈구체적인 칭찬, 따뜻한 격려가 필요하다.〉 참고)

2. 추궁하지 않기

머리는 좋은데 다소 충동적인 경향이 있기 때문에 엄마와의 약속을 어기고 종종 샛길로 빠질 수도 있다. 이때 잘못한 점을 지나치게 추궁하면 아이는 좋은 머리로 자신도 모르게 이리저리 둘러대는 거짓말을 하게 된다. 큰 잘못이 아니라면 눈감아주고 넘어가 주는 것도 당분간 필요하다. 그러나 약속을 자주 어기는 것은 그냥 두고 넘어갈 일은 아니므로, 약속을 잘 지키도록 행동계약서를 쓰고(예; 하교 후, 바로 집에 온다) 약속을 잘 지키면 크게 칭찬해주고 안아주자.(초등 저학년 학습법 〈잔소리 대신 행동계약서를 쓰자!〉 참고)

3. 알림장 잘 써오기

숙제를 잘해내려면 알림장 쓰기부터 잘해야 한다.

알림장을 제대로 정확하게 적으려면 선생님의 말씀에 집중해야 하고 빨리 받아 적어야 한다. 그래야, 숙제할 내용도 정확히 알 수 있다.

알림장을 잘 써올 때마다 스티커를 붙이고 일정한 스티커가 모이면 특별한 시상식을 거행한다.

알림장을 잘 써왔는지를 확인하려면 당분간 학급에서 가장 성실하게 알림장을 잘 쓰는 친구 엄마의 양해를 얻어, 매일 그 친구의 알림장 내용과 비교해서 내용을 확인하도록 한다. 단 아이를 검사하듯 몰아세우면 곤란하다. 아이에게도 이 사실을 공개하고 함께 이벤트처럼 진행하는 것이 좋다. 스티커를 몇 개 모으면 어떠한 칭찬선물을 받을 수 있다는 식으로 구체적으로 선물 목록을 정해두는 것이 좋다.(초등 저학년 학습법 〈아이 마음 상하지 않고 격려하는 방법 스티커!〉 참고)

상우는 스티커에 큰 관심이 있지 않은 편이다. 그동안 엄마가 조건만 제시했을 뿐 실제적인 포상이 이루어지지 않았기 때문이다. 이럴 때 동생과 같이 하도록 한다. 스티커 제도를 충실히 잘 따라오는 동생에게라도 시상해서 상우로 하여금 동기를 갖게 하자. 누군가와 함께하면 경쟁심도 생겨서 동기유발도 되고 혼자서 애쓰는 게 아니라는 마음의 위안도 된다. 이때 상장도 만들고 적당히 의식을 갖추어 진지하게 하면 더욱 좋다.

4. 수업내용 적어오기

초등 4학년 정도이면 공책 한 페이지 정도는 수월하게 쓸 수 있을 만큼의 필력이 있어야 숙제, 수행평가 등과 같은 고난도의 학습활동을 수행할 수 있다. 알림장을 적어오는 것이 잘 진행되면 2단계로 선생님의 수업내용을 적어 와서 부모님께 이야기해 주는 방법을 시도한다. 이런 과정을 성실하게 수행하다 보면 차츰 집중력이 향상될 수 있고 선생님으로부터 수업태도에 대한 칭찬을 듣게 되고, 그러면 아이가 스스로 더 적극적으로 변모할 수 있다.

5. 독서퀴즈 만들어 보기

글쓰기를 잘하려면 먼저 이해가 필수다.

특히 책을 읽고 내용을 정확히 이해했을 때 자신의 생각을 정립할 수가 있고, 그것을 글로 표현해낼 수도 있다. 상우와 엄마는 당분간 함께 책을 읽고, 상우에게 그 책에서 주관식 문제를 10문제 정도 내도록 해보자.

문제를 만들어 먼저 노트에 써보게 하고 답도 직접 달게 한다. 이렇게 하면 책에 대한 이해를 도울 뿐만 아니라 상우의 취약한 부분인 글쓰기 능력까지 강화할 수 있다.

독서퀴즈 방식에서 문학은, 문제를 내면서 인물, 배경, 사건 등을 정확하게 이해하게 된다. 이렇게 자신이 문제를 내고 답까지 달아놓게 하면 엄마가 노트를 보면서 퀴즈를 내서 상우가 답하도록 함으로써 기억력을 높여주는 활동까지 시도해볼 수 있다. 퀴즈를 내는 동안 상우가 만든 문제와 답을 보면서 적절하게 만들지 못한 부분들을 상우와 함께 자연스럽게 고쳐 나가도록 하자.

비문학도 독서퀴즈 만들어 보기를 통해 매우 섬세하게 책을 읽게 되고 숫자나 인명, 지명 등과 같은 것을 정확하게 기억하게 된다. 이렇게 책읽기를 하면 나중에 사회, 과학과 같은 공부에도 도움된다.

6. 감상 포인트 잡기

책을 읽고 감상 포인트를 찾아주는 것도 상우와 같은 아이에게 좋다. 감상 포인트를 주면 아이는 책을 읽으면서 새로운 시각으로 감상하게 되고 작가의 의도와 관계없이 전혀 새로운 관점에서 창의적으로 작품을 볼 수가 있다.

책을 읽고 먼저 아이와 서로 느낌을 나누고 그다음, 아이가 다소 엉뚱한 이야기를 해도, 우선 지지적인 반응을 보여주자. 그 후 엄마가 감상 포인트를 주고 아이가 새로운 관점에서 작품을 바라볼 수 있도록 지도하자. 이러한 절차를 반복하다 보면 나중에는 다른 작품을 보아도 스스로 감상 포인트를 잡을 수 있다. 감상 포인트를 잘 잡으려면 엄마가 먼저 책의 앞뒤에 나와 있는 작품해설을 읽어 보면 도움이 된다.

7. 숙제를 스스로 할 수 있도록 도와주기

숙제는, 처음에는 같이 하면서 방법을 가르쳐주고 나중에는 서서히 손을 떼는 전략이 필요하다. 처음부터 '너 혼자 해 봐.' 라는 것은 아이에게 너무 가혹한 처사이다. 할 수 있는 능력을 키우는 일을 도와주지 않고 무조건 아이 몫으로 떠맡겨서는 안 된다.

아이가 4학년인데 숙제를 안 하는 경우, 어려서 엄마가 다 해줘서 정작 자신은 숙제를 할 줄 모르는 경우가 많다. 엄마 생각에는 숙제를 안 해가면 선생님께 밉보이거나 친구들에게 놀림당할까 봐 엄마가 손수 다 만들어 주는 경우가 많다. 그러나 이렇게 하면 영영 엄마 숙제로만 남게 된다.

스크랩 숙제를 잘하려면 우선 자료 찾기부터 스스로 해야 한다. 이를 위해서는 국어사전, 백과사전과 같은 자료가 될 만한 책들을 갖추어 주거나 도서관에서 빌려 오게 한다. 가능하다면 집안에 컬러 프린터, 스캐너의 기능이 있는 복합기를 갖추어 놓고 자료를 편집하는 도구로 삼자(어떤 엄마는 책에 있는 자료를 잘라서 아이에게 제공해 주는 바람에 비싼 책을 버리게 되는 때도 있다. 시중의 복합기 가격이 그리 비싸지 않다. 잘 활용하면 사들인 값을 한다).

인터넷을 활용하는 것도 좋지만, 그보다는 직접 책을 찾는 방법을 가르쳐주자. 그렇지 않으면 나중에 대학생이 되어서도 도서관에 가지 않는다. 방에 앉아서 모든 것을 인터넷으로만 해결하려고 한다. 이렇게 해서는 결코 깊이 있는 공부를 할 수가 없다.

숙제는 처음부터 잘하는 것을 목표로 삼지 말고 '스스로 하는 것'을 제1 목표로 삼도록 해주어야 한다.

8. 자기 관리의 시작! 시간 사용 체크하기

일주일 동안 자신이 실제로 시간을 어떻게 사용하고 있는지 시간대별로 적어보는 활동을 통해서 본격적인 시간 관리의 첫발을 뗄 수 있다. 즉, 자신이 사용하고 있는 시간에 대한 인식이 별로 없고 시간 관리가 안 되는 아이들이

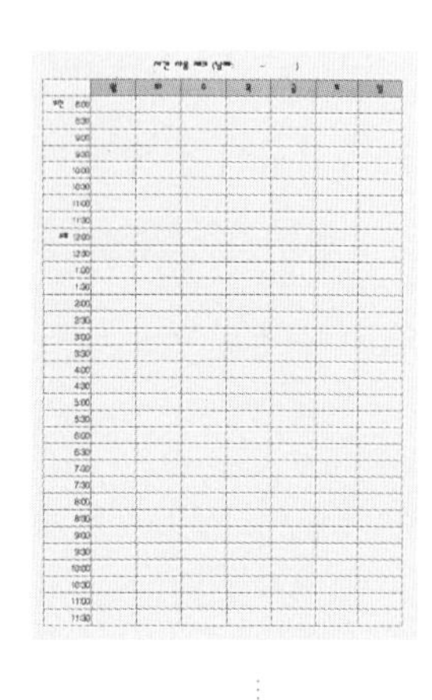

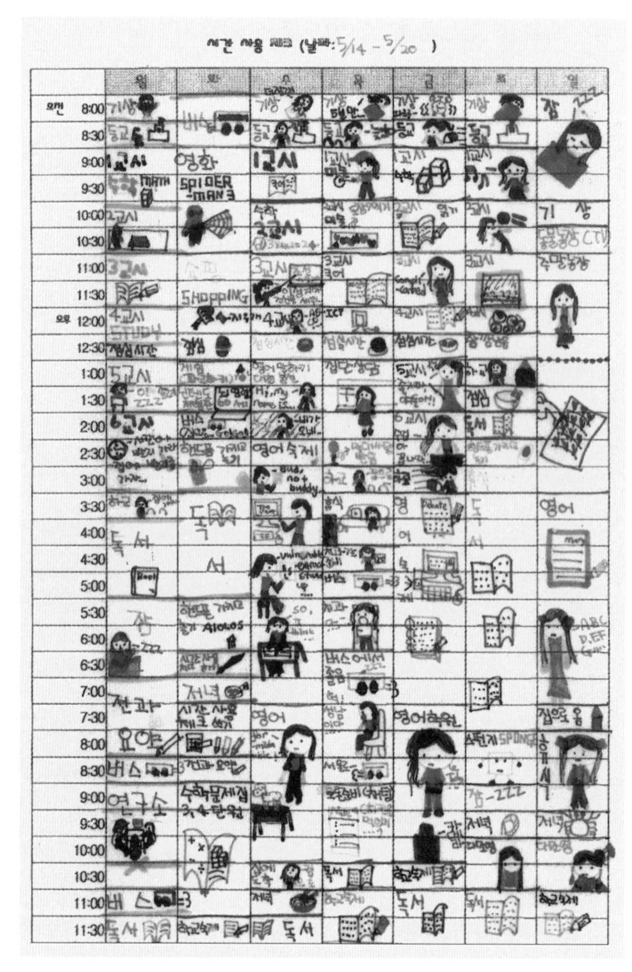

실제로 자신이 시간을 어떻게 사용하고 있는지 지속적으로 체크해봄으로써 자신의 시간사용에 대해 각성하고 시간계획을 알차게 짤 수 있게 되는 효과가 있다.

모든 내용은 최대한 구체적으로 적어 넣자. 책을 읽었으면 어떤 책을 읽었는지, 놀았으면 무엇을 어떤 걸 하고 놀았는지, TV 시청을 했으면 어떤 프로그램을 시청했는지, 공부를 했으면 어떤 과목을 어떤 책을 가지고 공부했는지 등 구체적으로 적어야 자신이 사용하는 시간에 대한 각성효과가 크고 시간분석을 더 잘할 수 있게 된다. 2~3시간마다 체크하면 가장 좋고, 상황이 여의치 않아서 자주 체크를 못하게 되더라도 그날의 시간사용에 대해서 체크하는 것은 다음날로 미루면 안 된다. 자주 체크를 하지 않으면 그만큼 각성효과가 떨어지게 되므로 주의하자. 시간체크 습관이 어느 정도 형성이 되면 작은 수첩을 들고 다니면서 하고 있는 일의 내용이 바뀔 때마다 적도록 하자. 화장실 들어간 시간 나온 시간까지 적을 수 있다면 좋다. 개인위생에도 꽤 많은 시간이 소요될 수 있다는 것을 앎과 동시에 시간 관리 항목 중에 개인위생 항목도 필요함을 인지할 수 있다.

참을성과 끈기를 기르는 주사위 학습 놀이

윷놀이와 비슷한 놀이로 말판을 한 바퀴 먼저 돌면 이기는 게임인데, 이 게임에서 중요한 것은 두 개의 주사위를 던져서 합이 7(다른 숫자로 지정해도 됨)이 나와야만 첫 출발을 할 수 있다는 것이다. 게임 중간에 해당 칸에 도착하면 카드 뒤집기를 할 수 있도록 하여 카드에 적혀있는 여러 가지 활동(책읽기, 글씨쓰기, 문장 암기하기, 사칙연산하기 등)을 하도록 구성하면 더욱더 즐겁게 관련학습을 할 수 있는 학습놀이가 된다.

주사위의 합이 7이 될 때까지 참을성 있게 기다려야 하기 때문에 충동적인 아이들의 인내력을 기르는 데에 효과적이다.

학습놀이 순서

① 말판과 주사위 두 개, 행동지침이 들어 있는 카드(교과관련 내용과 비교과관련 내용으로 구성한다.)들을 준비한다.

② 학습놀이 규칙을 알려 준다: 가위 바위 보를 하여 순서를 정한다. 이긴 사람이 먼저 두 개의 주사위를 던져서 합이 7이 나와야 출발할 수 있다.

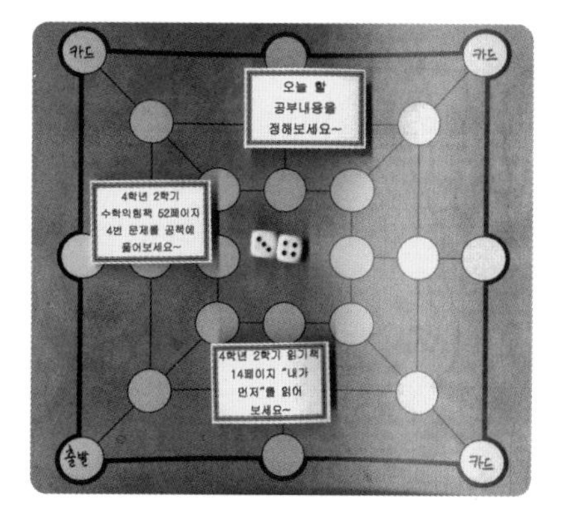

③ 카드를 뒤집을 수 있는 위치에 도착하면 카드를 뒤집어보고 카드에 쓰여있는 내용을 그대로 한다.

④ 말판을 한 바퀴(두 바퀴, 세 바퀴로 지정해도 된다) 먼저 도는 사람이 이긴다.

숙제하기 싫어하는 자녀를 도와주는 방법

숙제의 내용을 부모가 먼저 읽어보고 재미있게 재구성하여 알려준다 연필과 종이를 주로 사용하는 숙제는 학교 공부의 연장선처럼 느껴져 재미가 없다. 역할놀이, 공작놀이 등의 학습놀이를 활용해 무늬만 숙제이지 실제로는 재미있는 놀이가 되도록 도와준다.

숙제를 시작하기 전에 필요한 준비물을 미리 챙기도록 도와준다 숙제하다가 준비물이 없다면 준비물을 챙기면서 샛길로 빠지거나 주의가 분산되기 쉽다. 준비가 완료된 상태에서 숙제에 들어가도록 해주자.

숙제를 질질 끌며 하지 않도록 숙제할 시간을 정해준다 미적거리며 시작하기 어려워 하는 아이에게는 시작할 시간을 선택하도록 하고 오랫동안 끝마치지 못하는 아이에게는 30분 숙제, 15분 휴식 같은 규칙을 정해서 그 시간을 지키도록 환경을 조성해준다.

숙제 도중에 아이가 질문할 수 있도록 북돋아준다 숙제 역시 의식의 흐름 혹은 사고의 흐름이 되어야만 이해가 되고 이해가 되어야만 재미가 있다. 사고의 흐름이 막혔을 때 막힌 곳을 뚫을 수 있으려면 질문과 응답이 이루어져야 한다.

숙제와 일상생활을 연계시킨다 숙제를 제 시간에 끝내면 맛있는 간식을 준다거나 좋아하는 장난감을 가지고 놀게 해준다.

숙제하는 동안 부모도 함께 책이나 신문을 읽는다 숙제는 힘들다! 힘든 일에는 동지가 있으면 기운이 난다. 부모가 동지가 되어주자. 텔레비전 보느라 집안일 하느라 아이의 동지가 될 기회를 버리지 말자.

숙제는 항상 정해진 장소에서 하도록 한다 음식을 보면 침이 나오고 침대를 보면 눕고 싶은 것처럼, 정해진 장소를 보면 숙제를 하고 싶어지게 하자!

EBS 60분 부모 05

우리 아이, 책 제대로 읽고 있을까요?

5학년 영호 이야기

엄마의 고민일기

책 속에 파묻혀 사는 아이

초등학교 5학년인 영호는 책을 좋아하고 또 많이 읽습니다. 책을 많이 읽는 덕분인지 2학년 때 한글 퀴즈 대회에서 만점을 받아 최우수상을 받았고 3학년 때 교내 골든벨 행사에서 최우수상을 받기도 했습니다.

자나깨나 책을 붙드는 아이를 보고 주변에선 아이가 책을 좋아하니 얼마나 다행이냐고 합니다. 하지만, 남들은 모르네요.

저학년 때는 못 느낀 점이었는데 고학년이 되면서 아이가 과연 책을 제대로 읽는 걸까 의심스러운 부분이 많아요. 책을 많이 읽으면 글도 잘 쓰고 말도 잘하게 될 줄 알았는데 우리 아이는 쉬운 맞춤법도 더러 틀리고 글쓰기도 싫어하며 말 표현도 매끄럽지 못한 편입니다.

게다가 최근 들어서는 책 읽는 버릇 때문에 저와 자꾸 부딪치게 됩니다. 학교 도서실에서 책을 보다가 귀가 시간을 한참 넘기는 바람에 학원에 늦어지는 것은 다반사이고, 심지어는 도서실에서 책을 보다가 수업 종소리를 놓치기도 합니다. 수업시간에도 종종 읽고 있던 책을 놓지 못하기도 한다는군요. 시간 개념 없이 무절제하게 책을 읽는 아이 때문에 자꾸 잔소리를 하고 아이를 혼내게 되면서 엄마와 아들 사이도 자꾸 멀어지는 것 같습니다.
영호는 왜 이렇게 책을 닥치는 대로 많이 읽는 걸까요?
책을 많이 읽는데도 왜 표현은 잘못하는 걸까요?

전문가 인터뷰

90도 배꼽 인사

"요즘에도 저런 인사를 하는 아이가 있나?" 상담실에 들어서면서 영호가 건네는 첫인사 방식은 매우 독특했다. 영호는 상담자를 향해 두 손을 배꼽에 대고 90도로 허리를 숙였다. 5학년이 된 남자아이치고는 드문 인사방식이었다. 긴장하는 눈치가 역력한 것으로 봐서 영호가 장난으로 그런 인사를 한 것 같지는 않았다.
그림검사에선 꽤 오랜 시간이 걸렸다. 이상하게 그렸다면서 그림을 지우고 그리거나 혹은 점을 꼼꼼하게 일일이 세면서 그리느라 검사 시간을 초과하기도 했다. 잘 보이고 싶은 욕구 때문에 주변의 눈치를 살피는 아이들이 보이는 특징을 영호에게서도 찾아볼 수 있었다. 영호는 특히 언어로 표현해야 하는 검사를 힘들어했다.

검사자 자전거가 뭐지? 설명해볼래?

영　호 아, 알긴 아는데 아 모르겠어요.

검사자 간단하게, 그냥 영호가 생각하는 대로 편하게 말하면 돼.

영　호 …

검사자 쉽게, 생각나는 대로 말하면 되는 거야.

영　호 (몇 번 더 망설이다가) 걸음보다 더 빨리 … 갈 수 … 있는 … 것!

검사자 잘했어. 이번에는 '여우'를 한 번 말해볼래? 여우가 뭘까?

영 호 아, … 모르겠어요. 너무 힘들어요.

영호는 말로 표현하는 검사를 할 때 부담을 많이 가졌고 무척 긴장하는 모습이었다.
또 숫자가 제시되는 검사에서도 열심히 답을 쓰려고 노력했지만 긴장을 많이 하는 것 같았다. 모른다는 말을 하기 어려워해서 자신이 뭐라 대답하기 어려운 검사가 나오면 아무런 대답도 하지 않고 가만히 있는 경우도 많았다.
이 아이가 정말 책을 많이 읽는다는, 그래서 독서 왕, 퀴즈 왕이라고 불리는 바로 그 영호, 맞나?

분석결과

사실은 책 속으로 도망갔던 것이다!

1. 상식은 많은데 낱말 뜻은 잘 모르는 아이

분석 결과, 영호는 전반적으로 지능이 상위권에 속하는 아이였고 지적 잠재력도 매우 우수했다. 기본지식은 높은 편, 그러나 이상하게 어휘, 이해는 상대적으로 낮은 편이었다. 산수도 낮은 편이다. 왜 그럴까?

책을 상당히 많이 읽는 영호라면 그동안 읽어낸 책의 권수만 고려한다 해도 상당히 높은 어휘점수를 기대할 수 있다. 그런데도 영호의 어휘 점수가 낮다는 것, 그리고 산수 점수도 다른 항목에 비해 낮게 나왔다는 것은 영호가 책을 많이 읽지만 제대로 읽지 않고 있다는 점을 보여준다. 산수 점수는 아이의 주의력이 어느 정도인가를 보여주는 하나의 지표이기 때문이다.

결국, 영호는 책을 많이 읽되, 주의 깊게 읽고 있지 않은 것이다. 영호는 또 이해 점수도 낮은 편이었다. 친구들과 지내기보다 책만 붙들고 사는 영호로서는 사회성이 떨어질 수밖에 없는데 사회성이 떨어지는 아이들에게서 이해 점수가 낮게 나오기도 한다.

2. 경쟁적인 엄마와 협동적인 아들

영호는 인터뷰에서 가족에 대해 긍정적이고 예의 바른 태도로 언급했다.

"엄마는 성격이 밝으세요. 긍정적이세요. 공부를 제대로 하게 하고 노는 것도 제대로 하고 바라는 건 없어요. 아빠는 성격은 음… 아주 판단력이 뛰어나세요. 우리 엄마 아빠는 나를 사랑하고…."

영호 말대로 하자면 '우리 가족은 아무 문제없는 모범가족'이다.

그런데 문장완성 검사에선 다소 다른 결과가 나왔다.

다음 표는 영호와 엄마가 같은 질문에 답한 것을 비교한 것이다.

문장완성검사를 통해 본 영호와 엄마의 생각차이

	영호 엄마가 예측한 답	영호의 답
우리 엄마는	말씀이 많으시다	파마를 했다
우리 아빠는	과묵하시다	말이 없으시다
나를 괴롭히는 것은	동생	공부
내가 동물로 변할 수 있다면	용	아르마딜로
왜냐하면	날개가 있고 힘도 세니까	공격받을 때 보호받을 수 있어서

아이들에게 단도직입적으로 "엄마에 대해 어떻게 생각하니?"라고 물으면 쉽게 답을 못하지만 문장을 완성해보라고 하면 속내가 어느 정도 드러난다. 물론 문장완성검사만 가지고 결론을 단정짓지는 않는다. 여러 가지 다른 검사 결과를 고려하여 이 답의 최종적인 의미를 분석한다.

엄마를 한 마디로 표현하는 문장을 쓰면서 영호는 엄마의 성격이나 태도보다는 그냥 겉모습만 언급하고 넘어갔다. 옆집 아들이라 해도 아마 이 정도 답은 할 수 있을 것이다. 영호의 이런 답변은 엄마에 관해서는 가능한 깊은 생각이나 표현을 하지 않겠다는 뜻이기도 하다. 이런 식의 대답은 영호가 일정부분 엄마와 단절되어 있음을 알려준다.

아빠에 대해서는 어떨까?

영호 아빠가 얼마나 과묵한 사람인지 짐작이 갈 정도로 모자는 이구동성으로 아빠에 대해 일관된 답을 하고 있었다. 말 없는 아빠와 아이가 평소 얼마나 소통을 할 수 있었을까?

결국, 영호는 부모와 이런저런 이유로 마음의 벽을 쌓고 있었던 셈이다.

또한, 영호는 자신을 괴롭히는 것을 '공부' 라고 썼다. 실질적으로 공부 자체가 힘들다기보다는 공부 때문에 엄마가 수없이 많은 지적을 하고 질책을 하는 것이 괴로운 것이라고 보는 것이 옳을 것이다. 정확하게 표현하자면 영호는 엄마의 '공부' 라는 말을 버거워하고 있다.

아르마딜로가 돼서 숨고 싶어요!

이번에는 "자신이 되고 싶은 동물이 무엇인가?" 를 물었다.

아이들은 때로 동물로 자기 자신을 대신 표현하기도 한다. 현실에서 감당하기 어려운 시련이 닥쳤을 때 종종 다른 존재가 되어 그 안에 숨거나 혹은 자신이 원하는 변신을 꾀하기도 한다. 영호는 되고 싶은 동물이 무엇이냐는 질문에 '아르마딜로' 를 썼다. 평소 책을 많이 읽는 영호의 유식함을 드러낸 답변인데 '아르마딜로' 는 외피가 단단한 동물이다. 이유는 공격받을 때 보호받을 수 있기 때문이란다. 왜소한 자기를 지키고 싶다는 생각이다.

엄마는 영호가 말이 없고 표현이 서툴다고 했다. 그러나 사실은 영호가 원래 말이 없는 것이 아니라 말을 해도 부모가 잘 안 들어주고 간혹 용기를 내어 무슨 말을 하면 엄마가 합리적이고 논리적인 말로 반박을 하기 때문에 말로서 질 수밖에 없었다. 그래서 말을 안 하고 속에다 품게 되었고 점점 말 '안 하는' 아이가 되어간 것이다. 말을 안 하다 보니 자연히 표현력도 늘기 어려웠다. 그러면서 '나' 를 지키려고 아르마딜로가 되고 싶었던 것이다.

활동하는 엄마 VS 심사숙고하는 아들

엄마는 영호를 무척 사랑했고 기대도 많았다. 그런데 왜 그렇게 영호가 못마땅했던 것일까?

여러 가지 검사 결과 엄마와 영호는 너무 다른 유형을 보여주었다. 일례로 주변에서 어떤 일이 벌어졌을 때 영호와 엄마가 정보를 처리하는 방식만 봐도 두 사람의 차이점이 확연하게 드러난다.

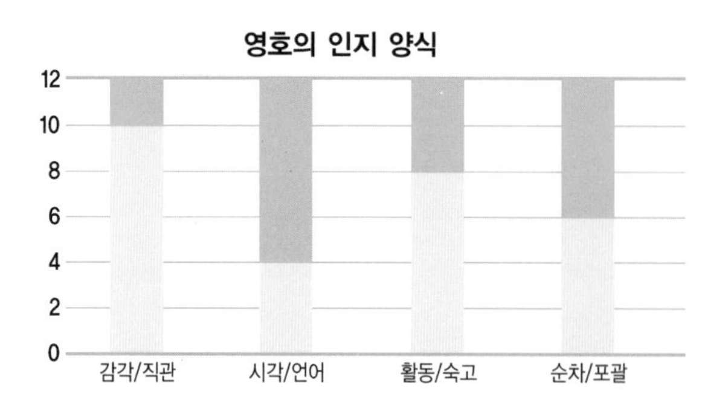

영호의 인지 양식을 보자.

영호는 직관이 뛰어난 직관형이고, 엄마는 그 반대인 감각형이다.

직관형인 영호는 전체적인 느낌, 혹은 대략 훑어보는 방식으로 사물이나 현상을 미루어 짐작해서 판단하지만 감각형인 엄마는 무슨 일이든 자신이 직접 경험을 해봐야 이해를 하는 사람이다. 영호는 공부할 때 그래프나 그림 사진 도표를 통해 시각적으로 공부해야 효과가 있는 시각형 아이다. 엄마는 그림보다는 글로 자료를 제시받았을 때 훨씬 더 학습효과를 보이는 언어형 타입이다.

영호는 또 행동보다 생각을 더 많이 하는 숙고형이고 엄마는 활동을 통해서 몸을 움직여 공부하는 활동형이다.

생각하고 결론을 내리는 과정을 봐도, 영호는 하나하나 단계적으로 정보처리를 하기보다는 전체가 파악되어야만 이해가 되는 포괄형인 데 비해 엄마는 하나하나 단계를 거쳐 생각하는 순차형 타입이다. 나무를 먼저 보는 엄마와 숲을 먼저 보는 아들의 차이이다.

영호는 머릿속 생각만으로도 지구를 몇 바퀴나 돌고 우주를 넘나드는 데 비해 엄마는 계단을 타고 꼼꼼하게 한 층 한 층 숫자를 세어가며 올라가는 타입이다.

● A 타입의 엄마, B 타입의 아들

A TYPE 성격	B TYPE 성격
경쟁적	비 경쟁적
목표지향적	관계지향적
분노, 적대감 표현	느긋함
완벽주의적 성향	감정적
이성적	참을성 있음
시간엄수	여유있음

영호와 엄마는 성격도 판이하였다.

엄마의 성격은 A 타입 성격이다. A 타입의 성격을 지닌 사람은 스트레스를 받거나 일을 할 때 경쟁적이며, 남보다 잘해야 하고 빨리빨리 해야 하는 스타일이다. 한마디로 목표지향적인 사람이다. 영호와 대화하는 중에도 엄마는 대화 속에 지식을 전달해주고 아이가 그 지식을 습득하기를 원한다. 대화에는 지식과 메시지를 전달하기 위한 목표지향적인 대화뿐 아니라 서로 친해지려고 나누는 관계지향적인 대화도 있다. 아이가 관계지향적인 대화로 접근해도 엄마는 목표지향적으로 받아들인다.

A 타입은 남에게 진다든지 목표를 성취하지 못했을 때 분노나 화가 많다. 완벽주의적 경향을 보이고 있으며 시간을 지키고, 주변 정리도 잘하는 깔끔한 성격이다.

영호는 이 모든 것과 반대인 B 타입이다.

영호는 엄마의 강한 기운에 떠밀려 책 속으로 숨어 들어갔다. 책을 들면 엄마가 싫어하지 않았기 때문이다. 닥치는 대로 책을 읽다 보니 아는 건 절로 많아졌다. 하지만, 일정부분 엄마의 잔소리를 피해 숨어 들어간 것인 만큼 제대로 책을 읽지 않았고 그래서 표현력이나 어휘력이 낮을 수밖에 없었던 것이다.

해결방법

엄마는 기다려주고, 아들은 일상을 챙기고!

1. 일단 멈춤

영호와 엄마의 평소 대화 방식은 어떠했을까?

영호가 수련회를 다녀온 다음 날이었다. 학원을 다녀오는 길에 놀이터에 들러 잠시 노느라 집에 오는 시간이 조금 늦어졌다. 집에 돌아와 책상 앞에 앉은 영호에게 엄마는 예의 논리 정연한 태도로 말했다. '수련회 가서 놀다 왔으면 됐지.' 그러나 엄마의 속말은 '너, 놀만큼 놀고 왔잖아.' 였다. 그러자 영호가 웅얼웅얼 혼잣말처럼 '수련회 가서 논 거 아닌데.' 라고 대답했다. 엄마는 기다렸다는 듯이 '논게 아니면 그건 뭐지? 논다는 게 너한텐 어떤 의미인데?' 라고 바로 쏘아붙였다. 영호가 이내 입을 다물었다. 뭐라 말을 해야겠는데 무슨 말을 해야 좋을지 머릿속으로 단어를 고르는 듯 보였다.

수련회 가서 친하지도 않은 친구들과 어울리는 척하느라 내성적인 영호는 사실 많이 피곤했었다. 선생님과 친구들과 규칙들 사이에서 논 것은 논 것도 아니었다. 그런데 엄마는 실컷 놀다 온 거라고 하다니, 영호 마음에 살짝 억울함이 들었다. 그런 영호에게 엄마의 연이은 제2탄이 날라 왔다.

"답지에 답 좀 쓰면서 하지." (영호는 문제지를 펼치자마자 엄마에게 막 추궁을 당하는 중이었다.) 엄마와 영호의 대화는 대체로 이런 방식이었다.

영호의 마음을 열고 입을 열게 하려면 엄마는 아이의 말이 다소 엉뚱하고 이치에 맞지 않더라도 일단 멈춤을 할 필요가 있다. 영호에게 최우선적으로 필요한 것은 엄마의 이해와 부드러운 반응이다.

아이의 말이 떨어지고 나면 10초만 우선 참아보자.

10초 동안 최초로 머릿속에 울리는 말, 입안에 뱅뱅 도는 말을 삼키도록 노력하자.

2. 5첩 반상 대화하기

엄마는 영호와 대화할 때 다음 두 가지를 지키자.

엄마 "수련회 가서 놀았으면 됐지!"

→ "① 수련회 가서 충분히 놀았다고 생각했는데 놀이터에서 놀고 온 것을 보니까 영호가 더 놀고 싶었나 보다!"

아들 "수련회 가서 논 거 아닌데…"

엄마 "논게 아니면 그건 뭐지?"

→ "② 아, 그렇구나. 그럼 수련회 가서 무엇을 했는데…?"

이렇게 ①과 ② 두 단계의 대화만 잘 진행되어도 아이가 다시는 입을 다물 일은 없을 것이다.

① 처음엔 아이 마음을 헤아려 부드럽게 대신 설명해주고(일명 3첩 반상 대화; 가장 기본반찬에 비유할 수 있다. 공감과 지지를 표현하는 단계만 지켜도 아이와 엄마 사이에 가장 중요한 기본원칙은 지켜지는 셈이다.)

② 아이가 뜻밖의 대답을 해도 역시나 평정심을 잃지 말고 부드럽게 그 이유를 물어보는 것이 필요하다(일명 5첩 반상 대화; 공감과 지지가 3첩이라면 여기에 더해 아이의 의견을 경청해주는 것은 5첩 반상에 비유할 수 있다. 엄마와 아이 사이에 영양가 있는 반찬이 하나 더 얹어지는 셈이다.).

이래야 아이의 표현력도 늘어난다. 무슨 말만 하면 곧바로 부모로부터 부정적인 피드백이 돌아오게 되면, 아이는 자꾸 입을 다물게 된다. 입을 다물어버리면 다시는 무엇을 어떻게 해볼 여지가 없게 된다. 아이의 입을 열려면 마음부터 열어야 한다.

3. 삐-삐 손목시계

영호에게는 30분 단위로 짜인 아주 구체적인 시간표가 필요하다.

자신이 시간을 어떻게 사용하고 있었는지 '시간일기'를 써보게 한 뒤, 그날그날의 과제를 시간단위로 꼼꼼하게 계획 세우는 것이 좋다. (초등 고학년 학습법 〈공부법의 기본이자 출발점, 시간 관리법!〉

시간표를 잘 지켰을 땐 칭찬 스티커를 주어서 격려해준다. (초등 저학년 학습법 〈아이 마음 상하지 않고 격려하는 방법, 스티커!〉 참고)

스티커 사용 못지않게 중요한 것이 아이가 스케줄을 잘 지킬 수 있도록 구체적인 방법을 알려주는 것이다. 비싸지 않은 알람 손목시계를 사주어서 영호가 시간약속을 잘 지킬 수 있도록 도와주는 것도 한 방법이다. 말로만 지적하지 말고 시간표를 통해 자신의 일상을 자주 눈으로 확인해볼 수 있도록 해주고, 또 시간을 잘 지킬 수 있도록 구체적인 도구도 갖추어 줄 필요가 있다.

4. 친구는 공부의 적?

초등학교 고학년 시기에는 친구관계가 좋아야 정보도 주고받을 수 있고 공부의욕도 생긴다. 학교에서의 영호는 사실 그다지 친구가 많지 않았다. 전학 온 지 얼마 안 된 탓도 있지만 영호 또한 친구들에게 큰 관심이 없어 보였다. 그런데 심리분석을 해보니 영호는 오히려 친구에 대해 관심도 있는 편이고 우호적이고 협조적인 관계를 이루려고 노력하는 면도 있었다. 다만, 기본적으로 사회적 재주나 기술이 부족한 편이어서 또래들과 어떻게 어울려야 좋을지 잘 모르고 있었던 것이다. 자신에 대한 마음을 잘 열지 않고, 친구가 다가와도 적당한 거리를 두기도 했던 영호. 이런 일에는 관계를 형성하는 과정을 도와주어서 또래에 동화될 수 있도록 돕는 것이 최우선과제이다.

또래 사이로 선뜻 뛰어들지 못하는 영호를 위해 엄마는 체험학습을 핑계 삼아 관계의 '처음' 을 슬쩍 도와주었다. 영호 친구들을 데리고 현장학습을 간 것이다. 5학년인 영호, 엄마가 관계 맺기의 처음을 살짝 도와주고 집을 아이들의 놀이터로 개방해, 자유롭게 친구들이 드나들 수 있도록 해주는 식으로 아이가 또래관계 속에 들어갈 수 있게 도와줄 필요가 있다.

5. 교과서 속의 '책' 따라잡기

영호에게 우선 5-1 사회, 과학 교과서와 관련된 책을 선정해서 주고 읽은 다음 그 핵심주제들을 소리 내어 이야기해보는 방법을 권했다.

영호는 초보적인 독서의 단계는 뛰어넘은 상태이기 때문에 바로 교과와 관련한 독서로 들어가도 큰 무리가 없는 학생이었다. 이렇게 '아는 것을 자꾸 입 밖으로 소리 내어 말해보게 하는' 독후활동을 하게 되면 학교수업에도 차츰 주도적으로 참여하게 되어 학교생활만족도도 높일 수 있게 된다.

표현력을 길러주는 학습 놀이-일단 스무 줄만 써 봐!

서로 자연스럽게 일상적인 대화를 하면서 실시간으로 말하는 것을 그대로 써 나가는 학습놀이이다. 쓰면서 말을 해야 하기 때문에 서로 말의 속도가 느려지는 효과가 있다.

이 방법은 발음이 부정확한 편이어서 더욱더 말하는 것이 자신 없는 영호에게 말하는 것에 대한 부담을 줄어들게 하여 좀 더 편안하게 말을 할 수 있도록 도와줄 수도 있다(말이 빠른 아이에게도 도움 됨.). 또한, 한글철자가 부정확한 영호에게 잘못 쓴 내용에 대해 자연스럽게 수정할 수 있도록 지도하여 한글철자에서 보이는 오류들을 줄여나갈 수 있다.

편안한 분위기에서 흥미롭게 말하고 그 내용을 글로 써 나가다 보면 자연스럽게 표현력을 길러 나갈 수 있게 된다.

자녀와 대화를 나눌 때 자녀가 단답형으로 대답할 가능성이 많은 질문은 될 수 있으면 피한다. 예를 들어, "오늘 숙제했니?"라고 물으면 자녀는 대부분 "예", "아니오."로 답할 것이다.

학습놀이 순서

① 인원수대로 필기도구를 준비한다.

② 지금부터 대화를 나누며 각자 말하는 것을 그대로 노트에 적는 학습놀이를 할 것임을 알려준다.

③ 각자 말하는 내용을 그대로 쓰되, 마침표를 찍은 후에는 줄을 바꿔서 시작한다.

④ 한 페이지 정도의 분량을 채운 후에는 자녀가 자신이 쓴 것을 소리 내어 읽으며 맞춤법이 틀렸다고 생각하는 글자에 표시하고 올바르게 고쳐보도록 한다.

⑤ 자녀가 쓴 것을 같이 읽어보면서 맞춤법이 틀린 부분을 함께 수정해 보도록 한다.

실시간 대화 내용 쓰기 예

〈엄마가 쓴 말〉	〈영호가 쓴 말〉
영호야 오늘 제일 재밌었던 일은 뭐니?	네. 아, 친구들하고 학교에서 축구시합을 한 거요.
친구 누구?	상철이, 현우, 강석이, 주빈이… 한… 7명 정도요.
와, 정말 재밌었겠네, 골은 넣었니??	아니요, 오늘은 한 골도 못 넣었어요.
아이고, 저런, 실망이 컸겠네! 우리 영호~	그래도 친구들이랑 재밌게 해서 괜찮았어요.

평가 불안을 완화해주는 학습 놀이-내게 물어 봐!

서로 동시에 같은 내용의 글을 읽고 읽은 내용에 대해 서로 묻고 답하기를 하는 학습놀이이다. 엄마가 물어보고 아이가 답을 맞히는 것도 물론 공부가 되지만, 아이에게 문제를 만들어보고 질문하게 해도 적지 않은 공부가 된다. 문제를 스스로 뽑아보는 것도 공부이고, 답도 한 번쯤 생각해보게 할 수 있기 때문이다.

〈학습놀이 순서〉

① 읽을 교과서나, 전과, 참고서, 초시계, 필기도구, 스티커 판을 준비한다. 한 페이지당 5개 이상의 질문을 만들 수 있는 재료를 선택한다.

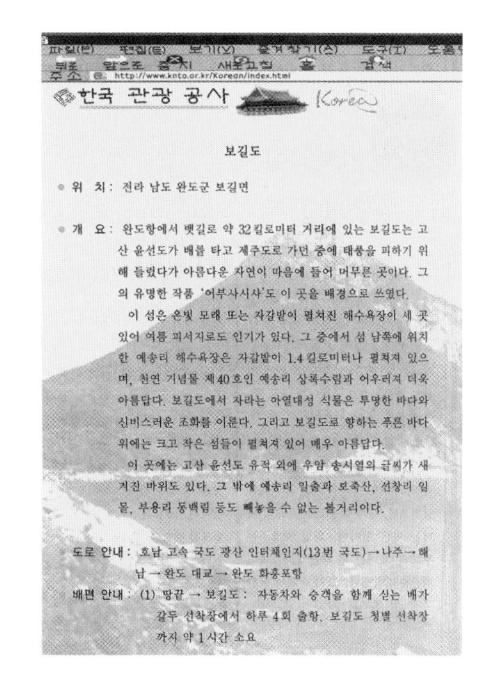

② 초시계를 누를 사람이 결정되면 결정된 사람이 초시계를 가지고 이제부터 학습놀이를 시작할 것임을 알리고 교과서나 전과, 참고서 등을 이용하여 한 페이지나 두 페이지 정도 분량의 글을 읽도록 한다. 이때 페이지당 5분 정도의 제한 시간을 두고 글을 읽도록 한다.

③ 제한 시간이 지나면 자녀가 먼저 질문을 하도록 한다. 질문의 개수는 페이지당 3~5개씩으로 제한한다.

④ 같은 방식으로 엄마가 자녀에게 질문한다(영호의 경우에는 엄마가 질문하는 것을 생략하고 영호가 질문하는 형식을 더 많이 할 것을 권함).

〈엄마가 만든 질문〉

1. 보길도는 어느 도에 있습니까?

2. 윤선도의 호는 무엇입니까?

3. 윤선도는 어디로 가든 중이었습니까?

4. 보길도로 배를 타고 가려면 어디서 타야 합니까?

5. 보길도에 대한 정보를 볼 수 있는 이 사이트는 어느 곳이었습니까?

〈영호가 만든 질문〉

1. 보길도는 완도항에서 얼마나 떨어져 있습니까?

2. 윤선도가 보길도에서 쓴 유명한 작품은?

3. 천연기념물 제40호는 무엇입니까?

4. 송시열의 호는 무엇입니까?

5. 보길도의 볼거리는 두 가지 말해봅시다.

인지양식

외부로부터 들어오는 정보를 처리할 때 선호하는 정보처리 방식

열린 질문과 닫힌 질문

열린 질문이란 상대방이 다양한 대답을 할 수 있는 물음을 이야기하고 닫힌 질문이란 예/아니오만 대답할 수 있는 물음을 말한다. 열린 질문은 수평적 대화를 이끌어 낼 수 있지만 닫힌 질문은 수직적 명령 대화로 이어진다. 특히 처음 만난 사이에서 열린 질문을 하게 되면 서먹함을 쉽게 사라지게 할 수 있다. "오늘 날씨가 좋죠?"(닫힌 질문) "오늘 날씨가 어떤 것 같아요?"(열린 질문)

어휘검사

아동의 문화적 경험, 교육적 환경과 밀접히 관련되어 있다. 이런 경험에 따른 아동의 학습능력, 개념의 풍부성, 기억력, 개념형성, 언어능력 등 개인의 지적 능력을 측정하는데 효과적인 검사이다.

-지능검사요강에서 발췌

이해검사

일상생활의 경험, 대인관계, 사회적 관습 등을 반영하고 있으며, 다양한 상황을 잘 이해하고 이에 따른 문제해결 방안을 찾아내는 등 적절하고 의미 있는 방법으로 자기의 과거 경험을 평가하고 종합하는 능력을 측정한다. 또한, 아동의 문화적 경험과 도덕 개념의 발달 수준도 검사 수행에 영향을 준다.

-지능검사요강에서 발췌

산수검사

시간제한이 있는 검사로써 사고력과 수리 능력 및 주의집중력이 요구된다.

-지능검사요강에서 발췌

EBS 60분 부모 06

공부 의욕도 없고 끈기도 없어요!

6학년 성준이 이야기

엄마의 고민일기

성준이만 생각하면 답답하고 화가 납니다.

아이는 벌써 6학년입니다. 이제 곧 중학생인데 평소 하는 행동이며 공부 태도까지 뭐 하나 제 마음에 드는 것이 없습니다. 그저 게임이라면 사족을 못 쓰고 그 외에 모든 일은 심드렁하고 무기력하게 굽니다. 6학년이지만 스스로 하는 게 없네요. 머리끝부터 발끝까지… 심지어는 밥을 먹으라고 하면 꾸물꾸물 뭘 하는지 여러 번 재촉하고 화를 내야만 와서 먹습니다. 그래서 전 너무나 답답한데, 아이는 답답한 게 하나도 없는 것 같네요.

얼마 전에 기말고사를 봤는데, 130문제 중에 33개를 틀려왔습니다. 그래서 보습학원을 보내기 시작했는데 학원 가는 것을 어찌나 싫어하던지, 억지로 보내는 중입니다. 억지로 보내서 그런지 학원을 가도 학습에는 아무 효과가 없는 것 같습니다. 5개월 전부터 영어학원도 다니고 있고 수학학원은 진작부터 보냈었는데 그래도 수학 시험을 보면 절반밖에 못 맞습니다.

공부를 할 땐 손을 가만히 두지 못하고 항상 무엇인가를 갖고 있거나 손톱을 물어뜯기도 하네요.

친구도 별로 없고, 혼자 있는 것을 편안해합니다.

저학년 때까지는 그래도 우수한 아이였는데 고학년이 되면서 점점 성적도 떨어지고 의욕도 사라지고 있네요. 왜 그럴까요? 어떻게 해야 성준이가 스스로 공부하는 아이가 될 수 있을까요?

전문가 인터뷰

손과 다리를 가만히 내버려 두지 못한다

작은 체구, 다소 어두운 표정을 가진 성준이는 한 눈에 보기에도 힘이 없어 보이는 아이였다. 쑥스러운 듯 시선을 마주치는 것을 어려워했고 눈치를 많이 살피며 목소리도 웅얼웅얼 자신 없는 태도. 검사하는 동안 비교적 지시를 잘 따르고 순응하는 편이었지만 자리에서 몸이 벗어날 정도는 아니었어도 내내 다리를 흔들거나 손장난을 하는 식으로 잔 움직임이 많았다. 문제가 어려워지면 쉽게 포기했고 수행속도는 대체로 빠르고 충동적인 편이었다. 검사가 후반에 접어들자 내내 물었다.

"언제 끝나요?"

분석결과

억지로 하다 보니 의욕이 사라지다!

1. 나의 좋은 점은 없다고 생각하는 아이

6학년인 아이가 제 스스로 하는 것 하나 없고 공부도 못하니 엄마 마음이 답답한 것은 이해가 간다. 지나온 초등학교 6년을 제대로 알차게 보내지 못한 것이 아쉽고, 앞으로 닥칠 중학교 고등학교 시간을 생각하면 앞이 캄캄할 것이다. 그러나 생각을 바꿔보자.

성준이는 이제 열세 살, 기나긴 인생에서 고작 13년을 살았을 뿐이다. 그런데 앞길이 창창한 이 소년은 벌써 좌절감, 우울감, 위축감, 불안정감, 긴장감 등 정서적인 어려움을 가진 것으로 나타났다. 원인은 아이가 자라오는 과정에서 격려와 관용, 칭찬, 지지, 기다림보다는 처벌과 제재 통제가 상대적으로 더 많았기 때문이다.

특히 공부와 관련해서는 더욱 그러했다.

나를 가장 화나게 하는 것은 공부/ 나는 공부가 싫다.

나를 가장 슬프게 하는 것은 엄마가 '공부해라!'

성준이는 착하고 순한 아이였다. 1학년 때부터 엄마는 뭐든 아낌없이 가르쳤다. "큰애이고 어려서부터 내 말도 잘 알아듣고 잘 따라 해서 목숨 걸고 공부를 시켰다."라고 엄마는 고백했다. 처음에는 모든 일이 순탄해 보였다. 그런데 3학년이 되면서부터 성적이 점차 시원치 않게 나타나기 시작했다. 엄마는 직접 학습지 교사까지 하면서 성준이 공부를 봐주기도 했다. 하지만, 고학년이 될수록 성준이 성적은 점차 하향곡선을 긋기 시작했다.

엄마가 열심히 도와주었다는데 아이는 왜 점점 공부를 못하게 되었던 것일까?

첫 번째, 엄마의 의욕이 성준이 의욕보다 늘 한발 앞섰다.

아이가 자발적으로 공부에 대한 의욕과 흥미를 채 가지기도 전에 엄마는 항상 한발 앞장서서 교육적 자극을 주고 훈련을 시키곤 했다. 스스로 호기심과 관심을 두기도 전에 엄마가 먼저 알아서 눈앞에 대령한 것들을 아이는 별다른 의욕 없이 그저 따라해야 했다. 1, 2학년까지는 엄마가 무섭고 엄마가 좋았기 때문에 하라는 대로 했다. 하지만, 놀고 싶을 때도 잦고 쉬고 싶을 때가 잦아졌는데, 엄마는 계속해서 앞만 보고 달리란다.

성준이는 속으로 조금씩 지치고 있었다,

두 번째, 엄마는 눈에 보이는 결과(성적)를 더 중요하게 여겼다.

엄마는 좋다는 것은 열심히 찾아서 주었지만 정작 성준이가 뭔가를 잘해낼 수 있다는 자신감과 성취감, 유능함을 느끼는가 여부에는 미처 신경을 못 쓰고 있었다. 그냥 여기서 좋다는 학습지, 저기서 누가 효과를 봤다는 공부 방법을 가르쳐 주기에 급급했다. 그 방법들을 적용했을 때 성준이가 과연 흥미를 보이면서 따라오는가를 관찰하기보다는, 결과가 좋지 않은 것에 초조해하고 열심히 하지 않는다고 아이를 다그치는 쪽에 더 가까웠다. 성준이가 우울해질 수밖에 없는 상황이 계속 되고 있었던 것이다.

세 번째, 성준이에게도 이제는 거부할 힘이 생겼다.

저학년 때는 엄마의 요구를 묵묵히 따랐지만 고학년이 되면서 이젠 성준이도 점점 엄마가 힘들어졌고 그것을 알리고 싶었다. 그런데 엄마에게 거절이나 거부 의사를 밝히면 잔소리와 꾸중이 날라 왔다(엄마는 성준이가 컸다고 생각하지 못하고 아이가 못되어졌다고 생각한다.). 성준이는 때로는 눈에 띄게 반항하고 때로는 엄마의 요구나 지시를 미루는 방식으로 엄마에게 은근히 시위를 하는 중이다. 하지만, 바로 그런 이유 때문에 엄마의 질책과 꾸중을 자주 듣다 보니 아이는 겉으로는 버티고 반항하는 것 같지만 내심 자신감도 더 떨어지고 위축되고 우울해져서 급기야는 '나는 좋은 점이 하나도 없는 아이' 라는 생각을 하는 것이다.

네 번째, 엄마와 아빠의 불일치가 아이를 혼란스럽게 했다.

성준이 부모는 어릴 때부터 아이의 감정이나 욕구를 파악하고 차근차근 새로운 호기심이나 모험할 수 있도록 배려해주지 못했다. 아빠는 양육과 교육을 거의 엄마에게 일임하고 있었는데, 그렇다고 해서 말없이 지원해주는 쪽이 아니라 아이가 엄마와 부딪칠 때면 엄마를 탓하는 식으로 아이 앞에서 엄마와 상반된 태도를 보여 왔다. 엄마가 성취 지향적이었다면 아빠를 통해서라도 욕구가 받아들여지고 감정이 읽히면 좋았을 것이다. 그러나 성준이 아빠는 평소에는 거의 무관심하고 아이들 요구에 귀를 기울이지 않다가 엄마를 반대하는 쪽에서만 존재를 드러내곤 했던 것이다. 이렇게 되면 아이는 옳고 그른 것을 분별하는 능력보다 그때그때 유리한 쪽으로 생각을 맞추어가는 임기응변적인 눈치만 발달하게 된다(이런 아이는 얼핏 보면 사회성이 좋아 보이지만 궁극적으로는 사회적으로 바람직한 태도를 배우지 못하고 얄팍한 처세술만 익히기 때문에 엄격한 규범이나 규칙이 존재하는 학교생활에선 오히려 제대로 적응을 못 할 우려가 있다.).

2. 친구 사귀기가 힘에 부치다

성준이는 7살에 학교에 들어갔다. 체구가 작은 편인데다 한 살 먼저 들어갔기 때문에 또래보다 신체적으로 왜소한 편이다. 친구가 별로 없고 있다 해도 얌전하고 조용한 친구를 한 명 정도 사귀는 편이며 또래 친구들과 놀기보다는 두 살 아래인 동생 친구들과 어울려 노는 것을 더 좋아한다. 초등학교 고학년 남학생들은 일반적으로 두 살 아래 동생들과 노는 것을 시시하다고 여겨 잘 어울리는 편이 아니다. 이런 점을 보면 성준이가 또래 사이에서 원활하게 어울리지 못하고 있다는 것을 알 수 있다. 친구사이에서 쳐지면 학습 정보나 학습교류에서도 자연히 소외될 수밖에 없고 아이는 점점 공부의욕이 떨어질 수밖에 없다.

3. 학습문제

연령	학습활동
5~6살	유치원
7살	학교에 감(후회막급)
초등 1년~2년 초반까지	미술, 바둑, 웅변, 신기한 영어 나라, 웅진 국어 · 수학
초등 3년	ㅇㅇㅇ학원(ㅇㅇㅇ학습지 문제만 푸는 형식의 학원으로 국어, 수학, 사회, 과학을 위주로 했는데 다른 것들을 하지 않다 보니 성적이 꼴찌까지 갔다.)
초등 4~5년 초등 6년	ㅇ선생 영어 영어, 수학

성준이의 성적은 학급에서 중간 정도이고, 엄마가 어릴 때부터 열심히 책을 읽어주었기 때문에 책 읽는 훈련은 잘되어 있는 편이다. 고학년이 되면서 자신이 좋아하는 학습만화나 특정한 책만 편독하는 경향이 나타나고 있다. 성준이가 자신 있어 하고 좋아하는 과목은 역사다. 4학년 때 엄마가 역사 학습지 교사를 했었기 때문에 성준이의 역사공부를 세심하게 도와주고 보살펴 주었다고 한다.

그러나 성준이는 현재 그 외의 여타 과목에서 고전을 면하지 못하고 있으며, 주의집중력이 떨어지기 때문에 특히 수학을 어려워하고 잘 못하고 있다. 엄마는 그때그때 좋다는 교육방법을 권하고 있을 뿐, 성준이의 성취도나 흥미를 고려하지 못하는 방향으로 학습을 설계해왔다. 많은 것을 줄곧 시키고 있었지만 결과적으로 성준이 안에 차곡차곡 쌓이는 것이 그다지 없게 된 것이다.

해결방법

아이의 영역을 존중해주고 '내 일'을 만들어주자

1. 환경 바꿔주기

일상생활에서 성준이에 대한 이해를 바탕으로 아이의 기분과 욕구에 관심을 둘 필요가 있다. 6학년인 만큼 독립적인 공간을 마련해주고 성준이가 스스로 의욕, 동기를 느껴 움직일 수 있도록 환경을 설계해주자 .

성준이는 잠을 잘 때나 만화책을 읽을 때만 주로 자신의 방(책상 있는 방)을 사용하고 공부는 동생과 함께 건넛방에서 상을 펴놓고 하고 있다. 성준이의 방은 깔끔하게 잘 정리가 되어 있었던 반면 건넛방은 각종 책과 작은 물건들이 어지럽게 널려 있다.

성준이가 자기 방에서 공부하지 않는 가장 큰 이유는 책상 의자가 회전의자여서 성준이가 의자를 계속 빙빙 돌리며 앉아있기 때문에 집중을 못하기 때문이란다.

그 후 회전되지 않는 의자를 사주었었는데 고장이 났고 아직 의자를 새로 사주지 않고 있다. 많은 부모가 아이 공부 때문에 발을 동동 구르면서도 막상 이렇게 중요한 것들을 해결하려면 적극적으로 노력하지 않는 모습을 보여주곤 한다. 건넛방에서 동생과 함께 공부를 하면 성준이가 동생과 장난을 많이 치면서 공부를 하기 때문에 방해가 되는데도 불구하고 "떠들지 마라, 공부해라."라고 잔소리만 쉴 새 없이 할 뿐 별다른 조치를 취하지 않고 있었다. 성준이는 이제 동생과 따로 떨어져서 자신의 방에서 공부하는 것이 좋겠다.

집중력에 방해되므로 책상 유리를 없애고, 새 의자를 사도록 권한다. 또 학습교재 이외의 동화책, 만화책, 불필요한 각종 자료로 가득 차 있는 책꽂이를 정리하자.

2. 노크하기

엄마는 평소에 성준이 방에 노크 없이 불쑥불쑥 들어가는 일이 많았다. 예비중학생인 아들의 공간을 존중하려면 반드시 노크 후에 성준이가 "들어오세요." 하고 말하면 아이 방에 들어가는 것이 좋다.

3. 행동계약서 쓰기

성준이가 쉽게 고치지 못하는 나쁜 습관을 지적하려고 엄마는 성준이 시선이 닿는 곳곳에다 포스트잇을 붙여놓고 벌칙을 써놓았었다. 6학년쯤 되면 잔소리나 이런 포스트잇을 붙이기보다는 '행동계약서'를 쓰는 것이 더 낫다 (초등 저학년 학습법 〈잔소리를 줄이고 행동계약서를 쓰자!〉 참고).

4. 재미있는 화젯거리 나누기

성준이와 엄마의 주된 대화 소재는 주로 공부였다. 공부는 뒤로 미루고, 우선 아이와의 관계를 회복하는 일에 주력하자.

'가장 자신 없는 일'을 매일 이야기해야 하는 성준이의 심정을 생각해보라. 아이가 왜 그렇게 주눅이 들어 있고 자신감이 떨어져 있는지 알 것이다.

공부 말고 아이와 함께 이야기할 수 있는 재미있는 화젯거리를 찾아보자.

TV프로라든가, 만화책이라든가 요즘 화제가 되는 UCC라든가, 게임이어도 좋다. 일단 엄마와의 관계개선이 이루어져야 아이가 귀를 열고 마음을 연다. 6학년이면 이젠 엄마 뜻대로 아이를 움직일 수 있는 시기가 아니다. 아이를 하나의 인격체로 존중하는 일부터 시작해야 한다. 아이에게 엄마가 먼저 이렇게 의외의 모습을 보이면 아이도 엄마를 다르게 느낄 수 있다.

공부는 그다음의 문제이다. 6학년인데 공부를 뒤로 밀어두라니 조바심이 날지도 모른다. 그러나 앞으로 이어질 본격적인 공부의 시기, 즉 중고등학교가 닥치기 전에 먼저 아이의 마음을 열어야 앞으로 진지하게 공부에 대해 이야기할 수 있게 된다.

초등학교는 중고등학교 공부를 위한 워밍업 단계이다. 마라톤을 위한 몸 풀기라고 생각을 하면 그리 조바심을 낼 일도 아니다.

5. 시사적인 화제 나누기

집에서 엄마와 나누는 모든 대화가 앞으로 전개될 학습의 도입 단계라고 생각하자. 예를 들어 요즘 TV 뉴스에 자주 나오는 대선 후보 선출문제라든지, 지구온난화 문제, 매일마다 하는 TV의 일기 예보가 모두 6학년 2학기 사회, 과학의 학습 내용이다. '자, 이제 공부할 시간이다.' 하고 책상에 앉아야만 공부가 되는 것은 아니다. TV 뉴스를 보면서 대통령 선출방식이나 대통령의 권한에 대해 이야기한다든가, 일기예보를 보면서 고기압이 뭐고 저기압이 뭔지 지나가는 말로 슬쩍 던지면서 이야기하는 게 다 공부가 되는 것이다(이런 걸 잠재적 교육과정이라고 한다.).

그러려면 부모가 미리 아이의 2학기 교과서를 한 번 쭉 훑어보는 과정이 필요하다. 학원에 가서 필기하고 문제를 푸는 것이 머릿속에 더 남을까, 아니면 엄마 아빠하고 과일 먹으면서 화제 삼아 이야기하는 것이 더 효과적일까? 부모와 대화하면서 나누었던 이야기가 기억에 남아 있다가 때마침 학교에서 선생님이 설명하게 되면 쉽게 이해가 되고, 때로는 아무도 대답하지 못하는 질문에 대답도 할 수 있게 된다. 이런 경험을 되풀이 하다 보면 자신감을 쌓아나가는데 도움이 된다.

6. 수학문제 쪼개기

수학 문장제 문제에 어려움을 겪는 아이들은 대부분 문제를 꼼꼼하게 분석하지 않고 답을 먼저 구하려고 하는 경향이 있다. 수학공부를 통해 사고력과 논리력을 키우고 수학적 문제해결을 잘 해나가려고 답을 구하기에 앞서 문제를 분석하는 연습부터 시작하여야 한다. 수학 문장제 문제를 잘 읽고 구하려는 것과 문제에서 알려준 내용을 적는 활동을 꾸준히 하면 문장제 문제해결을 힘들어하고 귀찮아하는 아이들이 답을 구해야 한다는 부담감이 줄어들면서 문제를 해결할 수 있는 사고력을 키워나갈 수가 있다.

0.4m의 대나무로 단소 한 개를 만든다면, 대나무 3.1m로 같은 크기의 단소를 몇 개 만들 수 있습니까? 그리고 남는 대나무는 몇 m입니까?

구하려는 것: 1. 대나무 3.1m로 0.4m짜리 단소를 몇 개 만들 수 있는가?
2. 남는 대나무는 몇 m인가?

문제에서 알려준 내용
1. 단소 하나의 길이는 0.4m이다.
2. 대나무 3.1m로 0.4m 크기의 단소를 여러 개 만든다.

문제해결 **식** 3.1÷0.4=7…0.3 **답** 7개 만들고 0.3m 남는다.

6학년 2학기 수학 익힘책 54페이지 문제

---

7. 내 공부는 내가 한다 : 공부 계획 세우기

자신이 직접 공부계획을 구체적으로 세우고 실천하도록 하자. 처음에는 적은 양부터 시작하여 실천하도록 하고 차츰 학습 동기가 생기면 공부량을 늘려가면서 자신이 사용할 수 있는 시간을 최대한 활용할 수 있도록 해 나가는 것이 좋다. 어머니

나의 학습 스케줄(2007년 10월)

월	화	수	목	금	토	일
1	2	3	4	5	6	7
8	9	10	11	12	13	14
15 영어단어 7개 암기 수학 문제집 p.12-p.17 풀기	16 국어 읽기책 p20-p25 모두 줄쳐며 읽기 수학 문제집 p.18-p.25 풀기	17 영어단어 7개 암기 국어 읽기책 p26-p.30 모두 줄쳐며 읽기	18 수학문제집 p.26-p.30 풀기 사회탐구 교과서 p.25-p.30 요약하기	19 영어단어 7개 암기 국어 문제집 p.25-p.30 풀기	20 독후감 한편 쓰기(공책 한 페이지 이상)	21
22	23	24	25	26	27	28
29	30	31				

가 일방적으로 세워주는 계획이 아니라 자신이 직접 공부계획을 세우고 실천하면서 수동적으로 끌려 다닌다는 느낌과 거부감 없이 성취감을 느껴나갈 수가 있다.

집중력과 인내력을 기르는 학습 놀이 - 그대로 옮겨 그려봐!

모눈종이와 같은 좌표공간 위에 그려진 그림을 그대로 옮겨 그리는 놀이이다. 모눈종이와 같은 좌표공간 위에 그려진 그림을 그대로 옮겨 그리는 것은 칸을 따져가면서 매우 꼼꼼하게 해 나가야 하고, 그림을 다 그린 후에는 원본과 서로 비교해보는 매칭 과정을 거치기 때문에 모양지각과 집중력, 인내력 향상훈련으로 효과적이다.

부록

EBS 60분 부모

공부 저력 만들기

_60분 부모 학습 특강

평생 뇌 발달, 유아기에 결정될까?

신의진 | 소아정신과 전문의

10여 년 전만 해도 어머니들이 소아정신과에 대한 거부감이 있었지만, 최근에는 소아정신과에 대한 홍보도 많이 되어 있고 또 예방차원에서 병원을 찾는 수요가 많이 증가하고 있습니다. 수요가 증가하면서 아울러 나타나는 현상은 병원을 찾는 아이들의 연령이 어려지고 있다는 점입니다. 특히 IMF 이후 한 1, 2년 뒤부터 정말 어린 아이들이 많이 오기 시작해서 의사인 제가 당황했을 정도입니다.

병원을 찾는 이유도 말을 잘 못한다거나 사회성이 많이 떨어져서 사람 얼굴도 안 쳐다본다거나 하는 것이었습니다.

아이가 어릴수록 발달의 차이가 크고 개성이 다르므로 획일적으로 옆집 아이와 비교하지 말아야 하며, 누가 뭐 한다고 해서 따라하는 일은 거부하셔야 합니다. 그렇지 않고 조급함 때문에 내 아이는 이렇게 생겼는데 엉뚱한 걸 갖다 대면 저희 소아정신과로 오게 됩니다.

오늘 강연 제목이 〈평생 뇌 발달이 유아기에 결정될까?〉입니다. 정말 그럴까요?

제가 오늘 이 부분에 대해 확실한 답을 드리겠습니다.

유아기 때 뇌가 빨리 변하고 또 인간 성격의 많은 부분이 완성되지만 모든 것이 이때 다 완성되는 건 아닙니다. 현재까지 연구결과를 보면 사춘기 이상까지 가봐야 알 수 있다고 합니다.

뇌 발달 초기 연구들은 '주로 어릴 때 많이 결정된다.'라고 했어요. 그렇지만 테크놀로지가 발달하면서, 뇌 기능이나 뇌 구조를 세밀하게 연구한 결과 심지어 30세쯤 되어야 완성되는 것도 있다고 합니다.

뇌의 효용성 자체는 나이가 들어서 형성된다고 보는 것이 최근의 결과들이기 때문에 유아기에 뇌 발달이 결정된다는 이론은 70% 맞다고 보더라도, 30% 이상은 더 유동적이라고 봐야 옳습니다. 과학이 더 발달하면 그 시기가 뒤로 늦춰질 가능성도 있다고 봅니다. 그러기 때문에 부모님들이 어릴 때 뇌 발달이 다 결정된다는 얘기에 너무 몰입하지 않으셔도 됩니다.

유아 시기의 뇌 발달에 대해서 어머니들이 꼭 알아야 할 보다 더 중요한 문제가 있습니다.

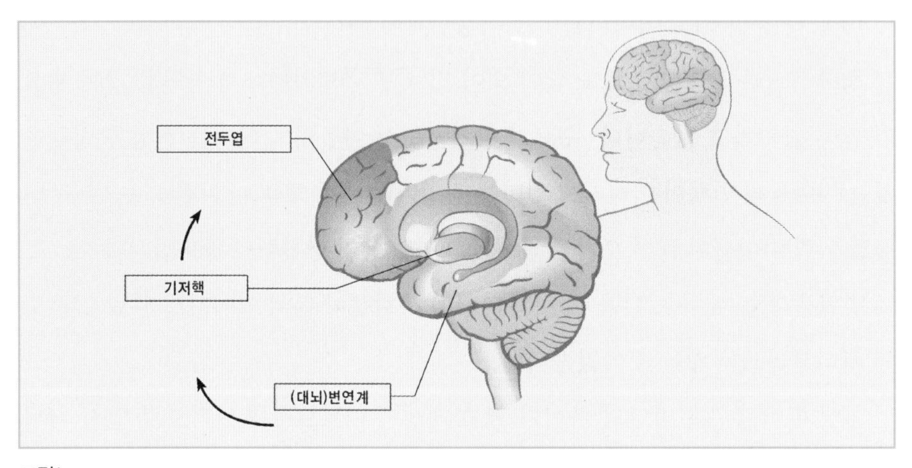

그림1

뇌 그림을 보면 (그림1) 이 세 부분이 박자가 잘 맞아야 집중력도 생기고 잘 실행됩니다. 주어진 문제를 해결해서 답을 내는 과정을 어려운 말로 인식- 기억- 전략 과정이라고 할 수 있는데 이 일은 전두엽 부분이 있는 뇌 바깥부분이 주로 관장합니다. 그런데 아무리 아이의 뇌가 좋아서 인식- 기억- 전략을 잘할 수 있다 해도 문제는 내가 하기 싫으면 안 합니다. 동기가 없으면 안 한다는 겁니다. 이 동기가 어디에서 생기느냐 하면 변연계와 그 안쪽 깊숙한 곳에 있는 뇌 부분인 기저핵에서 나옵니다. 물론 100%는 아닙니다. 뇌는 서로 연결되어 있으니까요.

하지만, 뇌 위쪽 부분들이(전두엽 부분) 거의 고차원적인 기능을 다루고 있고, 동기를 다루는 부분은 뇌 밑부분인 변연계와 기저핵입니다.

유아기 뇌 발달에서 중요한 부분은 전두엽 쪽보다는 기저핵과 변연계, 이 두 가지입니다. 유아기엔 이 두 가지가 많이 발달하는 시기입니다. 여기서 유아기라고 하면 만 3세 이하, 그러니까 세 돌 이하입니다. 한국 나이로 4살 이하죠. 이 시기엔 기저핵과 변연계의 발달이 꽃을 이루는데, 많은 어머님이 요즘에 18개월만 되어도 여기를 (전두엽 부분을 가리키며) 자극하기 시작하죠.

그런데 우리가 너무 어릴 때부터 그 일을 시키니까, 뇌는 빨리 쓰는 쪽이 발달해서 빨리는 오지만 그 나이에 아이의 뇌 상태는 여기를(변연계와 기저핵을 가리키며) 많이 채워달라는 거예요. 그런데 여러분은 이 부분을(전두엽을 가리키며) 많이 채우죠? 이런 일들이 제가 볼 때는 상당히 위험합니다. 왜 그러느냐, 변연계와 기저핵이 잘 발달해야 집중도 생기고 동기가 생기거든요. 그렇지 않으면 3학년 이상 되어서, 아무리 공부 전략을 가르쳐도 안 합니다. 조금만 어려우면 '나 안 해요' 하고, 왠지 산만하고 부산한 애가 돼요. 이다음에 커서 공부를 정말 제대로 잘 시키려면 영유아기에 변연계와 기저핵을 확실히 발달시켜줘야 해요. 그럼 어떻게 해야 하나요?

우선 제일 중요한 게 부모와의 관계예요. 너무 일찍 문자교육을 하려고 하다 보면 아이하고 부모하고 사이가 나빠집니다. 어떤 엄마들은 아이가 만 두 돌인데 영어 단어를 잘 외운다고, ABC를 다 안다고 자랑합니다. "애가 너무 좋아해서 시켰어요." 그래요. 그래서 그 아이가 영재인 줄 알고 검사를 했는데, 제가 지능검사를 하자고 하면 도망을 다녀요. 연필을 잡고 글자 쓰는 것 자체도 보기 싫어해요. 벌써 질렸다는 표현을 합니다. 그런데 엄마는 "애가 좋아해서 했다."고 합니다. 하긴 엄마 말도 맞아요. 왜냐하면, 요때 아이들은 어머니한테 사랑받는 게 지상 과제입니다. 그러니까 영어 단어 좀 읽으면 엄마가 매우 기뻐하시니까, 엄마에게 보상을 줘야 하니까 아이가 안간힘을 다해서 외운 거거든요. 하지만, 그런 방법은 아기 발달단계를 고려하면 옳지 않은 발달상황입니다.

변연계나 기저핵처럼 뇌 안쪽 깊숙한 곳에 있는 이 부분은, 미소, 항상 웃는 얼굴로 대해 주는 것. 그다음에 호기심을 만족하게 해주어야 잘 발달합니다. 아이들은 두 돌만 지나도 자기주장이 강해집니다. 집어던지고 드러누워 있는 애들이 대부분 보면 두 돌이에요. 그때 아이들은 왜 그러냐면 억제기능을 담당하는 뇌 바깥 부위가 아직 덜 발달하여 있기 때문입니다. 이런 억제기능 부분은 세 돌 미만에서는 아직 발달이 안 되어 있죠.

그러니까 이때 호기심과 정서적 욕구를 채워주어야 변연계와 기저핵이 충분히 발달을 하고 이게 발달하면 그다음 단계로 전두엽이 발달해요. 전두엽은 한 네 돌 지나면 발달합니다. 그래서 아이들이 네 돌 때쯤 되면 유치원 가서 잘 있잖아요. 규칙 지키고. 그게 바로 자연스럽게 성숙되어서 나오는 행동입니다.

그러므로 어릴 때, 즉 세 돌 이하 때는 아이들이 많이 좋아해서 웃어주고 자기 멋대로 하게 해주고 위험한 것만 치워주고 자기 좋아하는 대로 엄마가 따라 주면, 감정을 관장하는 뇌 부위(변연계와 기저핵 부분)가 잘 발달하기 때문에 그런 아이들일수록 자제력이 강합니다.

요즘에 특히 어머니들이 어린 애들한테 공부를 시키는 모습을 보면 학습자극을 발달시기에 맞지 않는 것을 주는 것도 문제지만, 학습을 시키려면 앉아있어야 하잖아요. 앉아서 써야 하는데 애들이 뇌 발달 상 그게 잘 안 되거든요. 그럼 태도 나쁘다고 야단치세요. "넌 왜 태도가 이러냐? 애가 집중력이 짧은 거 같아." 이러는 게 더 문제입니다. 제가 볼 때는 아이가 정상이고 엄마가 비정상이라고 생각되는 경우가 많습니다. 더 기가 막힌 것은, 아까 제가 개인의 차이가 크다고 했지 않습니까? 이 시기 여자 아이들은 뇌 발달이 조금 더 빠른 경향이 있고 대부분의 남자 아이들은 활동량이 조금 많아서 정말 가만히 앉아있지를 못해요. 이런 아이에게 잘못된 학습자극을 주기 시작하면 엄마하고 아이 사이엔 전쟁이 시작됩니다. 학원 가서도 혼자 뒤에서 놀고, 엄마가 그걸 보고 속상해서 집에 와서 한 대 쥐어박고, 이런 악순환이 일어나면 애는 스트레스를 받아서 뇌가 시끄러워져요.

특히 변연계 부분은 스트레스 호르몬을 분비하는 것 옆에 바로 붙어 있어서 스트레스를 많이 주면, 아이들이 잠도 잘 안 잡니다.

우리가 아이들 많이 놀라게 하면 잠 못 자고 깨서 울죠? 그게 이 변연계가 과잉활성화 돼서 그래요. 과잉 활성화하는 게 바로 스트레스 호르몬인데 여러분, 네 돌 미만 아기를 앉혀놓고 공부 많이 시키다 보면 스트레스에 의해서 뇌 부분이 변하게 돼요. 유아기에 뇌가 빨리 자란다는 것은 뭘 가르칠 좋은 기회이기도 하지만 반대로 어떤 나쁜 영향을 받으면 상당히 오래간다는 얘기도 됩니다. 커서까지 성격 나쁜 애가 되는 거죠.

어릴 때 이렇게 스트레스 많이 줘서 아이가 자꾸 좌절 현상을 많이 겪으면, 커서 어려운 문제는 다 피하게 되고 평소에는 알다가 시험 상황만 되면 틀리는 일도 벌어집니다. 긴장을 많이 하니까 시험불안이 생기는 거죠.

소아정신과에 4학년쯤 돼서 아이들이 집중력이 없다. 내지는 숙제를 스스로 안 한다. 이런 문제로 오는 애들은 어렸을 때 이거(변연계 부위 가리키면서) 흔들린 애들 참 많아요. 그러면 치료하는데 시간도 많이 걸리겠죠.

공부를 많이 할 수 있는 뇌가 됐을 때 공부를 시키는 게 좋은 방법인데 요즘에는 다들 조급하셔서 어릴 때 보호해야 할 이 밑의 부분(감정을 관장하는 변연계 기저핵 부분)을 들쑤셔요. 그래서 창의력도 없고 자주 불안해지고 배포도 없는 그런 아이들을 자꾸 만드는 것 같아 저는 제2 한강의 기적이 또 생길 수 있을까 의아스러울 때가 많습니다.

이대로 교육을 내버려두면 안 됩니다. 부모님들이 애를 학원으로 보낼 문제가 아니라 동네의 안전한 곳을 만들어서 친구들하고 옛날 골목대장 놀이를 할 수 있는 그런 자극을 줘야 하는데 그런 공간을 돈 모아서 만들 생각은 하지 않고, 각자 자기 아이만 빼내서 발달시기에 맞지도 않는 학습자극을 줘버리니 저는 이런 양육풍토가 걱정이 많이 돼요.

여러분도 어릴 때 공부 많이 시켜서 이렇게 만들고 싶으신가요? 전 참 걱정이 많이 돼요. 다행히 좋은 점은 그래도 이 아이는 세 돌 가까이에 제게 와서 치료를 받아 지금도 약간 부끄럼이 많은 점은 있지만 정상적인 기능은 잘하고 있어요.

저는 유아기 아이들을 치료하는 것이 좋습니다. 왜냐면 빨리 좋아지니까요. 유아 시기에는 정말 자유롭게 놀리고 미소를 많이 주는 것이 중요합니다. 그럼 어머님들은 그래요. "공부는 언제 시키나." 저도 사실 그게 궁금했어요. 저도 뇌 발달, 이런 연구만 나오면 열심히 뒤져서 보는데(흑질연구에 관한 그래프 보여주면서) 사고력을 담당하고 전략을 만드는 전전두엽. 그 뇌의 두께가 연령별로 어떻게 달라지나, 한 학자가 조사했어요. 미국 데이터입니다만 보시면 4세, 6세, 8세 올라가다가 여자 아이들은 언제 어른하고 비슷한 수준이 되냐면 11세쯤이에요. 남자 아이는 1년 늦어서 12세쯤 오고요. 이런데도 뇌 발달이 유아기에 결정된다고 할 수 있을까요? NO라는 결론이 나오죠.

이 중요한 뇌 부분은 신경세포질의 두께가 점점 증가하다가 어느 순간 딱 멈추어서 약간 감소해요. 감소하는 게 나쁘지만은 않습니다. 신경세포는 쓰지 않는 건 지워버리거든요. 쓰지 않는 걸 안 지우면 효율성이 떨어지기 때문이죠. 어쨌든 이런 의미로 보았을 때 여러분, 여아는 만 11세쯤, 남아는 만 12세쯤이 되어야 사고력이 많이 필요한 공부가 잘 될 거라고 생각하시면 돼요. 이게 지금 평균치죠. 여자 애들은 만 11세니까 초등학교 5학년 남자는 6학년, 중 1. 물론 아까 말했듯 개인차가 크기 때문에 어떤 아이들은 4학년 때 올 수도 있어요. 전두엽의 발달이 피크를 이루는 이때부터 공부에 매진시키면 아이들은 굉장히 빨리 쉽게 받아들여요.

저는 지나친 선행학습에 대해 걱정합니다. 뇌 발달이 아직 안 되어 있는데 그 전에 미리 어려운 개념을 가르치면 애들이 외울 수밖에 없어요. 패턴만 외워요. 문제를 푸는 전략을 자기가 스스로 하는 게 아니라는 겁니다. 또 하나 중요한 점이 있어요. 여자아이는 뇌 발달이 좀 빨리 오거든요. 뒤집어 얘기하면 남녀 학생이 같은 반에 있으면 여자 아이들이 체격도 크고 훨씬 더 일을 잘할 수밖에 없어요. 뇌 발달의 절정기가 빨리 오니까.

뇌 발달에 이런 비밀이 있는 것입니다. 그런데 우리가 너무 이런 사실을 모르고 있는 것은 아닌가 싶습니다.

어렸을 땐 철저하게 인지 뇌를 보호하고, 초등학교 저학년 때는 공부할 수 있도록 생활습관을 잡아주고 그리고 아이들이 추상적 사고력이 발달하고 전두엽 기능이 피크가 되는 때인 고학년 때 공부를 많이 확 시키면 효율성도 높임과 동시에 동기도 많이 살아난다고 봅니다. 왜냐하면, 아이들이 이때 공부를 해야 재밌거든요. 공부가 좀 재밌어야 하지 억지로 하면 안 되니까요. 억지로 시키면 동기는 떨어지게 되어 있어요. (중략)

아이들이 뭐든 막 따지기 시작하면, '흑질 두께가 두꺼워지는 시기가 왔구나.' 생각하시면 될 것 같습니다. 저도 우리 큰아이 기를 때, 아이가 5학년 땐가 그랬을 거예요. 제가 그때 구두를 사오니까, "엄마는 왜 이렇게 구두를 많이 사?" 하는 거에요. 제가 "왜?" 그랬더니, "엄마는 구두가 있는데 또 사면 안 좋으니까 떨어지면 사."라고 하더라고요. 그게 바로 아이들이 추상적 사고를 시작할 때입니다. 그렇게 비판적 사고를 시작하죠. 부모님들은 사춘기라고 생각하실 수도 있고 혹은 왜 갑자기 성질이 못되어졌나 하실 수도 있지만 실은 똑똑해져서 그런 거예요. 그런 사인이 오면 공부를 이제 시켜도 될 때가 왔구나. 생각하셔도 될 것 같습니다. 행동만 보더라도 이 비판적 사고를 시작하는 게 그냥 보이거든요. 굳이 검사 안 하셔도. 이런 비판력이 생겨야 아이들이 공부도 잘되고 전략적 학습도 됩니다. (중략)

결국 유아기 때는 철저히 동기 부분과 집중력을 키워주고 그다음에 초등학교 고학년 되어서 사춘기를 오락가락할 때, 이때가 머리가 정말 좋아질 때이니까, 제대로 된 고품질의 학습을 시켜야 합니다. 그런데 많은 부모님이 이 과정을 못 기다려 저를 많이 찾아오시거든요. (중략)

여러분도 마찬가지로 아이가 힘들어할 때, 즉 어떤 자극을 거부할 때는 이게 조금 늦게 자라는 애라고 생각을 하고 저처럼 점진적으로 아이가 편하게 할 수 있도록 기다리면서 조금씩 한발 앞서나가는 것 정도로 해보십시오. 그렇게 하시면 도움이 됩니다.

오늘 제가 유아기의 뇌가 사춘기 때까지 변한다는 말씀을 드렸는데 이걸 바탕으로 하셔서 앞으로 우리 아이에게 학습전략을 어떻게 짜줄 것인가 잘 생각해보시기 바랍니다. 절대로 같은 아이는 없어요. 개인차가 다 있기 때문에. 그래서 그걸 꼭 마음에 두고 우리 아이는 정말 특별하니까 내가 아이한테 맞추고, 아이의 뇌가 어떻게 발달할지 호기심 있게 관찰하면서 객관적으로 볼 수 있는 눈을 길렀으면 합니다.

저는 아이들을 기르는 것을 한 인간을 깊이 있게 이해하는 과정이라고 생각합니다.

학습도 마찬가지로 아이들 기르는 일의 일부입니다. 그러기 때문에 공부를 잘하는 저력을 가진 아이들은 그들의 인지 발달이나 전반적인 발달을 깊이 이해하는 마음을 갖고 돌보는 엄마한테서 나온다고 생각합니다. 저는 지금도 아이들 기르는 일을 즐거운 마음으로 하고 있습니다.

내가 이해 못 하는 부분도 많이 있기 때문에 정말 겸손하고 지혜롭게 아이들을 돌보는 게 필요하다고 봅니다.

_2007년 1월 4일 〈60분 부모〉 '겨울 방학 특집' 강의 중에서

신의진 선생님은 …
연세대 의대 소아정신과 교수, 신촌세브란스 병원 소아정신과 전문의.
서로 다른 두 아이를 키우면서 자녀 각자에게 맞는 개별화 교육의 필요성을 절감, 이후 자신의 육아 실전경험담과 수많은 상담사례를 토대로 올바른 자녀교육방법을 제시한 저서를 내서 많은 화제를 불러일으킴.
저서 〈현명한 부모들은 아이를 느리게 키운다〉 〈느림보 학습법〉 〈아이의 인생은 초등학교에 달렸다〉 〈현명한 부모들이 꼭 알아야 할 대화법〉 〈현명한 부모는 자신의 행복을 먼저 선택한다〉

동기부여 학습법

민성원 | 교육컨설턴트

공부는 전략입니다. 그 비법을 알고 공부하면 진짜 우리 아이도 우등생이 될 수 있습니다. 운전도 처음에 할 때 힘들지만 알고 나면 전화 걸며 운전하다 딱지 떼는 사람도 있는 것처럼 너무 과장해서 과잉 하는 게 문제인데, 공부도 방법이나 원리를 알면 훨씬 쉬워지고, 한 시간 공부한 다음 한 시간 반 이상의 효과가 나기 때문에 쉬는 시간도 많이 생깁니다.

아이들이 공부를 왜 안 할까요?

아이들이 공부를 안 하는 이유는 공부보다 재밌는 것이 너무 많기 때문입니다. 나가 노는 것, 친구들과 얘기하는 것, 게임을 하는 것, TV 보는 것, 하다못해 가만히 누워있는 것도 공부보다 나아요.

저도 초등학교 5학년 때까지는 공부 정말 못했습니다. 반에서 중간. 그런데 중학교 고등학교 수석 졸업하고 서울대 경제학과와 공법학과를 졸업했습니다. 많은 사람이 궁금해 합니다. 왜 못하다가 잘했을까?

그 원인은 제 경험에 비추어서 말씀드리자면, 물론 경험을 일반화시키면 좋지 않지만 그래도 누구나 알아들을 수 있는 일반화된 이유를 말씀드리겠습니다.

첫 번째는 공부에 대한 이유가 있어야 한다는 점입니다. 이유가 없는 상태에서 공부하면 너무 힘이 듭니다. 왜 해야 하는지도 모르기 때문이죠. 제가 늘 주장하는 것이 '동기부여 학습법'입니다.

꿈, 목표, 자신감. 어머니들이 이런 것들을 줄 수 있고 이것이 주어지고 나면 아이들은 공부를 너무 하고 싶어 합니다. 제가 여러 아이를 가르쳐 보면서, 방법이 먼저가 아니고 이유가 먼저라는 걸 알았기 때문에 자신 있게 말씀드릴 수 있습니다.

저도 처음에 6학년으로 올라갈 때 옆집 형이 금메달을 받은 걸 보고 공부하기 시작했습니다. 우등상을 받았는데 그때까지 저는 공부를 거의 안 했습니다. 왜냐하면, 하고 싶지도 않았고 해야 할 이유도 없었습니다. 또 저한테는 그 금메달이 만약 상장이었으면 안 했을 것 같습니다. 반짝거리는 그것을 보니까 세상을 가진 것 같다는 느낌이 들었습니다. 그래서 선생님한테 물었습니다. 우등상이 무엇이냐고, 그랬더니 졸업할 때 한 반에 다섯 명 준다는 것입니다. 그래서 저도 받을 수 있느냐고 물었습니다. 선생님은 교과서 같은 답으로 "물론 너도 노력하면 받을 수 있다."라고 하셨습니다. 사실 제 머릿속엔 우리 반에서 우등상 받을 아이들. 늘 잘했던 다섯 명이 딱 떠올랐습니다. 저는 태권도 노란 띠, 한 달 다니다 말았고 피아노 바이엘(상)을 치다 말았습니다. 공부와 관련된 상은 한 번도 받아본 적이 없었기 때문에 머리가 좋거나 원래 공부를 잘하는 애들이 받는 상이라면 전 못 받습니다. 그만둘까 하다가 자꾸만 그 상이 받고 싶었습니다. 즉, 꿈이 생긴 것입니다. 상을 받고 싶은 마음에 공부를 시작한 것입니다.

아이들이 노는 걸 뒤로 하고 책상에 앉을 때는 반드시 이유가 있어야 하는데 이유가 없이 앉아 있으면 몸이 너무 피곤하고 피동적인 아이가 됩니다. 스스로 공부할 수 없다는 것입니다.

저는 이틀 동안 매우 열심히 했습니다. 그런데 3일째 되니까 습관이 안 돼서 바로 안 하게 되었습니다. 안 하게 된 가장 큰 이유는 〈해도 안 될까 봐〉였습니다. 제가 안 해서 안 됐을 땐 기분이 안 나쁜데, 열심히 해도 안 되면 기분이 나쁩니다. 졸업할 때 드디어 저도 상을 받았습니다. '아, 나도 하니까 되는구나.'

공부에서는 이게 굉장히 중요한 것입니다!

그리고 중학교 올라갔는데 반에서 4등 했습니다. 가문의 영광이었죠. 선생님이 실로폰 채로 머리를 탁 때렸습니다. "우등상 받은 놈이 4등이 뭐냐. 1등을 해야지. 우등상 받은 애들은 딴 학교 가서 다 1등 했다." 저는 그 순간 '자아 이미지'라는 것을 배웠습니다. 즉, 저는 4등 정도면 충분하다고 생각했는데 선생님은 〈넌 1등 해야 할 아이〉라는 것입니다. 선생님의 말을 듣는 순간, '이상하다. 나도 1등을 해야 하는 게 아닌가.' 하는 생각이 들었습니다. 그래서 중학교에 올라가서도 공부를 했습니다.

여기서 중요한 사실이 있습니다.

대부분 엄마가 "공부 열심히 해. 그럼 좋은 일 생길 거야." 이렇게 말씀하십니다. 그런데 공부 열심히 해도 사실 좋은 일 안 생깁니다. 공부 열심히 하면 자연스럽게 성적 잘 올라가는 게 아닙니다. 그럼 어떻게 해야 하나요? 목표가 있어야 합니다. 그래야, 그에 적합한 행동이 따릅니다. 목표가 없으면 아무리 행동을 해도 그게 의미가 있는 행동이 아닌 경우가 많습니다.

10등 하려고 목표한 애들은 10등 할 만큼의 예습복습하고 집중합니다. 1등 하려고 목표한 애들은 1등 할 만큼의 예습복습하고 집중합니다. 체력도 머리싸움도 아니고 목표입니다.

저는 그때 목표의식을 갖고 해보려고 했습니다. 그런데 어떻게 해야 1등을 하는지 몰랐습니다. 해본 적이 없으니까. 그래서 생각한 것이 '100점을 맞으면 될 것'이었습니다. 막연하게 생각한 것입니다. 공부를 어떻게 하는 것인지 모르기 때문에 그냥 공부를 열심히 해서 중간고사 봤는데 전교 1등을 해버렸습니다. 어머니는 놀라서 실신할 정도였죠. 그다음부터 저를 보는 눈이 달라졌고 저의 자아 이미지는 전교 1등으로 바뀌었습니다. 불과 1년 전에 우등상을 탈 수 있느냐고 물어봤던 학생이었습니다. 그런 학생이, '너도 우등상 탈 수 있다.'와 '1등 해야지.'라는 두 번의 계기를 맞아 공부를 아주 잘하게 된 원인을 갖게 된 것입니다.

자, 저의 개인 경험담이지만 여기서 일반적인 원리를 찾아봅시다.

꿈, 목표, 자신감이 있으면 누구나, 공부를 잘할 수 있나? 잘할 수 있다, 왜?

첫 번째 이유는, 모든 시험 문제는 가르쳐 준 데서 나오기 때문입니다.

만약 천재 테스트, 멘사 테스트처럼 아이큐가 좋은 아이들이 푸는 문제가 나오면 노력한다고 해서 될 일이 아닙니다. 타고난 대로 공부가 됩니다. 그런데 중·고등학교, 대학교, 대학원에서도 가만 보면 선생님이 안 가르쳐 준 데서 시험문제가 나온 적은 없습니다. 즉 반복의 문제지 머리의 문제가 아니라는 뜻입니다. 다시 말해 내가 공부 못하는 이유는 머리가 나빠서가 아니라 반복학습을 안 해서라는 것이죠.

예를 들어볼까요? 아이큐 70인 사람이 있었습니다. 70이면 머리가 정말 나쁜 편인데, 선생님한테 권고를 받았다고 합니다. "너는 머리 쓰지 말고 몸으로 살아라." 그래서 이 사람이 몸으로 살았습니다. 머리 안 쓰고 힘든 일 하고 단순한 일만 했는데, 35세 때 아이큐가 160이란 것을 알았습니다. 그다음부터는 자기가 살아온 20년이 너무 억울해서 공부하기 시작했는데 40대 중반에 박사 학위 받고 전 세계 천재 협회, 멘사 회장이 되었다고 합니다. 그러면 이 사람이 원래 머리가 좋았는지 안 좋았는지가 중요한 게 아니고 나를 어떻게 바라보느냐는 것이 중요했다는 이야기가 됩니다.

부자들의 약 70%는 자수성가라 합니다. 공부 잘하는 애의 70%도 못하다가 잘했답니다. 늘 잘하는 애는 30%밖에 안 된다는 것입니다.

사람이 자아 이미지를 정할 때 결코 한계를 둘 필요가 없습니다. 꿈, 목표, 자신감 이런 것들이 생기면 그때부터 공부를 열심히 하게 됩니다. "우리 아이는 꿈이 없어."란 말 많이 하는데, 꿈은 원래 있는 게 아닙니다. 자기가 만들어가는 것입니다. 엄마가 해줄 것 중 제일 중요한 게 아이한테 꿈을 만들어 주는 것입니다. 꿈을 적게 하고 꿈을 책상에 붙이게 하고 경험하게 하고, 나의 꿈을 잡아서 아이와 꿈 이야기를 계속하다 보면 아이가 자기 스스로 소중하다는 것을 느끼고, 그것을 느끼는 아이만 노력하기 시작합니다.

어느 보고서에 따르면 하버드대 경영대학원을 졸업한 사람 중에 3%만 목표를 갖고 그것을 적어놓았다고 합니다. 13%는 목표는 있지만 그것을 적어놓지 않았다고 합니다. 나머지 84%는 하루하루 온 힘을 다해 살 뿐 목표 같은 건 없었다고 합니다. 하버드 경영대면 굉장히 우수한 사람들이 다니는 학교죠. 10년 후에 이 사람들을 다시 조사했더니 목표가 있고 적어 놓은 사람들이, 목표가 없었던 사람보다 소득이 10배가 차이가 났습니다.

이 얘기가 결국 무슨 뜻일까요?

사람이 잘살고 못 살고가, 공부 잘하고 못하고가, 타고난 자질의 문제가 아니라는 뜻입니다. 목표는 있는데 적지 않았던 사람도 목표가 없었던 사람보다 소득이 두 배 나았다고 합니다.

아이가 공부할 때 목표를 갖고 하느냐 목표를 갖지 않고 하느냐에 따라 아주 큰 차이가 난다는 것입니다. 자, 목표가 아주 중요하고요, 그 다음에는 방법을 알아야 합니다. 공부를 열심히 하는데도 성적이 안 오르는 아이도 있습니다. 그건 공부가 뭔지를 정말 모르는 애들인 것 같아요. 어떤 사람이 톱질을 계속 하는데 나무가 잘 안 베어집니다. 옆에 지나가는 한 나그네가 "톱을 갈고 하시죠?" 했더니 "톱을 갈 시간이 없어요." 하더랍니다. 요즘 아이들이 딱 그럽니다.

아침부터 학교 가서 계속 수업 듣고, 끝나고 나면 많은 아이가 바로 학원갑니다. 또 계속 수업합니다. 집에 오면 씻고 뭐 조금 하고 꾸벅꾸벅 졸면서 공부를 합니다. 온종일 공부합니다. 그런 애들은 〈티쳐 보이〉가 됩니다. 혼자 할 수 있는 게 아무것도 없는 아이가 됩니다. 공부는 혼자 하는 것이 굉장히 중요합니다. 공부의 대원칙은 공자님의 말씀대로 생각하면 됩니다. '배우고 익히면 기쁘지 아니한가.'

마지막으로 모든 공부는 시험을 통해서 평가를 받게 되어 있습니다. 나이 든 엄마들이 왜 기억력이 떨어지나요? 시험을 안 봐서 그렇습니다. 여러분도 시험 보면 다시 기억력이 모락모락 되살아날 것입니다. 시험을 안 보면 책을 읽는 게 교양이지만, 시험을 보면 그때부터 공부가 됩니다. 그러면 배우기, 익히기, 시험 잘 보기를 잘 익혀 놓으면 성적이 오를까요? 오릅니다.

제가 공부 원리를 가르치는 가장 큰 이유는 아이들을 공부벌레로 만들려는 것이 아닙니다. 아이들의 즐거운 청소년기를 다시 돌려주기 위해서입니다. 한 시간을 공부하고, 한 시간 반 공부를 한 효과가 나려면 어떻게 해야 할까요?

이제부터 그 방법을 이야기하겠습니다.

자, 엄마가 "너 오늘 공부 열심히 했니?" 하면 아이가 "엄마 나 다섯 시간 했어."라고 대답합니다. 공부 시간, 물론 아주 중요합니다. 그런데 아이들이 "두 페이지 봤어." 이런 말은 잘 안 하죠? 잘못된 것입니다. 실질적으로는 공부 시간보다 공부량 즉, 진도가 훨씬 중요합니다.

짧은 시간 안에 공부의 양을 늘리는 방법을 제가 고등학교 2학년 때 깨달았습니다. 〈목표 학습법〉이라 하는데 어려운 게 아닙니다. 평상시 잘 안 외워지다가 시험 직전에 굉장히 잘 외워지지 않습니까? 누구나 다 그렇습니다. 여러분도 학교 다닐 때 시험 직전에는 내 진도가 하루에 50페이지 나가는데 시험기간 아닐 때는 5페이지밖에 안 되는 경험을 했을 것입니다. 내 머리의 차이일까요? 아니면 체력의 차이? 아무것도 아닙니다. 마음의 차이입니다. 제가 시험 때만 되면 고민한 건 "평소에도 이렇게 좀 했으면… 3주 전에"였습니다. 꼭 시험보기 4일 전에 후회합니다. '아 옛날에도 이렇게 할걸.' 어느 날 그 생각이 갑자기 든 것입니다. 어떻게 이걸 응용할 수 있을까? 생각하던 중에 '아, 시험 때 집중이 잘 되는 이유는 제한된 시간 내에 제한된 양을 반드시 해야 하니까 그렇다.'였습니다.

이 생각이 들고서 그다음에 내가 연습장에 이렇게 썼습니다.

'지금부터 나는 1시간 동안 수학 문제 30개를 풀겠다.' 그리고 시계를 딱 눌렀죠. 스스로 제한된 시간과 제한된 양을 정해 놓은 것입니다. 그리고 공부했더니 세 배 진도 나갔어요. 내 스스로 너무 놀랐습니다. 이렇게 단순한 방법을 썼을 때, 3시간 공부하면 9시간 공부하는 효과가 납니다. 느긋하게 천천히 오래 공부하는 게 머릿속에 많이 남을까요? 집중해서 하는 게 많이 남을까요? 머리에 남는 것도 많은데 진도는 엄청나게 나갑니다.

그러면 이렇게 하는 이유가 뭘까요?

3시간 충분히 공부 한 다음에 나머지 시간 놀라는 말입니다. 취미생활도 하고.

학창시절에 너무 공부만 한다고 좋은 건 아닙니다. 할 건 하고 놀아야 합니다. 그리고 끝나고 나서는 예상 시간 동안 30문제 풀기로 했는데, 25문제 풀었으면 미달, 더 풀었으면 초과 몇 문제, 항상 체크를 했습니다. 평상시에 그렇게 푸는 마음 갖고 시험에 닥치면 마음이 당황하기 시작합니다. 평상시에 잘 푸는데 시험 때 못 푼다는 것입니다. 그러면 항상 제한된 시간 내에 푸는 연습을 해 두어야 합니다.

세 번째로 공부양보다 더 중요한 게 있습니다. 바로 기억량입니다. 100페이지를 보면 뭐합니까? 책을 덮자마자 머리가 맑아지는데. 수업 시간에 공부한 것을 대부분 애들은 얼마나 기억이 날까요? 하루만 지나면 거의 반을 잊어버립니다. 한 보름, 한 달 지나면 80%는 다 잊어버린다는 거예요. 망각곡선 이론에 나오는 이야기입니다. 처음에 공부를 열심히 하고 배울 때는 '아, 아' 이렇게 호기심으로 배워요. 그때는 사실 재밌습니다. 그런데 암기하거나 익힐 때는 결코 재미있는 일이 아니에요. 정말 머리가 아플 정도이고 땀이 나며 힘듭니다.

망각곡선의 이론에 의하면 반복 주기를 짧게 하라고 했어요. 그리고 즉시 반복하는 게 최고 효과가 좋습니다. 저는 〈5분 학습법〉이라 합니다. 제가 한 천 명 이상의 아이들한테 학습법을 가르쳐 주었는데 가장 쉽게 해서 성적이 가장 많이 올랐다는 것이 이 〈5분 학습법〉이에요. 이거 하면 아이 머리도 굉장히 조직화하고 논리적이 될 뿐만 아니라, 시험 때 조금만 공부해도 성적 굉장히 많이 올라요. 5분 학습법이니까 5분만 하면 되는 거예요. 수업이 끝난 다음에 바로 놀러 나가지 말고 딱 5분만 이번 수업 시간에 있었던 내용을 다시 한 번 보는 거예요. '선생님이 얘기하셨지. 그래, 맞다. 이 얘기 하셨다. 아 그래 이 얘기 하셨네.' 외울 정도의 시간은 안 돼요. '아, 맞아. 아, 맞아. 아, 맞아.' 식으로 되새겨보면 실질적으로 3분이면 됩니다. 그런데 넉넉히 한 5분 정도를 잡는 것입니다.

제가 중고등학교 특강을 나가면 교장 선생님한테 꼭 부탁하는 게 이거에요. "50분 수업을 하면 고등학교 때 45분만 수업하시고 5분은 아이들한테 정리 한 번

해주세요." 그럼 아이가 45분 수업 끝나자마자 한 번 복습한 게 되죠? 그다음에 끝나고 또 복습하죠? 한 5분 동안. 학교에서 이렇게 안 해 주면 나 혼자라도 해야 합니다. 처음엔 익숙하지 않지만 익숙해질 때까지 뭐 한 달이 걸리든 1년이 걸리든 이렇게 하면 다섯 배가 더 기억난답니다. 난 단지 5분을 썼는데 다섯 배가 더 기억난다니 굉장하지 않습니까?.

이런 애들은 주말에 놀 시간이 생기는 거예요. 그리고 어떤 게 생기냐면, 머리가 논리적으로 바뀝니다. 앞으로 요구하는 아이들의 능력은 논리성이에요. 순서대로 생각할 수 있는 것. 수업이 끝난 다음에 죽 순서대로 생각하죠. 5분 학습법을 계속 썼더니 시험 때 너무너무 생각이 많이 나더래요. 시험공부 할 때.

공부 원리를 가르치는 이유는 놀 시간을 확보해주는 것이라고 그랬죠? 처음엔 공부 시간이 제일 중요한지 아셨죠? 그런데 가만 보니까 공부량이 더 중요하다고 하죠? 그래서 공부량이 제일 중요한 줄 알았죠? 아닙니다. 가장 중요한 것은 기억량입니다.

5학년 아이를 둔 엄마가 아이가 자신감이 없어 하는데 어떻게 하면 자신 있게 공부를 할 수 있을까 물어왔습니다. 아이의 자신감은, 필르 메끄로란 박사의 '셀프 이미지'에 비유해 말하자면, 엄마 때문에 자신감이 생기고 엄마 때문에 안 생기는 경우가 대단히 많다고 합니다. 엄마 역할이 굉장히 중요한데, 칭찬이 아이의 자신감을 높여주는 데 가장 도움이 되고요. 칭찬 중에서도, 즉시 칭찬하는 것, 타고난 것은 칭찬하지 말고 아이의 행동이나 과정을 칭찬하라고 합니다. 그러니까 만약에 성적이 잘 나왔다면, "우리 천재 ○○" "머리 좋은 ○○"라고 하지 말고요, "네가 일주일 동안 공부한 게 드디어 결과가 나왔구나." 식으로 칭찬하랍니다. 항상 좋은 행동을 할 때 행동에 집중해서 칭찬을 해주면 아이는 그런 행동을 부모의 기대에 부응하고자 계속 하려고 하는데, 만약에 타고난 것을 칭찬하거나 타고난 것을 비난하면 그건 어쩔 수가 없다고 생각하기 때문에 노력을 안 하게 됩니다. 그러니까 꾸짖을 때도 칭찬할 때도 행동 위주로 칭찬하게 되면 아이 자신감이 많이 생깁니다. 그다음에 엄마가 자신감을 줄 수 있는 또 다른 방법은 아이를 볼 때 '너는 세상을 바꿀 수 있을 만한 커다란 아이다.'라는 눈으로 보십시오. 말보다 더 중요한 게 그 눈인데 그러면 아이는 엄마의 기대에 부응하려고 노력합니다. 항상 과거는 잊고 다음을 생각하세요. 미래를 생각하는 사람들한테 자신감이 있습니다.

_2006년 4월 12일 〈60분 부모〉 '공부는 전략이다' 강의 중에서

민성원 선생님은 …

초등 5학년 때 시작한 공부가 이후 줄곧 이어져 중학교, 고등학교를 수석으로 졸업하고 서울대 경제학과 공법학과를 졸업함.
동기부여에 관심을 두고 강연과 저술활동을 하던 중 공부원리 프로그램 개발.
서울대에서 학부모를 위한 공부원리 코스(1~4기) 운영, 동기 부여 캠프 운영. 2006년 봄 〈60분 부모〉에 출연, 공부원리 특강으로 학부모들의 높은 관심을 받음.
저서 〈민성원의 공부 원리〉 등

논술세대를 위한 학습전략

김강일 | 교육 컨설턴트

저는 요즘 우리 학생들을 논술세대라고 규정하고 싶습니다.

대학에서 논술을 통해서 우수한 학생들을 뽑으려 하다 보니까 논술이 이제 중요한 당락의 요소로 떠올랐죠.

그러다 보니 많은 부모님이 초등학교 때부터 '논술, 논술' 하게 되는데 이제는 논술세대의 학습전략이 새로워져야 한다고 봅니다. 〈논술 따로, 독서 따로, 공부 따로〉가 아니라 〈독서와 논술과 공부를 통합한 형태의 공부〉를 해야 학생들이 공부도 잘하고 논술도 잘한다는 관점에서 오늘 말씀을 드리겠습니다.

우선 논술이라고 하는 것이 무엇인지 알아보겠습니다.

대학에서 논술을 본다고 하면 이 논술이란 것도 결국 시험입니다. 당연히 평가 기준이 있겠죠. 그 평가 기준을 서울대학교의 사례를 통해 잠깐 살펴보겠습니다. 서울대 논술 평가 기준으로 이해력과 창의력, 논리력, 표현력 이렇게 네 가지를 봅니다.

이해력은 논제와 제시문을 제대로 이해하고 분석했는가 하는 부분인데 이것이 배점으로 보면 20%입니다. 그리고 내용에 깊이가 있으면서 얼마나 독창적인가 하는 창의적인 것이 40%, 그리고 주장에 대한 근거, 논리적인 논거에 대한 정확성 논리력을 보는 것이 30%입니다. 그리고 표현의 자연스러움, 인용, 맞춤법, 원고지 사용법. 흔히 부모님들이 가장 중요하게 생각하는 글쓰기 기법에 대한 것은 10%밖에 안 됩니다.

그렇다면, 논술이라 하는 것은 단순한 글쓰기가 아니라는 생각이 드실 겁니다. 물론 논술은 글로 표현하기 때문에 글쓰기가 맞습니다만 전반적으로 보고자 하는 것은 이런 이해와 창의력, 논리력이라는 사고에 대한 부분을 보자고 하는 것이기 때문에 결국 논술은 사고에 대한 것, 즉 얼마나 깊이 있게 생각하고 얼마나 논리적으로 생각하는가. 그리고 이것을 얼마나 논증적으로 잘 표현을 하는가 하는 것들을 보게 됩니다.

결국, 논술을 잘하려면 사고의 전개가 잘 이루어져야 해요.

대부분 우리가 '사고를 한다.'라고 했을 때는 언어의 연속이라고 할 수가 있죠. (물론 비언어적인 사고도 있습니다. 음악적 미술적인 것들, 예술적인 아이디어 이런 것들은 비언어적이지만) 언어를 가지고 사고를 하기 때문에 언어능력이 높은 학생들의 사고력이 높을 수 있습니다. 그런 차원에서 저는 논술 능력 중에서 사고력을 향상시키는 방법으로 언어에 대한 이야기를 잠깐 말씀드리겠습니다.

언어라고 하는 것도 저는 '등급이 있다.'라고 주장을 합니다.

구체적으로 예를 들면, 갓난아기가 배가 고플 때 자기가 배고프다는 표현을 해야 하겠죠. 어떻게 표현하면 될까요? 울면 됩니다. 이것은 자연 언어죠. 단순한 의사소통입니다. 그래서 울면 '아, 우리 아이가 배가 고픈가 보다.' 그리고 먹을 것을 주게 됩니다.

그런데 4, 5살 먹은 아이가 배가 고파요. 그럼 배고프다는 표현을 어떻게 하면 될까요? 말로 해야죠? 근데 말로 안 하고 울면 어떻게 할까요? 콩 하고 한 대 쥐어 박힐 수 있습니다. "너는 말로 하지, 왜 우니?"

아이의 언어 등급은 3, 4등급, 즉 생활 언어로 말할 수 있는 능력을 갖추고 있는데 아직도 자연 언어 수준으로 얘기하면 혼나죠. 그런데 7살 정도 되는 아이가 배가 고플 때 이런 표현도 쓸 수가 있어요. "엄마 시장기가 살살 도네요." 또는 "엄마 금강산도 식후경이래요." 이런 학생들 같은 경우엔 언어 등급이 상당히 높습니다. 5, 6등급인 문화언어 수준으로 이야기합니다. 그리고 어떤 아이들은 배고플 때 "엄마, 뱃속에서 탄수화물, 단백질, 지방 공급을 해달라고 하네요." 이런 식으로 7, 8등급의 학문적인 언어로 표현할 수도 있습니다. 어떤 아이들은 "뱃속에서 종소리가 나네요." 식으로 9, 10등급의 문학적인 언어, 즉 시나 소설에서 등장하는 거와 같은 표현을 할 수가 있습니다.

그래서 '배고프다.'라는, 엄마에게 밥을 달라고 하는 같은 말이라 해도 표현하기에 따라 언어등급의 차이가 납니다. 이 언어등급의 차이가 사실은 학습능력의 차이로 바로 연결이 됩니다. 가령 40명의 학생에게 선생님이 똑같은 얘기를 합니다. '뭘 준비해라.' 그런데 그것을 어떤 아이는 바로 알아듣고 준비를 잘해가는 아이가 있는가 하면 그것을 못 알아듣는 아이가 있습니다. 왜 그러냐 하면 선생님은 예를 들어 7, 8등급에 해당하는 언어를 사용했는데 이 학생이 가진 언어 등급은 3등급이라면 같은 한국어를 쓰고 있지만 의사소통이 안 되는 거죠. 이해를 못 합니다. 그래서 저는 우리 아이들의 〈학습 능력을 키운다.〉 〈사고의 능력을 키운다.〉라는 것은 아주 근원적으로 〈언어 능력을 키우는 것이다.〉라고 말씀을 드립니다. 그런 차원에서 이제는 우리 아이들에게 학습 지도를 할 때 언어 능력을 7, 8등급 9, 10등급까지 끌어올려 주는 것이 우리 부모님들이 해야 할 역할이 아닌가 생각합니다.

우리 학교에서 중고등학교는 학문언어를 사용하는데, 7등급 정도 해당하는 언어를 사용합니다. 그다음에 대학, 대학원 이상에서는 8등급 이상의 언어를 사용하죠. 그러면 우리 아이들이 학교에 가서 자기가 그만한 언어의 등급을 가지고 있어야 학문 활동을 하는데 전혀 부족함 없이 할 수가 있습니다.

제가 많은 학생을 만나보면 충분한 학습태도, 습관을 갖추고 있음에도 성적이 팍 올라가지 않으면 바로 아이들 언어의 기반이 약해서 그런 경우를 봅니다.

사례를 들어 고등학교 1학년 학생의 시험문제를 보겠습니다. 객관식 문제인데 지난 2006학년도 1학년 1학기 사회시험 문제입니다. 문제를 보면 '다음 글의 핵심을 국민의 권리와 국가 정책 간의 충돌이란 관점에서 서술할 때 가장 잘 말한 것은?'이라고 묻고 있습니다. 문제 자체도 어렵죠? 그런데 여기 보면 '헌법재판소는 축산업자 배모 씨 등 3명이 그린벨트의 개발 제한을 규정한 현행 도시계획법 21조에 대해 헌법 소원을 제기한 사건에서…' 이렇게 문장을 열면서 문제가 시작됩니다.

어떤 학생들은 이것을 보면서 이것은 국가 정책, 개인의 어떤 재산권이라고 하는 것과의 관점에서 글쓴이의 주장이 뭐라고 하는 것을 알아서 답을 찾아야 하는데, 많은 학생이 이 글을 보면서 무슨 내용인지 이해를 못 합니다. 문제를 끝까지 읽어보지만 그런데도 모릅니다. 그럼 또 보기를 읽습니다. 보기를 읽다보면, '국가 정책을 위해서는 개인의 재산이 희생되어야 한다.'라는 말이 나옵니다. 이것은 또 무슨 소리지? 해서 또다시 앞으로 올라가게 됩니다.

이것이 사회 시험 문제인데요. 많은 분이 사회나 과학이 암기과목이라고 말씀하시는 때도 있습니다. 문제를 보니까 어떠신가요? 암기 과목이란 생각이 드시나요? 이해 과목이란 생각이 드시죠? 이해 중에서도 언어 이해라는 생각이 들겁니다. 사회는 단순한 암기 과목이 아니라 사회 현상을 전문화된 언어, 즉 등급이 높은 언어로 설명하고 이해하고 측정하는 또 하나의 언어 과목이란 것을 알 수 있습니다. 학생들이 국어, 수학, 사회, 과학, 영어. 많은 과목을 배우고 있지만 사실은 그 학생들이 언어를 배우는 거죠. 과학도 마찬가지, 언어과목입니다. 자연현상을 언어를 가지고 탐구해서 생각하고 그걸 표현하는 것이기 때문에 결국 언어의 문제입니다. 그래서 이 언어 능력이 바로 사고 능력을 결정하고 사고 능력이 학습 능력을 결정하게 됩니다.

그런 차원에서 우리 아이들의 언어 능력을 키우려는 방법으로 무엇이 좋겠는가 하는 것들을 말씀 드리고 싶은데 그전에 어떤 분들은 아이들의 언어 능력을 위해서는 토론이라든가 대화가 좋다고 말씀하시는데 그것도 맞는 이야기입니다. 토론, 대화를 통해서 아이들과 많은 기회를 얻고 대화를 한다는 이야기는 사실 생각을 한다는 이야기고 그 생각을 통해서 자기를 끌어내는 것이기 때문에 언어 능력에 많은 도움이 되죠. 그런데 집에서 평소 부모와 나누는 언어 내용을 잠깐 살펴보면 실제로는 큰 도움이 안 된다는 것을 알 수 있습니다.

그러다 보니까 집에서 부모 자녀 간의 대화도 중요하지만 실제로는 대화의 내용이 간단한 내용으로 채워지기 때문에, 거의 인사말이라든가 지시 정도이기 때문에 저는 이러한 것을 끌어올리려는 방법으로 물론 대화도 중요하지만 '독서', '책'이라고 하는 중요한 소재를 강조하고 있습니다. 책을 가지고 대화를 나누게 되면 자녀의 언어 등급을 끌어올릴 수 있지 않겠는가 하는 것입니다.

어린 아이들이 읽는 책 중에서는 〈왕자와 거지〉, 〈성냥팔이 소녀〉. 아주 쉬운 책이지만 그 책에 표현된 언어들은 9, 10등급에 해당하는 매우 수려하고 아름다운 문학적인 표현들로 되어 있기 때문에 그런 것들을 아이들이 받아들이게 되면 그것이 점차 아이의 언어 능력이 되지 않을까 싶습니다.

'어떤 책을 읽힐 것이냐.' 아이들에게 책읽기 지도를 할 때 저는 장르별로 책을 읽혔으면 좋겠습니다. 우리가 건물을 짓더라도 설계도 없이 건물을 지을 수가 없잖습니까? 마찬가지로 우리가 자녀를 교육하고 그 아이들에게 책을 가지고 언어 능력을 키워주는 데 있어서 어떤 설계도가 없이 무작정 한다고 하면 대단히 위험하죠. 그래서 저는 '독서의 계단'을 제시해 드립니다.

초등 저학년일 때에는 전래동화에서 시작하는 게 좋겠지요. (학년이 올라갈수록) 전래동화, 명작, 창작. 그리고 비문학 파트로 전기문. 물론 전기는 경우에 따라서 문학 범주에 들어가기도 합니다만 비문학도 있기 때문에 비문학으로 분류했습니다. 전기, 역사, 자연과학, 인문과학, 사회과학과 같은 책을 읽도록 해주셔야 합니다.

제가 이렇게 이야기하면 도대체 사회책은 어떻게 읽히고 과학책은 어떻게 읽히나 하는 고민이 생깁니다. 물론 초등학생은 이런 단계가 필요하고 중고생은 좀 달라야 하겠죠. 소설, 수필, 시, 역사, 자연과학, 인문과학, 사회과학, 철학 사상 등의 고전까지 책을 폭넓게 읽게 되면 초등학교부터 적어도 고등학교 1학년 정도까지 아이들이 논술할 수 있는 엄청난 양의 자양분이 갖추어집니다. 사고의 폭도 넓어지고요.

논술을 할 때, 논술이라고 하는 것이 자기의 주장을 펴고 그것에 대한 근거를 대는 거 아닙니까? 논술을 잘하는 학생들은 설명문과 같은 글을 잘 쓰는 학생들입니다. 설명문을 잘 쓰려면 비유를 잘 들어야겠죠. 사례를 잘 들어야 합니다. 또 한 가지는 묘사를 잘해야 합니다. 아이들은 사례를 들 때 경험이 부족하기 때문에 주로 묘사와 비유를 통한 표현을 많이 하게 됩니다.

비유를 잘 들려면 그 아이가 가진 기본적인 독서량이 밑받침되어줘야 가능합니다. 그런 차원에서 이 아이들에게 전래나 명작과 같은 것은 어려서부터 많이 읽히는데, 비문학은 저는 교과와 관련한 독서를 권해 드립니다. 초등학교 때부터 이러한 해당 학년에 맞는 교과와 관련한 책을 읽어가면서 활동을 해왔던 아이들은 언어의 기반이 있기 때문에 중고등학교 올라가서 공부를 쉽게 합니다.

언어의 기반이 있기 때문에 쉽게 이해를 하게 됩니다. 당연히 공부를 잘하게 되죠. 그래서 거듭 말씀드리자면 아이들의 독서지도라고 하는 것은 전략적으로 해야 한다. 그 전략이라고 하는 것이 대단하고 거창한 것이 아니라 현재 아이들의 교과서에 맞게끔 읽히도록 하자. 그래서 저는 부모들께 자녀의 교과서를 한번 펼쳐 보도록 권해 드립니다.

오늘 주제가 논술 세대를 위한 학습 전략이기 때문에 지금까지는 독서를 중심으로써 말씀을 드렸고요. 결국, 이 독서라고 하는 것도 독서 따로 공부 따로가 아니죠. 현재 공부하고 있는 것과 맞춰서 독서를 하게 되면 독서 문제와 공부 문제를 같이 해결할 수가 있습니다.

이번에는 학습에 대한 공부를 실제로 어떻게 해야 하는가라는 방법에 대한 부분을 말씀드리겠습니다.

논술 세대를 위한 5단계 학습전략입니다.

그 첫 번째 1단계가 〈배우고 익히기〉입니다. 배우고 익히기란 학교에서 선생님이 설명하는 내용을 듣거나 체험학습 하는 것들도 포함됩니다. 그리고 교과와 관련된 책을 읽고 활동하는 것. 이것이 다 배우고 익히기에 해당이 됩니다.

그다음 두 번째로는 〈자세히 따져 묻기〉인데 이것은 수업 태도에 대한 문제입니다. 선생님이 설명할 때 대부분의 많은 학생에게 한 번 질문해 보세요. 수업을 듣고 나서 다 알았느냐고 물어보면 100%는 아니지만 부분적으로 안다고 합니다. 그렇다면 모르는 부분을 꼭 선생님한테 질문할 것이 아니라 나중에 책을 통해서 찾아보는 것도 하나의 질문이 될 수가 있을 테니 그걸 권해주세요. 이것이 바로 자세히 따져 묻기죠.

그리고 세 번째 〈자기 생각 정립하기〉! 이것은 자기의 생각을, 말하자면 지식을 쌓아서 축적하는 하나의 과정이라고 할 수가 있습니다. 그 과정이 바로 노트 정리라고 할 수 있습니다. 노트에 정리하면서 자기가 배운 것을 정리하는 것이죠.

그리고 네 번째 단계로 〈옳고 그른 것 분별하기〉 이것은 내가 지금까지 배운 것이 맞는지 틀리는지 확인하는 거죠. 그 확인이 바로 뭘까요? 평가 문제집을 통해 확인하는 것이죠.

다섯 번째 단계로 〈목표를 향해 온 힘을 다해 실천하기〉 즉, 한 번 정했으면 끝까지 밀고 나가는 실천력을 말하는 거죠.

'중용'에 보면 그런 이야기가 나옵니다. '배움에서 처음 배울 때 한 번 배우려거든 능통할 때까지 배워라. 중간에 그만두지 마라.'라고 해서 그 표현을 학이라고 합니다.

아이들이 학문 활동을 한다고 하는 것이 바로 여기서 나왔죠. 배우고 묻고 이것이 하나의 학문이 되고요. 그다음에 생각하고 분별하는 것이 사변입니다. 근데 이 사변이 사전을 찾아보면 이렇게 되어 있어요. '순수하게 논리만 가지고 인식에 도달하는 것.' 이것이 바로 논술의 꽃이라고 할 수 있죠. 논술은 자기가 경험하지는 않았지만 자기가 배우고 그다음에 자기가 생각한 것을 정리하여 뭔가 결론을 제시해서 그 방법에 대한 것들을 나름대로 정리하는 것이기 때문에 바로 논술의 핵심이 사변이라는 거죠. 그럼 사변을 누가 잘 하는가? 바로 이 태도가 잘 되어 있는 학생들이 잘합니다. 제가 실제로 중학생을 설득하면서 이렇게 이야기 했어요.

많은 학생이 학교나 학원에서 공부하고 왔습니다. 공부를 하고 온 이 과정이 선생님을 통해서 공부했다면 이것을 통해서 뭔가 따져 묻고 정리를 해야 하는데 대부분 이 과정을 안 하죠. 생각하는 과정, 나름대로 정리하는 이런 것을 안 합니다. 바로 문제를 풉니다. 결국, 설명 듣고 문제 풀고, 이런 과정을 반복하거든요.

그래서 제가 학생한테 그랬어요. "학생 지금까지 공부했나요? 안 했나요?" 했더니 자기가 그러더군요. "지금까지 공부 안 했네요." "그럼 앞으로 어떻게 해야 하죠?" 그랬더니 이렇게 묻는 과정과 정립하는 과정을 해야 하겠다고 이야기를 하더라고요.

이제는 "논술을 공부하지 말고 공부를 논술 식으로 해라."라고 이야기를 합니다. 예를 들어서 수학을 푼다면 수학을 단순히 문제만 풀고 오답을 확인하는 차원으로 그치지 말고 입으로 말할 수 있도록, 원리를 부모님 앞에서 설명하는 것도 하나의 논술식 공부 방법이죠. 그다음에 사회나 과학 경우에는 목차를 정리한 다음에 그것에 따라서 자기 나름대로 노트 정리를 하면 됩니다.

자녀를 위해서 우리 부모님께서 노력을 기울여 주시고 학습 전략에 맞게끔 독서와 학습 방법과 자녀와의 관계를 위해서 노력을 한다면 우리 아이들이 단순한 지식을 넘어서서 위인으로까지 성장하지 않을까 생각을 합니다.

공부라고 하는 것은 강물을 거슬러 올라가는 배와 같다고 합니다. 배가 떠 있는데 이 목적지는 상류죠. 상류를 향해서 가야 하는데 이것이 멈춰 있으면 하류로 갈 수밖에 없습니다. 하류로 밀려난 상태에서 언젠가는 그 목적지를 향해서 가야 하다 보니까, 배나 힘이 들고 배나 비용이 들고 하지 않나 싶습니다.

그래서 자녀교육이라고 하는 것이 무작정 공부를 많이 시키고 여러 가지 아이를 힘들게 하는 그런 차원이 아니라, 하루도 쉼 없이 꾸준히 할 수 있도록 도와주고 격려해주고, 이 속에서 동기를 유발하여 꿈을 갖고 목표를 가질 수 있도록 돕는 것이 부모님의 역할이 아닐까 생각합니다.

_2007년 1월 11일 〈60분 부모〉 '논술세대를 위한 학습전략' 강의 중에서

김강일 선생님은 …

동갑내기 부인과 함께 2004년 〈평생 성적 초등 4학년에 결정된다〉를 펴내 전국의 수많은 초등학생 부모들에게 깊은 인상을 남긴 교육 컨설턴트. 〈60분 부모〉에 2006년 하반기와 2007년 상반기에 고정출연해서 초등학생을 위한 공부 방법과 독서전략 학습상담을 맡아옴.

저서 〈아이의 미래를 바꾸는 공부 저력〉 〈예능에 강한 아이가 공부도 잘한다〉 〈교과서만 따라해도 초등논술 OK〉 〈신맹모 성공기〉 등

EBS 60분 부모 스스로 공부하는 아이

1판 1쇄 발행 2007년 11월 12일
1판 18쇄 발행 2011년 5월 23일

지은이 김미라 · 정재은 · 최정금(EBS 〈60분 부모〉 '스스로 공부하는 아이'팀)

발행인 장상진
발행처 경향미디어
등록번호 제313-2002-477호
등록일자 2002년 1월 31일

서울시 마포구 합정동 196-1번지 2층 우편번호 121-883
대표전화 1644-5613, 팩시밀리 02-304-5613

ISBN 978-89-90991-54-6 03370